Brackel, Ferdinande

Die Tochter des Kunstreiters

Brackel, Ferdinande

Die Tochter des Kunstreiters

Inktank publishing, 2018

www.inktank-publishing.com

ISBN/EAN: 9783750102187

Die

Tochter des Kunstreiters.

Roman

aus der Gegenwart.

Von

Ferdinande Freiin von Brackel.

Köln, 1875.

Druck und Verlag von J. P. Bachem.

I.

Sein Schickſal ſchafft ſich ſelbſt der Mann.

Kinkel.

In einem der eleganteſten Quartiere des Hôtel Impérial zu Genf ruhte auf dem Sopha hingeſtreckt eine junge Frau. Wie ſie da lag, den kleinen, von ſchwarzen Spitzen umhüllten Kopf an die rothen Kiſſen gelehnt, indeß die blonden Locken weich und ſchwer niederfielen und die Hände mit läſſiger Grazie im Schooße ruhten, bot ſie, ohne gerade ſchön zu ſein, ein reizendes Bild dar. Alles an ihrer Erſcheinung war wie hingehaucht, ſo daß man faſt erſchrak vor ſolcher Zartheit, die bei den Menſchen wie bei den Pflanzen leider nur den Blüthen ephemerer Art eigen iſt.

Ihre Ruhe ſchien auch durch Schwäche bedingt; denn die Blicke wanderten lebhaft genug durch den Raum, ſich bei jedem Geräuſch erwartungsvoll nach der Thüre richtend, um gleich nachher ungeduldig auf eine kleine Reiſe-Uhr zu ſehen, die neben ihr auf einem Tiſchchen ſtand. Wie der Zeiger

Tochter d. Kunſtreiters.   1

5

allmälig voranrückte, konnte sie ihre Unruhe nicht länger bemeistern, und sich halb aufrichtend, rief sie eine alte Frau an, die im Nebenzimmer beschäftigt war und deren breite Gestalt oft durch die geöffnete Thüre sichtbar wurde.

„Anne," rief sie, und trotz der Anstrengung hatte die Stimme nicht viel Klang — „Anne, ist Miß Nora noch nicht zurück?"

„Kleine Miß ist beim Herrn," sagte die Alte in gebrochenem Deutsch. Ihr bräunlicher Teint wie ihre auffallende Gesichts= bildung zeigten, daß sie nicht von europäischer Herkunft war. „Kleine Miß auch sehr gut aufgehoben beim Herrn. Missis haben nicht nothwendig, unruhig zu sein," fügte sie beruhigend hinzu. „Werden schon kommen, wenn Zeit. Der Herr Director nie zurück vor elf Uhr."

„Er hat sie gewiß wieder dorthin mitgenommen," flüsterte die junge Frau vor sich hin. „Er weiß nicht, was er thut; ich muß mit ihm reden. O, mein armes Kind!"

War es der Flüsterton, war es die Erregung — aber ein heftiger, trockener Husten unterbrach sie und erschütterte sie so, daß ihr Haupt müde zurücksank.

„Warum regen Missis sich auch unnütz auf!" schalt die Alte. „Mrs. machen sich selbst krank, und dann wird der Herr böse. Wie Mrs. noch selbst junge Miß war, war sie immer sanft und geduldig, — aber jetzt gleich wie Feuer= flämmchen."

„Da hatte ich auch für Niemand zu sorgen, alte Anne; da waren es Mama und du, die für mich sorgten — und ich war gesund!" setzte sie mit einem Seufzer hinzu.

„Könnten auch jetzt gesund sein, wenn wollten," brummte die Alte weiter. „Aber das unruhige Leben reibt auf."

„Nein, das Leben nicht; ich bin ja von so viel Pflege umgeben. Aber hier sitzt es," und sie preßte die Hand auf die Brust. „Ueberdies diese quälende Sorge, das thut nicht gut . . . . Aber, horch, Anne, da kommen sie," setzte sie lebhafter hinzu.

Rasche, leichte Tritte wurden hörbar. Im selben Augenblicke ward die Thüre aufgerissen, und herein stürmte ein kleines Mädchen, sich ungestüm über die Mutter werfend.

„Mama, Mama!" rief sie fast athemlos, „ich kann es herrlich! Ich habe stehend geritten, wie Fräulein Elisa, und bin durch den Reif gesprungen!"

„Wie erhitzt du bist, meine Nora," sagte die Mutter, die dunkeln Haare ihr von der Stirne streichend. „O, Alfred, du nahmst sie doch wieder mit!" wandte sie sich dann mit vorwurfsvollem Tone an einen großen, stattlichen Mann, der unmittelbar nach dem Kinde eingetreten war.

„Wie geht es dir, mein Herz?" sagte er, zärtlich sich zu ihr neigend und einen Kuß auf ihre Stirne pressend, ohne ihren Einwurf zu beachten.

„O Alfred!" wiederholte sie und sah ihn mit einem traurigen Blicke an.

Er zuckte die Achseln und wandte sich etwas ungeduldig ab. Die Kleine aber, eifrig mit beiden Händen der Mutter Antlitz wieder zu sich drehend, plauderte weiter. „Mama, höre mich doch: ich habe stehend geritten; ich bin durch den

1*

Reif gesprungen, viel besser als der kleine Wimbleton, der beinahe gefallen wäre."

„Du mußt dich umkleiden, Nora," unterbrach sie der Vater. „Geh' mit Anne und lasse dir helfen."

„Gleich, Papa; aber erst höre, Mama. Als wir in die Bahn kamen, setzte Papa mich auf das neue kleine Pony" —

„Helena, wie kannst du so unvernünftig sein, das Kind aufzuhalten?" wandte sich der Herr gereizt zu ihr. „Nora, ich sagte dir schon ein Mal, du solltest gehen."

„Geh', Liebchen," sagte die Mutter auch. „Du kannst später erzählen." Die Kleine, eingeschüchtert durch den unge= wöhnlich strengen Ton des Vaters, verließ das Zimmer.

Die junge Frau lehnte wieder still zurück; der Mann blieb schweigend am Fenster stehen. „Alfred," sagte sie nach einer Pause weich, und als er sich umwandte, streckte sie ihm die kleine Hand entgegen.

Er ergriff sie und führte sie an die Lippen. „Sollen wir Frieden machen?" fragte er, und seine dunkeln Augen blitzten sie fast schelmisch an.

„O, komm her, ich habe dich so lange nicht gehabt," sagte sie zärtlich, indem sie ihn festhielt.

Er zog einen Stuhl herbei, auf dem er dicht an dem Ruhebett Platz nahm, so daß sein Arm sie umschlingen konnte und ihr Kopf an seiner Schulter ruhte.

„Eine Predigt bekomme ich aber doch," begann er wieder, halb scherzend, „und jetzt erst recht, nun ich dir nicht entlaufen kann. Ich lese schon in deinen Augen: Warum nahmst du Nora mit?"

„Du haſt richtig geleſen,“ gab ſie zurück. „Ja, warum thateſt du es, da ich dich ſo gebeten, es zu unterlaſſen?“

„Warum? Ihr Frauen ſeid entſetzlich mit euern Warums. Nun, einfach weil ich nicht widerſtehen kann. Das Kind hat ſeltenes Talent; graciös wie eine Elfe, kühn wie ein Mann — was ſoll ich da mir die Freude nicht gönnen, mein Kind in meinem Fache auszubilden? Sie wird eine Künſtlerin erſten Ranges werden!“ fuhr er faſt enthuſiaſtiſch fort.

„Meine Tochter eine Kunſtreiterin!“ betonte Helena ſchmerzlich.

„Du haſt doch einen Kunſtreiter geheirathet.“

„O, das iſt ganz etwas anderes; der Mann vermag jeden Beruf zu erheben. Widrige Verhältniſſe zwangen dich dazu. Du haſt es verſtanden, ſelbſt aus dem nichtigen Spiel eine Kunſt, eine Wiſſenſchaft zu machen!“ Ihr Blick ruhte voll Stolz auf dem Gatten.

„Widrige Verhältniſſe zwangen mich, ja! Aber, wer weiß, ob irgend ein anderer Beruf mich auf die Länge ſo befriedigt hätte, wie dies freie, unabhängige Leben.“

„Früher dachteſt du anders,“ warf ſie leiſe ein.

„Früher? Meinſt du jene Zeit, als ich um dich warb? — als die Zukunft noch nicht geſichert war, als aus der Vergangenheit manche Wunde neu aufbrach, und die Gegen= wart den Werth des Verlorenen am grellſten zeigte? Da war mir allerdings meine Lage verhaßt,“ ſagte er und bedeckte ſeine Augen mit der Hand, als ſchreckten ihn noch dieſe dunkeln Bilder. „Aber jetzt,“ fuhr er nach einer Weile fort, „jetzt iſt das längſt vergeſſen.“

Sie sah schüchtern zu ihm auf. „Was zwang dich eigent=
lich, bei deiner Ausbildung und Erziehung, zu diesem eigen=
thümlichen Beruf?" frug sie leise.

„Eigenthümlichen Beruf!" wiederholte er bitter. „Du
drückst es möglichst zart aus. Nun, vielleicht am meisten
meine eigene Natur. Von Eva's Antheil, der Neugier, hast
du nicht viel gehabt, Weibchen, daß du so wenig nach meiner
Vergangenheit gefragt. Hast du dich davor gefürchtet?"
setzte er fast flüsternd hinzu.

„Nein," sagte sie ruhig; „mit Mißtrauen im Herzen liebt
man nicht. Aber die Vergangenheit war dein: mir gehörte
Gegenwart und Zukunft; das war genug." Es lag etwas
rührend Vertrauendes in den Worten.

„Mein süßes Weib," sagte er innig und drückte einen
Kuß auf ihre Stirne. „Helena," fuhr er dann ernster fort,
„ich durfte schweigen; denn wenn auch viele dunkele Stunden,
barg mein Leben doch keinen sittlichen Flecken: nichts als eine
jener verfehlten Bestimmungen, wie sie oft vorkommen, wenn
die Lebenslage uns nicht wohl werden läßt. Du weißt, daß
der Name, den ich führe, eigentlich nicht der meine ist. Mein
Vater entstammte altadeliger französischer Familie. Auch er
hatte unruhiges Blut in den Adern; denn er gehörte zu
den Wenigen der alten Geschlechter, die sich der Revolution
anschlossen. In den folgenden Kriegen, bei seinem vieljährigen
Aufenthalte in Deutschland, verheirathete er sich dort, blieb
aber in einem der spätern Kämpfe und ließ meine Mutter
mit drei Kindern fast mittellos zurück. · Die Erinnerung, die
mir als früheste aus dem Elternhause blieb, ist keine glückliche.

Die Contraste waren wohl zu groß, die Elemente zu ver=
schieden; auch die dürftigen Verhältnisse wirkten drückend.
Meiner Mutter Verwandte, die dem höhern Militair= und
Beamtenstande angehörten, vermittelten später, da ich nur
Sinn für den Militairdienst bezeigte, meinen Eintritt in eine
militairische Erziehungsanstalt, wo ich durch die Gnade des
Königs erzogen ward. Meiner Mutter war ich zu ungestüm
gewesen. Was am Vater sie einst geblendet, erschreckte sie am
Sohne, — ihre ruhige Natur verstand mich nicht. Im Institut
hingegen erwarb mir mein französischer Name, mein aus=
ländisches Aussehen und lebhafteres Naturell bald Freunde.
Es ist seltsam, welchen Reiz die französische Eigenart in ein=
zelnen Individuen auf den Deutschen ausübt, so wenig er sie
als Nation liebt. Ich glänzte zwischen den langsamern,
ruhigern Kameraden. Meine rasche Fassungsgabe, meine
Gewandtheit, mein leicht entflammter Ehrgeiz machten mich
zum Liebling meiner Lehrer; leider nannten sie meine tollen
Streiche genial, so daß ich früh schon mich zu etwas Be=
sonderm ausersehen hielt und von meinen ererbten französischen
Eigenschaften im Stillen sehr hoch dachte. Wäre irgend eine
active Zeit gefolgt, möglich, daß ich dann etwas Tüchtiges
geleistet hätte. Es waren aber Friedensjahre, und der pedan=
tische Dienst einer kleinen Garnison mit den knappen Ver=
hältnissen eines Lieutenants ohne Vermögen paßte wenig zu
meinen Heldenträumen. Ich weiß jetzt jene streng pedantische
Disciplin höher zu schätzen, erkenne ihren Werth vollkommen
an; aber damals war sie mir unerträglich, und ich knirschte
im Joch. Ich hatte aber keine Wahl, da diese Laufbahn

einzig meine Lebensstellung in sich schloß. Mein unmittelbarer Vorgesetzter mag noch mehr Kleinigkeitsmensch gewesen sein, als Noth that. Ein alter Knabe der Freiheitskriege, haßte er überdies meine Franzosen=Eitelkeit. Er ließ keine Gelegen=heit vorübergehen, mich sein Uebergewicht fühlen zu lassen. In mir kreuzen sich ohnedies die Fehler beider Nationen. . . ."

„Aber auch deren Tugenden. Du hast deutsches Gemüth," fügte Helena liebevoll dazwischen.

„Jedenfalls deutschen Trotz. Bei einer strengen dienstlichen Rüge, die ich für ungerecht hielt, kam der lang angesammelte Groll zum Ausbruch. Ich hielt mich für beleidigt und forderte von meinem Vorgesetzten Genugthuung. Er weigerte sich auf Grund des dienstlichen Verhältnisses, und meine Anmaßung zog mir nur verschärfte Strafe zu. Meiner selbst nicht mehr mächtig, benutzte ich die erste Gelegenheit, ihm im geselligen Leben meine Verachtung zu zeigen, so daß es jetzt an ihm war, von mir Genugthuung zu heischen. Wir schossen uns — meine Kugel traf so unglücklich, daß er noch in derselben Nacht starb. Für mich war in Folge dessen, bei der damals sehr strengen Handhabung der Gesetze gegen das Duell, kein Bleiben mehr: weder in der Armee noch im Lande. Meine Freunde verhalfen mir zur Flucht, und ich wanderte in den andern Welttheil aus. Im ersten Augenblick hatte ich das Gefühl wiedergewonnener Freiheit. Ich war jung, von leb=hafter Phantasie, und eine neue Welt bot sich mir. Aber die bittere Wahrheit zeigte sich bald; denn mittellos, ohne jede Hülfe als meine persönliche Kraft, stand ich da. Meine Aus=bildung wie meine innere Anlage waren danach, einer Stellung anzugehören, die in sich etwas ist; aus mir selbst heraus wußte ich nichts anzufangen. Zu Vielem zu gut, zu Wenigem tauglich — das macht den Abenteurer. Nachdem ich in den niedrigsten Stellungen mühsam um den Lebensunterhalt gerungen, machte mich der Zufall mit einer Schaar Jäger bekannt, die auf die Ausbeute der weiten Jagdgründe und das Einfangen der wilden Pferde ihr Loos gestellt hatten. Das war etwas, das mir zusagte. Ich schloß mich ihnen an — eine Schaar rauher, freier Gesellen, die aus den ver= schiedensten Ständen zusammengewürfelt waren. Meine Ge= schicklichkeit im Reiten und Schießen verhalf mir bald zu Ansehen bei ihnen. An den wilden Pferden erkannte ich zuerst meine Meisterschaft in der Behandlung der Thiere. Viel lernte ich von meinen Genossen, die dies Geschäft schon lange betrieben, viel von den Indianern, mit denen wir bei unsern Streifereien durch die Prairien immer im Verkehr standen. Manches Reiterstücklein, welches jetzt das Publicum entzückt, stammt von den rothhäutigen Burschen her. So ver= brachte ich mehrere Jahre. In der Wildniß wird der Unter= schied der Stände nicht bemerkt. Als jedoch die Jagd eines Jahres durch die kriegerischen und feindlichen Unternehmungen einiger Indianerstämme gefährdet und beeinträchtigt wurde, kamen einige meiner Begleiter, echte Yankee=Naturen, auf den Gedanken, die Dressur unserer Pferde zu Gunsten des Publi= cums auszunutzen, — ein Einfall, wie der Zufall und eine mißmuthige, thatenlose Stunde ihn geboren. Wir gingen darauf ein, da augenblicklich nichts Besseres sich uns bot, und der erste Versuch in einer kleinen americanischen Stadt gelang

so sehr über Erwarten, daß wir das Unternehmen fortzu=
setzen beschlossen. Diese Art von Schaustellungen, primitiv wie
sie waren, dort waren sie gänzlich neu. Meine Erinnerungen
von Aehnlichem in der Heimath halfen uns dabei sehr. Man
bewunderte bald unsere Erfindungskraft, die Dressur und
Schönheit der Pferde, die rücksichtslose Kühnheit der Menschen.
So zogen wir von Stadt zu Stadt, eine reiche Ernte an
Geld und Ruhm haltend; denn ist des Americaners Neugier
und Bewunderung ein Mal gereizt, so ist sie maßlos, wie
du ja weißt. So lange wir in den kleinen Orten vor einem
uncultivirten Publicum unsere Vorstellungen gaben, empfand
ich wenig das Eigenthümliche meiner Lage. Die letzten Jahre
völlig ungebundenen Lebens hatten mich allzu sehr abgehärtet.
Als wir uns aber den Stätten der Bildung und Geselligkeit
wieder nahten, als ich Zuschauer vor mir sah aus den
Kreisen, denen ich einst angehört, da erwachte ein Gefühl
der Niedrigkeit und Scham in mir, das ich nicht auszudrücken
vermag. Besonders bitter empfand ich es, Helena, als ich
mich von neuem der mir ganz fremd gewordenen Erscheinung
des Weibes gegenüber sah in dem Zauber, den Erziehung
und Sitte ihm gibt, — als ich eines Abends dein süßes
Gesichtchen in dem Kranz der Damen unterschied, die unsern
Vorstellungen beiwohnten. In jener Stunde wurde mir
plötzlich alles klar, was ich verloren: der Reichthum, den
ich einst besessen in dem Namen und dem Stande, der mir
überall die Kreise meines Gleichen erschloß. Man erkennt
den vollen Werth einer Sache erst, wenn man sie nicht mehr
besitzt. Ich fühlte mich unsäglich unglücklich. Es war auch

dort Sitte geworden, wie heute noch hier, daß die fashio=
nable männliche Jugend in den Morgenstunden unsere
Reitbahn besuchte. Auf diese Weise lernte ich deinen Bruder
kennen, dessen Aehnlichkeit mit dir mich aufmerksam auf ihn
machte. Bei dem Kauf eines Pferdes kamen wir in nähere
Beziehung; er erkannte in mir den Mann von Bildung und
kam mir freundlich entgegen. Es war ein unendliches Be=
hagen, wieder mit Einem meines Gleichen zu verkehren. Der
jähe Wechsel der Verhältnisse ist zu gewöhnlich in America,
um die Leute nicht nachsichtig dafür zu machen, und nachdem
dein Bruder einen Theil meiner Lebensgeschichte erfahren,
ward er mir ein treuer Freund. Bei den reichen Einnahmen,
die wir erzielten, besaß ich die Mittel, mich in seinen Kreisen
zu bewegen, deren Zutritt er mir vermittelte. Da lernte ich
dich kennen, Helena, und, Dank den freien Sitten America's,
konnte ich dir näher treten."

„Alles Uebrige weißt du, Herz," fuhr Alfred fort. „Du
selbst hast ja hauptsächlich den Kampf für unsere Liebe geführt,
hast den mit sich Zerfallenen durch deine Treue wieder auf=
gerichtet, als ich der Verzweiflung nahe war in dem Gedanken,
nicht mit dem frühern Rechte meines Standes und Namens
um dich werben zu können. Deine Eltern sahen ja nur den
Abenteurer, den Mann des zweifelhaften Gewerbes in mir.
Dir in etwa gerecht zu werden, faßte ich den Entschluß, mich
wenigstens an die Spitze des Unternehmens zu setzen, es durch
Großartigkeit zu Ansehen zu bringen. Meine bisherigen
Begleiter hatten längst eingesehen, daß ich der Mittelpunkt
des Ganzen war, daß mein Geist es leitete; so ließ sich leicht

mit ihnen verhandeln, leicht konnte ich meine Pläne zur Aus=
führung bringen. Als Besitzer einer Truppe fühlte ich schon
festern Boden, wußte, was ich würde leisten können, und,
Helena, ich habe seitdem fast nur Erfolge gezählt. Ich habe
das Glück genossen, dir, meinem süßen Weibe, die Stellung
geben zu können, die meine Liebe für dich ersehnte, dich mit
allem zu umgeben, was dein Behagen nur fördern konnte.....
Sind wir nicht glücklich gewesen?" Er sah sie zärtlich an.

"O, zu glücklich fast!" flüsterte sie, sich an ihn schmiegend.

"Nein, nicht zu glücklich," sagte er. "Das Schicksal kann
nicht neidisch werden; ich warf ja den Ring erst in die Fluth.
Aber ich grolle auch dem Geschicke nicht. Das unruhige Blut
hat sein Recht gefunden wie das nordische Gemüth; stilles
Glück habe ich errungen inmitten des fahrenden Lebens. Doch
nun, Weibchen, sieh' auch nicht trübe drein. Trauest du mir
nicht zu, das Schiff glücklich weiter zu lenken, das ich so kühn
flott gemacht?"

Er sprach mit dem ganzen Selbstbewußtsein eines Mannes,
der alles sich selbst verdankt, alles sich zutraut.

"Nora!" sagte seine Frau leise nach einer kleinen Pause,
den Blick wie verlegen von ihm wendend.

Eine Wolke überzog sein Gesicht. "Ihr Frauen seid ent=
setzlich zähe," sagte er, "immer auf denselben Punkt zurück=
zukommen. Was ficht dich an mit dem Kinde?"

"Alfred, du weckst diese Neigung so in ihr . . . ."

Er lachte halb unwillig auf. "Warte doch noch zehn
Jahre, bis die Neigungen deiner Tochter dich anfechten,"
sagte er. "Laß sie das edele Thier lieben, das ihrem Vater

Ruhm und Gold genug eingetragen! Ich sagte dir schon, es ist ererbt; du kannst nicht von mir verlangen, daß ich anders darin denke. Laß mich sie ausbilden; an meiner Seite wird sie auftreten, wird mehr Beifall ernten, als irgend Eine. Wenn es auch ein eigenthümlicher Beruf ist, wie du ihn nennst: du siehst, er steht dem Glück nicht im Wege."

„Alfred, das kann deine Meinung nicht sein!" rief jetzt Helena, plötzlich sich hoch aufrichtend. „Du kannst dein Kind, du kannst meine Tochter nicht dafür bestimmen! Hast du mir deshalb deine Geschichte erzählt? Des Mannes Leben ist nicht das des Weibes. Ich sagte es schon ein Mal: sie bleibt unabänderlich an die Stellung gebunden, in die sie ein Mal versetzt ist. Und welche ist die des Weibes, das sich den Augen des gaffenden Publicums aussetzt? — sein Spielzeug heute, seine Verachtung morgen! Nein — nimmermehr! Ich bin krank und schwach, aber ich werde mein Kind davor zu retten wissen." Und es kam ein Blick so rücksichtsloser Ent= schlossenheit in diese sanften blauen Augen, daß Karsten fast erschrocken davor zurückwich.

„Helena," rief er, „du fieberst! Wovor willst du dein Kind retten? Welche Gefahren träumst du? Sie bleibt ja in deiner Obhut. Erzieh' sie sanft und gut, wie du es warst, und laß uns alles andere in Ruhe abwarten."

„Unter meiner Obhut!" wiederholte sie, und hob ihre weißen, abgemagerten Hände gegen das Licht. „Erzieh' sie sanft und gut, sagst du, Alfred?" fuhr sie in einem Tone fort, der etwas Unheimliches hatte. „Nein, thue es nicht, thu' es nicht! Wenn du sie dazu bestimmst, dann nimm sie noch heute mit; mische sie unter die Leute, die das Gleiche thun, daß ihr Gefühl dafür abstumpft, daß ihre Erkenntniß dafür verloren geht, — daß sie nichts Besseres kennen lernt, als die papiernen Lorbeeren und das Beifalljauchzen einer gaffenden Menge! . . . daß sie nicht weiß, was eines Weibes Würde und eines Weibes Sitte ist!"

„Du bist furchtbar bitter," rief er, sie loslassend und auf= springend. „Was ist über dich gekommen?"

„Einer Mutter Sorge," sagte sie dumpf, „die Sorge einer Mutter, die ihr Kind bald verlassen soll. . . . . Alfred!" rief sie, und ihre Stimme klang wieder weich und flehend, „komm noch ein Mal her, — höre, was ich mir ausdachte in den langen, schlaflosen Nächten, wo seit Wochen mir Nora's Zukunft vorschwebte. O, komm her!"

Er wandte sich zu ihr, er kniete vor ihr nieder. „Du regst dich so sehr auf," sagte er, die Hand an ihre glühende Stirne legend. „Beruhige dich; laß uns ein ander Mal davon reden."

„Nein, nicht ein ander Mal, — heute! Es quält sonst noch mehr," beharrte sie. „Sieh', Alfred, ich habe einen so schönen Traum." Ihr Arm schlang sich um des Gatten Hals, ihr Blick hatte all' den lockenden Zauber, den ein Mädchen= Auge nur haben kann, wenn es den Geliebten gewinnen will. „Einen so schönen Traum," wiederholte sie. „Du bist so reich jetzt, du hast so viel erworben an Ruhm und Geld in deinem Geschäfte. Man muß nichts auf die Spitze treiben: lege es nieder, gib es auf, jetzt, wo es auf der Höhe steht, wo du enorme Summen dafür lösen kannst. Damit kannst du in meine Heimath zurückkehren; wenn du willst, kannst du dich dort ankaufen und dir und deinem Kinde eine ganz freie, gesicherte Zukunft gründen, eine würdigere Stellung in der Gesellschaft wiedergewinnen."

Er sah sie erstaunt und betroffen an. Sichtlich hatte er das nicht erwartet.

"Du denkst mehr an deines Kindes Glück, wie an das deines Mannes," sagte er finster.

"O nein, auch an dein Glück," fuhr sie fort, und schmei= chelnd fuhr ihre Hand in seine dichten, schwarzen Locken. "Auch an dein Glück! Hundert Chancen können dir entreißen, was du gewonnen. Und ich," sagte sie, "ich! Ich glaube, ich habe auch Sehnsucht nach meinem Heimathland. Vielleicht würde ich dort wieder gesund," setzte sie zögernd hinzu. Aber ihr Blick wandte sich ab, als sollte man die Unwahrheit darin nicht lesen, die ihre Worte aussprachen. Dann schwieg sie, als erwarte sie ihr Urtheil.

Langsam machte er sich los aus ihren Armen, erhob sich und durchschritt das Zimmer, in Nachdenken vertieft, bis er plötzlich vor ihr stehen blieb.

"Du hast nur an dein Kind gedacht," sagte er wieder grollend, "nicht an dich, denn du hast dich nie dorthin gesehnt, ... nicht an mich — Helena. Ich kann es nicht. Was mir einst schwer war, ist jetzt mein Stolz, mein Lebens= bedürfniß geworden. Ich kann kein ackerpflügender Bauer mehr werden; ich bin zu nichts anderm tauglich, am wenigsten zu müßiger Ruhe. . . . . Aber sei ruhig," setzte er hinzu, als er sah, wie Todtenblässe sich plötzlich über ihr Antlitz aus=

breitete. „Opfer für Opfer! Laß mir meine Stellung — nimm du dein Kind! Das ist ein Opfer für mich, denn es wird mir ganz entfremdet werden. Erzieh' es weiblich ein= gezogen, wenn dir das bei dem Wildfang gelingt, — wie du es warst, obgleich ich es an der Tochter werde weniger zu schätzen wissen, als an der Frau. Ich verspreche dir, sie nie mehr mit meinem Gewerbe in Berührung zu bringen; ich verspreche dir, nie in ihre Erziehung einzugreifen, stets deinen Willen heilig zu halten. — Bist du nun zufrieden, kleines Weib?" sagte er zärtlicher und beugte sich tief zu ihr nieder, da sie wie übermüdet in die Kissen zurückgesunken war.

Sie schwieg; ihre Lider waren fest geschlossen, ihre Lippen bebten, ihre Hände verschlangen sich krampfhaft in einander.

„Bist du zufrieden?" wiederholte er. „Wenn sie erwachsen ist, wird der eigenthümliche Beruf des Vaters Geld genug gesammelt haben, um sie dann schleunigst in den Hafen einer Ehe einlaufen zu lassen," fügte er hinzu. „Du siehst, ich habe auch bis an das äußerste Ende gedacht . . . . Aber nun laß mich auch in deine blauen Augen sehen, die wieder so viel errungen."

Vielleicht fand sie nicht, daß sie viel errungen; vielleicht hatte sie viel mehr erhofft. Aber seine Stimme hatte stets Gewalt über sie gehabt, seit dem ersten Male, wo sie dieselbe gehört, und so widerstand sie auch heute nicht.

Er küßte ihre Augen, in denen er immer noch den Rest von Unruhe las, und flüsterte alles Beruhigende und Liebe ihr zu, was ein Frauenherz immer von neuem gern hört. Sie war nicht überzeugt von seinen Worten, sie sah viel

Hohles, viel Unmögliches in seinem Plane; aber sie hatte doch etwas erreicht. Wie es oft geht, wenn der Körper nicht stark ist: der heftigen Erregung folgte plötzliche Uebermüdung.

Er sah es. Er schob zärtlich die Kissen zurecht und richtete ihr sorgfältig das Lager zu. Seine Zeit war abgelaufen, er hatte noch viel zu besorgen.

„Ich werde Nora mit mir speisen lassen, damit du nicht beunruhigt wirst," sagte er ihr noch; „am Nachmittag wird sie dann ganz dein sein."

Es schien, als höre sie schon nicht mehr. So ging er hin, die Wärterin auf ihre Pflege aufmerksam zu machen. Er rief dann die Kleine und verließ vorsichtig das Gemach.

Helena blieb allein. Der träumerische Zustand, der sie umfing, war kein Schlaf zu nennen; denn das eben Erlebte spielte peinlich darin weiter. Sobald der Zauber der Gegenwart Alfred's gewichen, schienen alle Sorgen in Helena wieder aufzuwachen.

„Mutter, Mutter!" rief sie plötzlich, „nimm dein Wort zurück: daß ich einst bereuen würde! Ich bin ja so glücklich gewesen; es ist nur um mein Kind."

Und hastig, wie um Ruhe zu finden, preßte sie ein kleines Kreuz an ihre Lippen.

Helena Wild war die Tochter irischer Eltern, die, als sie noch ein Kind war, die Heimath verlassen und sich in America angesiedelt hatten, wo sie es zu einem ansehnlichen Vermögen brachten.

Etwas von dem Leichtsinn und der Leidenschaftlichkeit ihrer Nation hatte wohl das schüchterne, streng und fromm

Tochter d. Kunstreiters.   2

erzogene Mädchen vermocht, ihr Loos an das des schönen Abenteurers zu knüpfen, dem Widerstande ihrer Eltern zum Trotz.

Erst nach langem Kämpfen hatten diese ihre Einwilligung gegeben unter der Bedingung, daß sie stets vom Treiben der Gesellschaft ganz fern gehalten werde.

Treu war von dem Gatten diese Bedingung gehalten worden; denn das liebliche Wesen, das alle Reize einer echten Tochter Erin's besaß, war das Kleinod seines Herzens. Er liebte Helena mit all' der Innigkeit, die bei ihm mit einem unruhigen Geiste seltsam sich paarte. Seine Gattin war ihm wie die Erinnerung seiner frühern Lebensstellung; bei ihr fand er alles das, was sein jetziger Stand ihn vermissen ließ.

Bald nach ihrer Verheirathung waren die Gatten nach Europa zurückgekehrt. Hier erzielte Karsten enorme Erfolge und schwang sich zur unbestritten ersten Größe in seinem Fach empor. In den größern Residenzen Europa's hatte er seine bestimmten Zeiten, wo er mit der Truppe erschien und immer mit gleicher Anerkennung aufgenommen wurde. Seine vornehme Erscheinung, seine Bildung verschafften ihm in der Herrenwelt eine ganz angenehme Stellung. Seine Frau umgab er mit dem Glanze und dem Behagen, wozu sein jetzt sehr großes Einkommen ihm die Mittel gab. Die Geselligkeit vermißte Helena nicht; sie lebte befriedigt in ihrer Liebe zu ihrem Gatten und ihrem Kinde. Auch bot das reisende Leben ihr Wechsel genug.

Der erste Schatten, der auf das Glück der Gatten fiel, war Helena's Kränklichkeit, die nach der Geburt eines zweiten

Kindes, welches bald starb, eingetreten war. Vielleicht sah Alfred nicht die Fortschritte, welche die Krankheit in der letzten Zeit gemacht; vielleicht wollte er sie nicht sehen und versuchte sich in ein Gefühl der Sicherheit einzuwiegen, weil ihm vor der Erkenntniß bangte. Sie selbst aber fühlte nur zu gut, wie es mit ihr stand, und das steigerte ihre Sorge um die Zukunft ihres Kindes.

Beide waren nicht befriedigt von ihrem letzten Gespräch; denn Beide hatten ein Opfer zugesagt, und Jeder fühlte, es sei nicht genügend.

II.

Weh' mir, sie haben
Mein Weib und all' mein Glück begraben.
Geibel.

Kurze Zeit nachdem er seine Frau verlassen, trat der Director Karsten, sein Töchterchen an der Hand, in den Speisesaal des Hôtels. Man stand in Mitten der Reise=Saison, der weite Raum war angefüllt mit Gästen verschiedenster Art; aber Aller Augen wandten sich auf die hohe Gestalt des Mannes und auf das reizende Kind an seiner Seite. Nora war bei ihren sieben Jahren bereits eine ungewöhnliche Erscheinung. Ihre zierliche Gestalt hatte schon viel von der selbstbewußten Haltung des Vaters; die regelmäßigen Züge, die fein gezeich=neten Brauen, das dunkele Haar waren gleichfalls von ihm;

2*

der ungewöhnlich lichte Teint und die blauen Augen, die seltsam
dazu abstachen, waren der Mutter Erbtheil, wie Nora auch
deren leicht bewegten weichen Ausdruck ererbt hatte. Nach
englischer Sitte gekleidet in Weiß, daß Hals und Arme frei
blieben, war ihre frembartige Schönheit noch durch das ganz
gelöst getragene Haar gehoben, das in reichen Wellen fast bis
auf den Rand des kurzen Kleides fiel und ein tiefes Schwarz
zeigte, wie es bei Kindern so selten vorkommt.

Die Kleine bewegte sich unter all' den Menschen mit der
vollkommensten Sicherheit und Ruhe. Ihr Vater hatte sich
Plätze in der Nähe einiger ihm bekannt gewordener Herren
reserviren lassen. Die Huldigungen und kleinen Galanterieen,
mit denen man das schöne Kind empfing, nahm Nora mit der
Gleichgültigkeit von längst Gewohntem und der Herablassung
einer kleinen Prinzessin hin. Das Gespräch der Herren wandte
sich bald dem Fach des Directors zu, dessen vieljährige Erfahrung stets Interessantes genug bot. Bei aller Vorliebe
Nora's für das Lieblingsthier ihres Vaters überstieg die
Unterhaltung aber doch die Fassungskraft des Kindes. Etwas
vernachlässigt und gelangweilt sich fühlend, ließ sie ihre Blicke
durch den Saal schweifen. Plötzlich leuchteten diese auf. Neue
Gäste waren eingetreten, und die Hauptursache ihrer regen
Theilnahme bestand wohl darin, daß ein Theil der Angekommenen kleine Menschen gleich ihr waren. Kinder haben
für Kinder stets unwiderstehliche Anziehungskraft.

Zu Nora's nicht geringer Freude kam die Gesellschaft
ihrem Platze näher. Eine vornehm aussehende Dame führte
ein kleines Mädchen, einige Jahre jünger als Nora, in tiefe

Trauer gekleidet. Zwei Knaben von neun und dreizehn Jahren folgten ihr in Begleitung eines jungen Mannes, der unverkennbar der Erzieher war, und dessen schwarzes Gewand seinen Stand genugsam kennzeichnete. Die Dame mit dem kleinen Mädchen ward Nora's Gegenüber; der Erzieher mit den Knaben nahm die Plätze neben ihr ein, so daß der ältere der Knaben ihr unmittelbarer Nachbar ward.

Echt knabenhaft hatte dieser für's erste keinen Blick für seine niedliche Nachbarin; seine Mahlzeit schien ihn allein in Anspruch zu nehmen. Die Dame aber sah oft zu dem schönen Kinde hinüber, das mit seinen sprechenden Blicken die Fremden musterte, unverkennbar in dem Wunsche, die lange Tischzeit durch eine Unterhaltung mit ihnen zu verkürzen.

Es währte auch nicht allzu lange, so vermochte sie ihr Verlangen nicht mehr zu bemeistern; mit der Art von Freimaurerei, die zwischen allen noch unerwachsenen Menschen herrscht, redete sie ihren Nachbar an, die gewöhnliche Kinderfrage, wie er heiße, ihm vorlegend.

Der Knabe sah etwas erstaunt auf; dann aber machte auch auf seine dreizehn Jahre die Lieblichkeit der Sprecherin Eindruck, und die Unterhaltung war bald im Gange. Die Dame wie der junge Geistliche mischten sich auch ein, angezogen von der lebhaften, ungezwungenen Weise der Kleinen, die bald von ihrer kranken Mama, bald von ihren vielen Reisen erzählte, dabei in allen Sprachen des Continents schien Rede und Antwort geben zu können.

Inmitten des eifrigsten Gespräches erhob sich jetzt der Director, seinem Töchterchen winkend, ihm zu folgen. In seine Unterhaltung vertieft, hatte er die Angekommenen kaum beachtet. Nora verabschiedete sich mit der ihr eigenen Sicherheit und Anmuth von den Fremden, die ebenfalls, angezogen von der schönen Erscheinung Alfred's, voll Interesse und Neugier ihm nachsahen.

„Wer ist der Herr mit dem reizenden Kinde?" frug die Dame den ihr zur Seite stehenden Kellner, der sich so ehrfurchtsvoll vor dem Director verbeugt hatte, wie nur sehr hohe Namen oder sehr hohe Trinkgelder pflegen gegrüßt zu werden.

„Es ist der Herr Director Karsten," flüsterte der Kellner. „Der berühmte Kunstreiter=Director," fügte er auf den fragenden Blick der Dame dienstbeflissen hinzu.

„Der Kunstreiter=Director Karsten?" sagte die Dame ungläubig und wie enttäuscht.

„Jawohl. Es ist die berühmteste Truppe, Frau Gräfin," fuhr der Kellner in seinem Bericht fort. „Und das Kind war sein Töchterlein. Sie sind schon einige Tage hier. Die Frau Directorin ist leidend. In den nächsten Tagen sollen die Vorstellungen eröffnet werden."

„O, Herr Karsten, Herr Karsten, Mama!" riefen die Knaben, „den müssen wir sehen; er soll so wunderschöne Pferde haben. Mama, da mußt du uns hingehen lassen."

Die Mutter nickte dazu; aber immer schien ihr die Nachricht noch nicht einzuleuchten. „Wie distinguirt er aussieht," sagte sie wie zu sich selbst. „Aber das arme schöne Kind..."

„Wer waren denn deine neuen Bekannten bei der Tafel?

du Plaudermäulchen," frug auch der Director, als er mit seiner Kleinen die Treppe zum obern Stock hinanstieg.

„Ich weiß ihre Namen noch nicht, Papa. Der große Junge an meiner Seite hieß Curt, und der kleinere hieß Nikkel. Denke dir, wie komisch: Nikkel! Das kleine Mädchen nannten sie Lilly. Es war aber gar nicht ihr Schwesterchen; es nannte die große Dame Tante. Die Knaben nannten sie Mama."

„Wie nannte der junge Geistliche die Dame?" frug der Director.

„Er nannte sie Frau Gräfin, und sie kommen aus Oester=reich, das habe ich auch verstanden. Da wohnen sie auf einem schönen, großen Gut und nehmen jetzt das kleine Mädchen mit dahin, weil es gar keine Eltern mehr hat. Sie haben auch keinen Papa mehr," plauderte die Kleine weiter.

„Nun, da wissen wir doch etwas," sagte Alfred lächelnd. „Aber nun geh' hinein zu Anne. Sei hübsch ruhig und artig, wenn Mama schläft; und willst du spielen, so spiele hier auf dem Corridor, damit du sie nicht störst." Er öffnete der Kleinen die Thüre, unentschlossen, ob er selbst eintreten solle oder nicht. Das Gespräch des Morgens hatte einen kleinen Stachel in ihm zurückgelassen; er fürchtete, es erneuert zu sehen. „Sie schläft gewiß," bemerkte er, noch ein Mal hinhorchend, zu seiner Beruhigung, und wandte sich dann zum Gehen.

In Helena's Gemach war tiefe Stille. Sie hatte kaum etwas genommen seit jener Stunde und lag regungslos auf dem Ruhebett. Die Erregung des Morgens schien ihre Kräfte erschöpft zu haben; denn kein Wort kam mehr über ihre Lippen, nur der trockene Husten drang in kürzern Pausen hervor.

Die Wärterin, hoffend daß sie schliefe, hielt das Kind zurück, das zur Mutter hineinwollte. Dem lebhaften kleinen Ding ward es bald zu enge im Zimmer, und sie folgte der Erlaubniß des Vaters, sich auf dem Corridor zu tummeln. Halb und halb hoffte Nora, ihren neuen Tischfreunden wieder zu begegnen. Sie sollte sich darin nicht geirrt haben. Als sie über das hohe Geländer träumerisch in den Vorhof hinunter sah, wo eine emsige Menschenmenge sich drängte, bemerkte sie, wie der Geistliche mit seinen Zöglingen die Treppe herauskam.

„So still und so allein?" sagte er freundlich, als er der Kleinen ansichtig wurde.

„Papa ist aus, Mama schläft und Anne brummt," gab Nora summarisch Bescheid.

„Das sind freilich drei schlimme Dinge für dich," meinte der Kaplan lächelnd. „Du langweilst dich wohl?"

„Ich dachte mir, daß ihr kämet," sagte die Kleine offen= herzig; „deshalb blieb ich hier. Ich hörte schon euer kleines Mädchen da drinnen weinen," fuhr sie fort, auf eine Thüre des Ganges deutend.

„Ja, Lilly ist dort bei unserer Mama," nahm der ältere Knabe das Wort. „Komm mit uns herein," sagte er, vor ihr niederknieend, um seine langen Glieder so zu ihrer Höhe herab zu bringen, indeß sie zutraulich ihre Hand auf seine Schulter legte. „Komm mit uns," wiederholte er.

„Das darf ich nicht," antwortete sie. „Ich darf nicht
zu Fremden gehen; Mama hat es ein für alle Mal verboten.
Aber hier darf ich spielen," setzte sie verlangend hinzu.

„So wollen wir hier mit dir spielen," sagte der Knabe.
„Nicht wahr, Sie haben nichts dagegen, Herr Kaplan?"
wandte er sich an diesen.

Der nickte sofort seine Zustimmung; er hatte selbst Gefallen
an dem Kinde.

„Was sollen wir denn spielen?" frug der Knabe wieder.
„Kannst du Seilchen springen?" meinte er, auf das Seilchen
deutend, das sie mit aus ihrem Zimmer gebracht hatte, da
der lange Gang willkommenes Terrain dazu bot.

„Ob ich's kann!" sagte sie fast verächtlich. „Ich kann
noch ganz anderes, als ihr glaubt. Schlagt es mir nur ein
Mal."

Die Knaben willfahrten ihr. Das kleine Ding stellte sich
auf die Zehen, reckte sich aus den Hüften, dann die schwarzen
Haare zurückwerfend und die Arme emporhaltend, tanzte sie
graciös wie eine Elfe unter den raschen Schwingungen des
Seiles fort, in den eigenthümlichsten und geschicktesten Wen=
dungen.

Die lauten Beifallsrufe der Knaben ließen sie plötzlich
innehalten. „Das habe ich von Fräulein Emilie gelernt,"
sagte sie. „Aber ich hätte es nicht thun sollen," setzte sie
verlegen und reuig hinzu. „Mama kann es gar nicht leiden,
wenn ich es vor Fremden thue."

„Warum kann deine Mama das nicht leiden?" frug der
Kaplan, aufmerksam geworden.

„Mama sagt, es sei häßlich, sich so sehen zu lassen. Sie mag auch gar nicht leiden, daß ich reite."

„Reitet denn deine Mama nicht?" frug der Kaplan wieder.

„Mama reiten!" sagte sie, mit einem allerliebsten Anflug von Stolz ihr Köpfchen in den Nacken werfend. „Das thun ja Papa's Leute; die thun es für Geld."

„Kannst du denn schon reiten?" riefen die Knaben voll Staunen.

„Reiten und fahren, natürlich," sagte sie achselzuckend. „Ich habe ja vier Schecken-Ponies, die mir ganz allein gehören. Ihr könnt sie sehen, wenn ihr in den Circus geht; der kleine Wimbleton fährt die Post damit; ich habe es ihm erlaubt. Ich kann es aber selbst besser."

Der Knaben Augen wurden groß vor Staunen. „Du kannst schon mit vieren fahren?"

„Mit sechsen kann ich's," sagte sie mit großer Zuversicht. „Dieses Frühjahr habe ich in Petersburg vor dem Kaiser mit sechs Ponies gefahren, ganz allein. Er hatte es Papa nicht glauben wollen, daß ich's könnte; da hat Mama auf vieles Bitten erlaubt, daß ich vor ihm fahren dürfe. Ich weiß auch noch ganz gut, was der Kaiser da gesagt hat," setzte sie hinzu, und man sah ihr an, daß sie wünschte, danach gefragt zu werden.

„Was hat er denn gesagt?" riefen ihre Zuhörer.

„Erst hat er mich auf den Arm genommen, mich geküßt und mir dies geschenkt," sagte sie, ein mit Perlen eingefaßtes Herzchen zeigend, das sie am Halse trug, „und dann — aber du darfst nicht lachen," wandte sie sich an Curt, bei dem ein verdächtiges Zucken der Mundwinkel eingetreten war.

„Wie, was sagte der Kaiser?" brachte Curt sie wieder auf die richtige Bahn.

„Er sagte, er sagte . . ." sie stockte etwas. „»Die wird noch ein Mal ganz anders die Welt von sich reden machen und Sie ganz ausstechen, lieber Karsten«" wiederholte die Kleine pünktlich und wortgetreu. — „Nun lacht ihr aber doch!" setzte sie entrüstet hinzu, als selbst der Kaplan sich eines Lächelns nicht erwehren konnte.

Curt aber ward bei ihren Worten dunkelroth. „Ich lache gar nicht," sagte er sehr ernst. „Deine Mama hat ganz recht: es ist durchaus nicht hübsch, wenn ein kleines Mäd= chen sich so sehen läßt. Wenn man 'mal von dir als Kunst= reiterin spräche, thäte es mir sehr leid. Das wäre wahrhaftig traurig genug für dich."

Der Knabe hatte heftig gesprochen; verdutzt über die scharfe Rüge sah die Kleine ihn an, und ein betrübter Aus= druck zog über ihr Gesichtchen. Er sah es, und es that ihm leid. Wieder bei ihr niederknieend, streichelte er ihr das dunkle Haar von der Stirne und sagte freundlich: „Nun, sei mir nur nicht böse; du wirst schon keine Reiterin werden. Hast du aber auch anderes gelernt als Reiten und Fahren?"

„O, viel," versicherte die Kleine treuherzig. „Alle Tage habe ich Stunden bei Mama und sehr oft auch bei Lehrern. Ich kann schon in drei Sprachen lesen und schreiben; den Katechismus kann ich auch," setzte sie hinzu mit einem Blick auf den Kaplan, als gelte dem das besonders.

„Wer unterrichtet dich denn darin?"

„Mama, alle Tage. Ich habe auch schon gebeichtet. Du bist auch ein Geistlicher," setzte sie hinzu, „ich habe es gleich gesehen."

„So!" sagte der Kaplan, „hast du das gleich entdeckt?"

„Ich kenne viele Geistliche; wenn wir in eine Stadt kommen, wo wir länger bleiben, bringt Mama mich immer zu ihnen und läßt mich examiniren. Mama ist sehr fromm: sie ging immer alle Tage in die Kirche; jetzt ist sie aber krank," plauderte die Kleine weiter.

„Das war sehr schön von deiner Mama," sagte der Kaplan, gerührt von dem Bilde der Mutter, die inmitten des unruhigen fahrenden Lebens die Seele ihres Kindes so leitete. — „Werde du nur auch so gut."

„Bist du auch fromm?" frug die Kleine jetzt, Curt groß anschauend.

„Das hast· du vom Predigen, Curt," sagte der Kaplan lächelnd. „Aber kommt jetzt, Buben. Euere Mutter wird euch erwarten."

„Nein, bleibe noch etwas hier," rief Nora, Curt festhaltend, „du wenigstens. Laß deinen Bruder nur hineingehen."

Sie sah ihm bittend in die Augen. Dem Knaben miß= fiel die Bitte eben nicht; er verharrte in seiner Stellung, das kleine Ding wie ein neues, wunderbares Spielzeug betrachtend. „Was für ein seltsames kleines Geschöpf du bist!" sagte er — „aber da ist Mama schon," unterbrach er sich, haftig sich erhebend, als seine Mutter aus einem der anstoßenden Gemächer auf den Corridor trat.

„Was treibt ihr denn da?" frug sie, der Gruppe sich
nähernd.

Der Kaplan wollte Aufschluß geben, als eine andere
Thüre heftig aufgestoßen ward, und eine ältere, eigenthümlich aussehende Frau schreiend und weinend auf die Gräfin
zustürzte, die im ersten Augenblicke zurückwich, eine Verrückte
wähnend. „O helfen Sie, helfen Sie!" rief die Alte in
gebrochenem Deutsch, die Hände ringend: „Missis stirbt,
Missis stirbt, und Niemand da, ihr zu helfen!"

„Was sagt sie?" frug die Gräfin erstaunt. Die Kleine
aber sprang auf die Alte zu, und sie umschlingend rief sie:
„Das ist meine Anne! Anne, was ist dir?"

„O Miß Nora, Mama so krank, und Master nicht da,"
jammerte die Alte.

„Mama ist krank," sagte die Kleine mit plötzlichem Verständniß. „O, Mama, Mama!" rief sie, in Thränen aus-
brechend und auf das Zimmer zueilend.

„Da scheint Hülfe nöthig, Herr Kaplan," sagte die Gräfin.
„Suchen Sie von der Alten zu erfahren, wer der Gatte der
Dame ist, und wo er weilt, indeß ich sehe, was sich thun
läßt. Ohne sich weiter zu besinnen, trat sie bei der Kranken
ein, wo sie schon die Stimme des weinenden Kindes hörte.

Helena lag wie früher auf dem Ruhebett; aber der Kopf
war weit nach hinten gesunken, die lieblichen Züge schienen
wie von einem Krampf verzerrt, und ein blutiger Streifen
befleckte die Lippen wie die Kleidung, genugsam anzeigend,
was sich ereignet.

Ueber die Mutter hingeworfen, lag das kleine Mädchen,

sie rufend mit allen ihr zu Gebote stehenden Liebesworten, welche aber die bewußtlose Mutter nicht zu hören schien. Curt, der dem Kinde gefolgt war, suchte vergeblich sie zu beschwichtigen.

Die Gräfin überschaute mit klarem Blicke die Situation. „Suche die Kleine für jetzt zu entfernen, daß sie die Mutter nicht erschreckt, und lasse einen Arzt rufen," flüsterte sie dem Sohne zu, indessen sie sich sofort der Kranken annahm. Sorglich brachte sie das Haupt in eine bessere Lage, badete mit Wasser die heißen Schläfen und feuchtete sanft die brennenden, trockenen Lippen an.

„Mutter," hauchte die Kranke, ihre Augen weit und groß öffnend. Als sie aber das unbekannte Gesicht sah, malte sich ein Ausdruck der Enttäuschung und des Staunens darin.

„Seien Sie ruhig," sagte die Gräfin freundlich; „ich bin Ihnen fremd. Ein Zufall rief mich an Ihr Krankenlager. Erlauben Sie mir, daß ich Sie pflege, bis Ihr Gatte kommt. Ich habe schon nach ihm gesandt." Ein dankbarer Blick der Kranken lohnte ihr; dann schlossen die müden Augen sich wieder. Die Brust aber hob sich schwer, ein dumpfes Röcheln stieg unheimlich daraus auf. Die Gräfin blickte aufmerksam auf die Kranke; sie sah die Schatten, die sich schwarz um die Augen gelagert, und den eigenthümlichen Zug, der den Mund entstellte. Auch über die nächste Umgebung glitt ihr Blick. Neben der Reise-Uhr lag ein Gebetbuch, und ein Rosenkranz, der auf den Falten des Kleides lag, schien aus den Händen der Kranken geglitten. Der Gräfin Entschluß war gefaßt. „Wünschen Sie noch Jemand zu sprechen, bevor Ihr Gatte kommt?" frug sie leise, aber deutlich.

Wieder öffneten sich die Augen langsam und schwer, aber völliges Verständniß darin. Die Lippen bewegten sich hastig, doch kein Ton drang hervor. Die Hand jedoch machte ein Zeichen auf Stirne und Brust, das die Gräfin verstand.

Als Antwort machte auch sie das Kreuzeszeichen. „Mein Hauskaplan, der Erzieher meiner Söhne, ist hier," sagte sie dann leise und deutlich. „Wünschen Sie ihn, indeß ich zum Geistlichen des Ortes schicke?"

Die Hände Helena's falteten sich bittend. „O gleich, gleich," stammelte sie; „ich hab' so viel noch zu sagen."

Die Gräfin willfahrte ihr sofort. Curt's Zureden gelang es, die Kleine zu entfernen; um seinen Hals geklammert, ließ sie sich in das anstoßende Gemach bringen, wo die alte Anne fassungslos saß.

Der Kaplan trat zu der Kranken ein. Er war noch sehr jung. Erst vor kurzem geweiht, hatte er gleich die Erzieher= stelle in dem gräflichen Hause angenommen, und dies war das erste Mal, daß er an einem Sterbebette sein heiliges Amt ausüben sollte. Helena schaute ihn einen Augenblick prüfend an. Auf seinen Zügen lag die ganze Reinheit der Jugend und die Heiligkeit seines Standes, und gaben ihm eine Würde, die über seine Jahre ging. Sie konnte Vertrauen zu ihm fassen, eine große Sorge in seine Hände legen, ihn zum Ver= treter ihrer Wünsche bei ihrem Gatten machen. Und wunder= bare Fügung: die wenigen Worte eines plaudernden Kindes hatten ihn in den Stand gesetzt, ihre Lage gleich vollkommen zu erfassen, sie mit wenigen Worten zu verstehen, was eine unendliche Erleichterung für sie war. Sein Rath stimmte mit ihren Wünschen überein, und es überkam sie eine seit lange nicht gekannte Ruhe, als sie ihr Vermächtniß, das Kind betreffend, ihm überantwortet hatte.

Ihr Friede mit dem Herrn war leicht geschlossen: ein einfach kindliches Gemüth, das unangetastet von der Welt geblieben war und seit lange sich auf diesen ernsten Augenblick vorbereitet hatte. Denn, wie nahe er war, hatte sie besser gewußt, als ihre Umgebung ahnte, wenn auch die Erregung dieses Morgens ihn noch beschleunigt hatte.

Als die Beichte geendet, kam ihr Gatte. Unvermittelt hatte die Botschaft ihn beim Eintritt in das Haus getroffen, da die ausgesandten Boten ihn nicht gefunden. In dem furcht= baren Schrecken und unvorbereitet, wie er war, brach seine leidenschaftliche Natur sich Bahn. Helena's bleiches Gesicht röthete sich wieder; ein Strahl der Liebe brach aus ihrem Auge; aber die eben gewonnene Ruhe war auch gestört. Es scheidet sich so schwer, wenn zwei liebende Arme uns festhalten, wenn das irdische Glück sich noch ein Mal geltend macht. Alfred kannte nur sich in seinem Schmerze; er bemerkte nicht ein Mal, daß Fremde um ihr Lager ständen. In Helena's Herzen sprach aber noch eine heilige Liebe, außer der Liebe zum Gatten. Sie fühlte, daß ihr nicht viel Zeit mehr blieb, und rief nach ihrem Kinde. Der Gatte hörte es kaum; aber die Gräfin, selbst Mutter, verstand sie, und winkte Curt herbei. Noch immer hielt dieser die Kleine, welche, erschreckt und ängstlich, ihn nicht loslassen wollte. So trug er sie herbei und hob sie zum Ruhebett der Mutter auf, daß diese das Kind umfangen konnte.

Aber war es in Helena ein Gefühl der Eiferfucht, daß
ein Fremder ihre Kleine ihr darreichte, oder wollte fie den
Gatten auf fein Kind aufmerkfam machen, — mit nervöfer
Haft fchob fie den Knaben zurück und legte die Hände des
Gatten um die Kleine. Es lag etwas in der Handlung, was
den Knaben verletzte, und er trat einen Schritt zurück, tiefe
Röthe auf der Stirne.

Mit dem fcharfen Blick aber, der Sterbenden oft eigen
ift, bemerkte Helena es fofort und ftreckte nun die Hand
nach dem Knaben aus; fie winkte ihn näher und näher, bis
er fich weit über fie bog. Es war ein hübfches, offenes
Knabengeficht, und aus den großen braunen Augen floffen
unaufhaltfam die Thränen nieder in tiefer Bewegung um
das fremde Leid. Helena fah ihn wie prüfend an, dann hob
fie fchwach die Hand und legte fie wie fegnend auf feinen
lockigen Scheitel; ihre Lippen formten das Wort „danke";
aber ein heftiger Huften-Anfall unterbrach fie. Das Tuch,
das man an ihre Lippen preßte, färbte fich wieder von dem
dunkelrothen Strom, zum Schrecken der Anwefenden. Es war
gut, daß der Arzt endlich eintraf, der nun feine ganze Autori=
tät zur Geltung brachte, wenn er auch eingeftehen mußte, daß
hier feine Kunft nicht mehr helfen könne. Er ließ das Kind
entfernen; der Kaplan nahm den Gatten unter feine Obhut;
die Gräfin aber blieb, dem Liebesdienfte treu, bei der Kranken
zurück in thätiger, forglicher Hülfe.

Das war eine lange, bange Nacht, während das noch junge
Leben mit der Auflöfung rang. Erft im Morgengrauen war
der Kampf beendet.

An dem Ruhebett, wo Helena ihren letzten Seufzer aus=
gehaucht, knieeten alle diese seltsam zusammengewürfelten
Menschen: der Geistliche, der ihr den letzten Trost gegeben,
und der sich um den fassungslosen Mann mühte, sie waren
Typen so weit verschiedener Lebensbahnen; da knieete auch
der Knabe und umfaßte zärtlich das verwaiste Kind, das
in seinen Armen sich in den Schlaf geweint; da stand die
Gräfin und stützte noch im Tode schwesterlich das Haupt der
Fremden, der Frau des Kunstreiters, dessen Stand ihr vor
kurzem ein Achselzucken und einen Seufzer entlockt.

Acht Tage waren vergangen. Drei Nächte ruhte Helenens
irdische Hülle in der Erde. Der Schmerz des Gatten hatte
das erste Maßlose überwunden; das Leben machte wieder seine
Anforderungen geltend. Es ist ein großer Segen, daß diese
nie länger als wenige Tage schweigen können, und uns zwingen,
aus dem Schmerz herauszutreten. In jedem großen Schmerz
wie in jedem außergewöhnlichen Ereigniß liegt etwas Nivelli=
rendes, das die gewöhnlichen geselligen Schranken für den
Augenblick niederreißt. Die Gräfin hatte sich in ihrer prak=
tischen hülfreichen Weise der Familie, in die sie der Zufall
so seltsam hineingezogen, auf das thätigste angenommen. Die
kleine Nora war ganz unter ihrer Obhut geblieben, damit dem
Kinde der Verlust der Mutter weniger fühlbar werde.

Jetzt aber sollte alles wieder zurücktreten in die gewohnte
Ordnung, die ja über jedes Grab hinweg ihren Weg nimmt.
Karsten wollte den Ort verlassen, wo er so Trübes erlebt; er
konnte dort seine Vorstellungen nicht eröffnen. Er kam, sein
Töchterchen abzuholen und sich bei der Gräfin zu verabschieden.

Jetzt, wo ihre Mitwirkung aufhörte, trat der vornehmen Dame zum ersten Mal wieder die Verschiedenheit der Lebens= stellung vor Augen, und es berührte sie seltsam, den Mann solcher Kreise wie ihres Gleichen zu empfangen.

Gräfin Degenthal gehörte ihrer Geburt wie ihrer Heirath nach den vornehmsten, exclusivsten Adelsgeschlechtern an. Er= clusiv sein — dies Fernbleiben den andern Kreisen, dies sich Beschränken in seinem Umgang, es wird dem Adel so oft feindlich ausgelegt und haftet doch auch den übrigen Ständen, jedem in seiner Art, nicht minder an. Es gehört auch zur Wesenheit eines jeden Standes, der nur in der Gleichartigkeit der Elemente besteht. Gemeinsames Leben, gleiche Interessen und gleiche Anschauungen bedingen aber Schranken und bauen sie stets von neuem auf, wenn man sie auch vernichtet zu haben wähnt. Innerhalb der Schranken gerade wachsen die Vortheile wie die Pflichten eines jeden Standes. Nur Träumer eines ungesunden Ideals erdenken sich die Unnatur völliger Standesgleichheit, — ein unnatürlicher Zustand schon darum, weil er nie dagewesen.

In christlichen Ländern kann dies auch nie in drückenden Kastengeist ausarten; denn mild schwebt darüber das Gesetz christlicher Liebe, die Alle gleich umfaßt, und ernst steht dabei das Gesetz christlicher Strenge, die allen Seelen gleichen Werth beimißt, sie alle vor den gleichen Richterstuhl weist.

Es bezieht sich dort der Sondergeist mehr auf den geselligen Verkehr, auf die Weigerung, andere Art und Weise in den eigenen Stand zu verpflanzen. Der Adel, als der stabilste Stand, mag darin sich am strengsten abschließen; doch einzelne

3*

Wenige ausgenommen, hat er seinen Sondergeist nie geltend gemacht zum Schaden des Ganzen. Er focht mit den Söhnen des Volkes in einer Reihe, warb um die gleichen Lorbeeren auf dem Felde von Kunst und Wissenschaft, er suchte im Dienste der Religion seinen Platz unter den Demüthigsten wie unter den Hohen. Wohl kann jede Schranke zu Conflicten führen und hat es allezeit gethan; wohl kann der Einzelne sie ein Mal hart empfinden. Doch Conflicte sind der Wellen= schlag des Lebens, die es vor Stagnation bewahren, und selbst Ausnahmefälle bestätigen die Regel nur.

Die Gräfin war Aristokratin von fast starrem Grundsatz, die nur in den Kreisen ihres Gleichen den Umgang kannte, suchte und liebte. Aber, wie wir gesehen, wich sie nie zurück, wenn der Dienst des Nächsten es heischte. Sie war eine Natur, die wenig innere Weichheit und Wärme besaß, aber ein tüchtiger Charakter, in dem alles durch ein ausgesprochen starkes Pflichtgefühl geregelt war, — welches vor dem Herrn gewiß sehr hoch steht, aber uns Menschen doch nicht immer die natürliche Herzenswärme ersetzt.

Es war eine Pflicht christlicher Barmherzigkeit gewesen, der Fremden beizustehen, und nicht der niedrigste Dienst hätte die Gräfin zurückgeschreckt. Aber, sobald ihre Hülfe keine Noth= wendigkeit mehr war, wünschte sie auch nicht weiter, daß sich die Wege kreuzen möchten. Zu sehr Dame von Welt, um dies in unliebenswürdiger Weise an den Tag zu legen, war es doch jenes unmerkliche Zurückgehen auf das Allernothwendigste, was sich fühlbar machte. Alfred Karsten hatte selbst diesen Kreisen einst zu nahe gestanden, war ihnen innerlich zu ver=

wandt, um es nicht zu empfinden, ja zu verstehen. Er wußte
mit der vollkommensten Genauigkeit seinen eigenen Standpunkt
inne zu halten. Der Gräfin imponirten dabei seine ruhige
Sicherheit, seine einfachen, guten Formen. Der tiefe Ernst,
den die Trauer auf sein Antlitz gelegt, gab den schönen Zügen
noch mehr Bedeutung.

Die Kleine weilte noch bei Curt, der mit einer bei einem
Knaben seltenen Sorge sich ihrer in dieser Lage angenommen
hatte.

Man tauschte zuerst jene wenig bedeutenden Redensarten
aus, welche die Unterhaltung in Fluß bringen sollen, wenn
ein schmerzliches Ereigniß, an das zu rühren man sich scheut,
noch so nahe liegt.

„Und Ihre Kleine," sagte die Gräfin, als er nach einigen
warmen Dankesworten seiner Abreise Erwähnung that, „sie
wird Sie begleiten?"

Ein schmerzliches Zucken flog über sein Gesicht. Er be=
schattete einen Augenblick seine Augen mit der Hand, als
müsse er sich sammeln zur Antwort. „Nein," sagte er dann
mit stockender Stimme, „ich verliere alles auf ein Mal. Der
Herr Kaplan hat mir die Wünsche meiner Frau in Beziehung
auf meine Tochter mitgetheilt — und sie werden mir heilig
sein. Ich kannte schon ihre Ansicht darüber, und sie mag
Recht haben, daß ein Leben wie das meinige nicht zur Er=
ziehung einer Tochter sich eignet. So werde ich ihrer Bitte
folgen. Der Herr Kaplan war so gütig, mir die nöthigen
Adressen zu besorgen, und meine erste Reise wird sein, meine
Kleine in einem der Klöster unterzubringen."

„In ein Kloster!" warf die Gräfin mit einigem Staunen ein.

„Sie finden auch den Gegensatz schneidend," sagte er mit leiser Ironie. „Ich selbst würde bei meiner Tochter einen andern Grundsatz verfolgen; aber, wie gesagt, der Mutter Wunsch soll mir Gebot sein. Auch sie war in einem Kloster erzogen und hatte große Vorliebe dafür bewahrt. Möge mein Kind lieblich und gut werden, wie sie war!" fügte er hinzu, und der dunkele Zug des Schmerzes flog wieder über sein Antlitz.

„Sie bringen ein großes, sehr anerkennenswerthes Opfer," sagte die Gräfin verbindlich, „und werden den Trost haben, Ihr Kind in guten Händen zu wissen."

Er verbeugte sich schweigend, ohne die Sache weiter zu verfolgen. Der Kaplan trat jetzt ein und überreichte ihm einige Briefe und Empfehlungen, die er zu dem erwähnten Zweck gewünscht. Die Männer drückten sich stumm die Hand; die Tage des Schmerzes hatten sie einander nahe gebracht.

„Nora," sagte der Director jetzt, unsere Zeit ist abgelaufen."

Die Kleine aber, die mit dem Knaben sich in die Fenster= nische zurückgezogen, achtete nicht darauf.

„Nimm dies," hatte der Knabe eben gesagt, ihr ein kleines Kindergebetbuch in die Hand schiebend, „nimm dies zum Andenken an diese Tage."

„Schreibe deinen Namen hinein," bat sie. „Ich werde ihn nie vergessen, weil du so gut warst; aber es ist doch hübsch, ihn darin zu lesen — auch Tag und Datum."

Der Knabe zog einen Bleistift heraus und willfahrte ihr.

„O, du schreibst viel mehr!" rief sie, ihm über die Schulter schauend. Der Knabe legte ihr haftig die Hand auf den Mund. „Sprich doch nicht so laut," sagte er ungeduldig. „Kannst du es lesen? Aber leise."

„Wenn Menschen auseinander geh'n, dann sagen sie: auf Wiederseh'n," las Nora. „Wie hübsch!"

„So, du brauchst es aber Niemand zu zeigen," sagte er, voll knabenhafter Scheu, daß Jemand den Ausdruck seiner Gefühle bemerke. „Was gibst du mir nun zum Abschied?" frug er, sie wie eine Feder auf das Fenstersims hebend. Die Kleine machte ein ernstes Gesicht und bedachte sich einige Augenblicke. „Willst du das?" fragte sie dann, eine ihrer schwarzen Haarwellen greifend und ihm hinhaltend. „Papa hat das auch von Mama zum Andenken genommen," setzte sie naiv hinzu.

Der Knabe mußte lachen und erröthete doch. Seinen dreizehn Jahren war der Vergleich etwas zu viel.

Sie sah sein Zögern. „Nein, nimm dies," sagte sie, und griff nach dem Perlenherzchen, das sie noch am Halse trug. „Nimm dies," und mit einem kräftigen Ruck hatte sie es schon von dem Kördchen gerissen.

„Dein schönes Herzchen vom Kaiser von Rußland?" meinte er, es weigernd, „das darfst du gewiß nicht."

„Gewiß darf ich. Du sollst es haben; ich hab' Niemand so lieb, wie dich, Papa vielleicht ausgenommen," sagte sie, ihre Arme zutraulich um ihn schlingend.

„Und nicht wahr, du wirst keine Reiterin?" flüsterte haftig der Knabe noch ein Mal ihr zu, das Herzchen dann an sein Uhrgehänge befestigend.

„Nora," rief der Vater jetzt noch ein Mal. „Komm, mein Kind, wir müssen uns verabschieden."

Nora hielt die Hand des Knaben noch fest, als sie kam. Stumm sah sie dann zur Gräfin auf. Sie empfand nicht viel Sympathie für die große Gestalt mit den bestimmten geraden Zügen, und legte daher auch nur schweigend ihre kleine Hand in die ihre.

„Sagst du nichts?" mahnte der Vater.

„Auf Wiedersehen!" sagte die Kleine, als klängen nur diese Worte in ihrem Herzen nach.

Die Gräfin berührten sie seltsam. Vielleicht war es gerade das, was sie am wenigsten ersehnte; doch klang es eigenthümlich rührend von diesen Kinderlippen. Sie hob die Kleine auf ihre Arme. „Nun denn, auf Wiedersehen!" sagte sie; „möge ich dich gut und glücklich wiederfinden."

„Dich auch," sagte die Kleine rasch und bestimmt, machte sich dann aber los. Sie eilte wieder auf Curt zu, und ihre Thränen brachen aus.

Auch der Director wollte dem Knaben noch danken; doch versagte ihm die Stimme. Vielleicht rührte es den Knaben mehr, als alle Worte hätten thun können, daß er ihm die Hand schüttelte wie einem Manne.

Nur einen stummen Gruß noch — und Vater und Tochter waren gegangen; die Menschen, die so eigen sich zusammengefunden, die eine seltsame Fügung für wenige Tage in ein so vertrautes Verhältniß gebracht, waren wieder getrennt.

„Welch' eigenthümlicher Mann, welch' seltsame Verhältnisse!" sagte die Gräfin nach einer kleinen Pause zu dem

Kaplan. „Was für ein Geschick mag ihn auf diese Bahn gebracht haben? Seinem ganzen äußern Erscheinen nach zu urtheilen, steht er hoch darüber, und doch scheint er sich ganz wohl darin zu fühlen. Wohin gedenkt er seine Kleine zu bringen?"

Der Kaplan nannte eine der ersten Erziehungs=Anstalten Belgiens.

„Aber, mein Gott, Herr Kaplan!" rief die Gräfin, „warum gaben sie ihm gerade diese an, wo fast nur die Töchter der ersten und vornehmsten Familien ihre Erziehung erhalten? Es ist ja ein entsetzlicher Gedanke für das arme Kind."

„Herr Karsten bestand darauf, diese zu wählen. Er fragte nach der besten, wohleingerichtetsten, und schien seine Tochter eben nur in eine der ersten und kostbarsten thun zu wollen. Er muß sehr reich sein."

„Das ist ja gleichgültig," sagte die Gräfin ungeduldig. „Was soll das nur für eine verschrobene Lebenslage werden! Nach diesem Wanderleben eine Kloster=Erziehung, dort in ganz anderer und für eine ganz andere Atmosphäre gebildet, — Anschauungen und Ansprüche, die weit über ihren Stand gehen, geweckt — und dann zu solchem Leben, in solche Kreise zurück! Tausend Mal besser, sie hätte sie nie verlassen."

„Der Mutter war das Wichtigste, für ihre Seele Sorge zu tragen; und sie bangte für diese, wenn sie jetzt schon all' den Eindrücken ausgesetzt sei, die bei dem Kunstreiterleben unvermeidlich sind. Sie hoffte, eine gute Erziehung, eine warme Frömmigkeit würden dem Kinde für später zum Schilde

werden, und sie würde dadurch jede Lebenslage richtig auf=
fassen lernen."

„Illusionen, mein Bester, Illusionen! Auf diese Weise
kann sie nur unglücklich werden. Sie wird nirgends den
Boden finden, wo sie Wurzel fassen kann."

„Wir müssen auch Gottes Leitung etwas vertrauen," sagte
der Kaplan ruhig. „Gottes Blumen können überall blühen,
und die Mutter hat in heiliger Sorge für ihr Kind diesen
einzigen Ausweg gefunden."

„Gottes Blumen können überall blühen," — die Worte
hallten wunderbar wieder in dem Herzen des Knaben, der in
stiller Trauer um die kleine Spielgefährtin noch da stand,
und dem die harten Worte der Mutter wehe gethan, er wußte
nicht, warum.

Seit jener Nacht, wo er das Kind in seinen Armen
gehalten, wo die Mutter ihn gesegnet, hatte das Loos dieses
Kindes ihn beschäftigt. Es war ihm, als habe er eine Art
Verantwortung dafür bekommen. Er war alt genug, um die
Schwierigkeit ihrer Verhältnisse zu verstehen, und eine eigene
Angst schnürte ihm das Herz zusammen, wenn er dachte, was
wohl aus ihr werden könne. Er hatte das Gefühl, sie retten,
sie beschützen zu sollen, und allerhand Pläne hatten schon sein
Hirn durchkreuzt. Der Gedanke war ihm sogar gekommen,
seine Mutter zu bitten, sie ganz zu sich zu nehmen, sie mit
ihren Kindern zu erziehen. Aber er hatte gar nicht gewagt,
das auszusprechen; er kannte schon der Mutter Lächeln für
so abenteuerliche Pläne. „Gottes Blumen können überall
blühen," das legte sich bei dem Gefühle, nicht handeln zu

können, wie ein Trost auf ihn. Wie eine reizende kleine
Blume war sie ihm vorgekommen.

III.

Ich blick' in mein Herz und blick' in die Welt,
Bis vom schimmernden Auge die Thräne mir fällt.
Ach, die Schranken so eng, und die Welt so weit!
Geibel.

Drum fraget Eure Wünsche, schönes Kind —
Bedenkt die Jugend, prüfet Euer Blut:
Ob Ihr die Nonnentracht ertragen könnt.
Shakespeare.

Zehn Jahre waren verflossen. In dem Vorhofe einer der
vielen Erziehungs-Anstalten der belgischen Hauptstadt tummelte
sich an dem alterthümlichen Brunnen eine Schaar halbwüchsiger
junger Mädchen. Es war alte Sitte des Pensionnates, daß
die Zöglinge während ihrer mittägigen Erholung sich das
Wasser selbst am Brunnen schöpften, und immer war es ein
Augenblick willkommener Freiheit. Murmelndes, plauderndes
Wasser hat ja stets die Zungen, besonders die weiblichen,
gelöst, wie alle Geschichten am Brunnen seit Urzeiten ver=
melden. So war auch hier ein Summen und Schwirren,
ein Kichern und Flüstern, als sei der Thurmbau Babels
wieder im Gange.

„Seht her," rief jetzt eine Stimme lauter dazwischen,
„seht her, was ich kann!" und die Sprecherin hob mit einem
kräftigen Griff das gefüllte Gefäß auf den Kopf, mit starkem
Nacken es ruhig und sicher tragend.

„Rebecca am Brunnen! Rebecca am Brunnen!" rief es
von allen Seiten. „Nora, du siehst aus, wie aus der Bilder-
bibel geschnitten."

Der Vergleich war nicht unrichtig: die hohe, schlanke
Gestalt in dem schlichten dunkeln Gewande, das weiße Tuch
turbanartig unter den Krug geschoben, die noch etwas scharfen
aber schön gezeichneten Züge hervorhebend, die dunkeln Zöpfe,
welche malerisch zu beiden Seiten des Halses herabfielen,
gaben ein Bild, das wohl die Auserwählte des Erzvaters
in Erinnerung bringen konnte, besonders jetzt, wo das junge
Mädchen mit vieler Anmuth und Sicherheit die Stufen des
alten Brunnens hinabstieg, der trefflich als Staffage paßte.

„Keinen Tropfen darüber!" rief sie triumphirend. „Wer
macht das nach?"

Natürlich war der Versuch längst von Verschiedenen schon
gemacht; tröpfelnd schüttelten Einige die begossenen Köpfe, sich
ängstlich vor der beaufsichtigenden Ordensschwester hütend, die
eben an einem entferntern Fleck sich aufhielt. Ihre Abwesenheit ermuthigte einige der Kühnern, einen andern Versuch zu
wagen, nachdem sie eifrig einige Augenblicke die Köpfe zu-
sammengesteckt. „Lilly," riefen sie einer der Jüngsten zu, die
sich eben ängstlich mit ihrem Kruge dem Brunnen nahte, und
der man an dem zaghaften Auftreten ansah, daß sie noch
ein Neuling in der Anstalt war. „Lilly, heute wird das
Wasser nur auf dem Kopfe hereingetragen. Du mußt es
auch versuchen; sieh' her, so mußt du es machen."

„Ich kann das nicht, ich kann es gewiß nicht," wehrte
die Kleine. Die Uebrigen hatten aber schon einen Kreis um

— 45 —

sie geschlossen, und eine hob ohne weiteres den gefüllten Krug der Kleinen auf das Haupt. Eine ängstlich ungeschickte Bewegung, und das Gefäß rollte an der Erde, während die Arme triefend und weinend dastand, und die tolle Schaar in ein lautes Gelächter ausbrach.

„Matrosentaufe, Matrosentaufe!" schrie ein keckes Ding.

Der Vorschlag fand allgemeinen Beifall, und unter lautem Jauchzen folgte sogleich ein kräftiger Guß.

Im selben Augenblicke aber wandte die Erste, die das Spiel mit dem Kruge begonnen, sich gegen die Angreifer, und stellte sich schützend vor die Kleine hin.

„Schämt ihr euch nicht, ihr Großen all', das arme Ding so zu ängstigen?" rief sie laut. „Kein Tropfen mehr, oder ich werde sie zu rächen wissen."

„He, Nora will immer regieren," riefen Einige trotzig; „en avant nur! Lilly ist doch ein Mal naß und kann weiter getauft werden."

Nora aber war flinker als die Uebrigen; ehe die Uebermüthigen zum weitern Angriff schreiten konnten, schleuderte sie ihnen schon kräftig gezielte Wassergarben entgegen, so daß sie sich schreiend und pustend zurückzogen, um freilich gleich wieder zum Angriff überzugehen. Es drohte, wenn auch kein blutiger, so doch jedenfalls ein sehr nasser Krieg zu werden.

„Aber, meine Damen, ist das ein Benehmen für junge Mädchen?" klang jetzt plötzlich strafend die Stimme der beaufsichtigenden Schwester, deren Rückkunft man in der Hitze des Gefechtes nicht bemerkt hatte.

„Wer hat solch ein unpassendes, wildes Spiel begonnen?"

fuhr sie streng fort. „Lilly, wie sehen Sie aus! Ich werde
Sie alle bei der Oberin anzeigen." Mit diesen Worten sah
sie sich forschend in dem Kreise um, wo jetzt tiefe Stille
herrschte. Die Meisten versuchten sich mit möglichst unschul=
diger Miene in den Hintergrund zurückzuziehen. Nur Nora
blieb muthig stehen, den Krug in der Hand, ohne ihre
Stellung zu ändern. „Ah, Sie, Fräulein Nora, sind es,"
sagte die Schwester wieder scharf. „Ich sollte meinen, Ihr
langer Aufenthalt im Pensionnat hätte bessere Früchte tragen
können, als so unpassende Streiche; aber Sie scheinen unver=
besserlich. Ich sah vorhin, wie Sie zuerst den Krug erhoben,
also Veranlasserin des Ganzen waren, und werde nicht ver=
fehlen, es der Oberin sofort zu melden, da ihre Nachsicht
Sie so übermüthig macht. Sie werden heute die Freistunde
auf Ihrem Zimmer zubringen, damit Sie Zeit zum Nachdenken
gewinnen; und Sie, Lilly, gehen Sie sofort, sich umzukleiden.
Die andern Damen werden es sich hoffentlich merken, damit
nichts Aehnliches mehr vorfällt."

Die Sprecherin sprach kurz und scharf, ihren ganzen Groll
über Nora ergießend; sie gehörte zu den kleinlichen Naturen,
die stets auf ein Haupt die Schuld werfen, einen Menschen
verantwortlich machen wollen. Nora's etwas unabhängiges
Wesen und die Vorliebe der Oberin für sie war ihr stets ein
Dorn im Auge; etwas Parteilichkeit herrscht ja in jeder
Anstalt. Nora nahm jedes Wort mit Gleichmuth hin; keine
Entschuldigung kam über ihre Lippen. Sie ließ nur einen
verächtlichen Blick über die stummen Gruppen gleiten, da Keine
zu ihrer Vertheidigung auftrat; dann warf sie das Haupt

stolz in die Höhe, füllte ihren Krug von neuem und schritt
dem Hause zu.

Die Andern folgten. „Wir hätten es nicht auf Nora
sitzen lassen dürfen," flüsterten einige Gewissenhaftere.

„Sie trug die wenigste Schuld, und ist stets so gut für
Alle," meinte eine Andere; „warum sprach Lilly nicht?"

„Die und sprechen!" sagte eine Dritte verächtlich.

„Ah bah! was thut es!" rief die Kecke von vorhin.
„Madame wird sie schon nicht strafen; sie nimmt sie stets in
Schutz. Das thut ihre geheime Abkunft; wir Alle wissen
ja nicht ein Mal, wo sie her ist, und nur ihr Schauspieler=
Talent läßt auf Manches schließen."

„Ich finde es sehr eigenthümlich, daß man uns hier zu=
muthet, mit Jemand zusammen zu sein, von dessen Eltern
man nicht ein Mal etwas weiß," sagte ein langes, hageres
Mädchen mit essigsauerer Miene.

„Ich finde es oft schlimmer, wenn man es weiß," gab
wiederum eine Andere zurück. Sie hatte mit den wenigen
Worten die Lacher auf ihrer Seite; denn Jeder wußte, daß
die so ängstlich um die Abstammung besorgte junge Dame
einen Namen trug, der einen nichts weniger als guten Klang
hatte.

„Für mein Theil," fuhr die Sprecherin dann ruhig fort,
„finde ich es auch einerlei, ob wir etwas Näheres über Nora
wissen oder nicht. Daß sie zu den Klügsten und Besten des
Pensionnates gehört, das wissen wir Alle; noch eben hat ihr
Schweigen uns vor einer Strafe bewahrt. Mir ist sie die
liebste Freundin hier, mag sie nun von höherer oder tieferer

Abkunft sein, als ich), was beides möglich." Und die so sprach, war eine deutsche Fürstentochter; echtes Standesbewußt= sein ist auch stets echt liberal.

Nora hatte indeß an dem Tage Zeit zum Nachdenken. Während sich die Andern im Freien tummelten, saß sie ein= sam auf ihrem Zimmer und schaute die fernen Spitzen der Berge an, die weit am Horizont auftauchten.

Tiefer Ernst lag auf den jungen Zügen, die am Morgen so lachend ausgeschaut, und um den Mund zuckte es weich wie bei einem traurigen Kinde. Die Einsamkeit, zu der sie verurtheilt worden, war wohl nicht Schuld daran; sie liebte sie, wie jedes junge Gemüth sie liebt, das noch mit sich zu thun hat. Aber vielleicht wirkten die fernen Berge zu sehr! Vielleicht floß das Blut, das so jäh in Stirne und Wangen stieg, zu unruhig für die engen Mauern einer Anstalt, und die Gedanken dehnten sich zu sehnsüchtig aus in den festen Schranken. Eine Hand legte sich jetzt schüchtern auf ihre Schulter; ein blonder Kopf schob sich neben den ihren.

„Bist du traurig, Nora?" fragte eine zaghafte Stimme; „es war häßlich von mir, dich strafen zu lassen, wo du mich in Schutz genommen."

„Ah! bist du es, Lilly," sagte die Angeredete, aus ihren Träumen aufschreckend. „Sei ruhig, Herzchen, diese Strafe ist so schlimm nicht; aber warum sagtest du kein Wörtchen, Hasenherz?"

„Ich kann nie gut etwas sagen," sagte die Kleine mit kindisch verlegenem Ausdruck, „ich fürchte mich stets so. Aber wegen dir thut es mir so leid; denn du bist gut, immer gut für mich gewesen," und sie schlang ihre Arme um Nora's Hals.

Nora küßte sie. „Ein ander Mal wirst du schon zu reden wissen," sagte sie tröstend; sie aber plötzlich scharf in's Auge fassend, setzte sie hinzu: „Lilly, du hast schon wieder geweint! Geh' doch, wer wird so jammerig noch sein nach drei Monaten, die du schon hier bist!"

„Ich kann nicht dafür; ich bin hier nicht gern, ich habe Heimweh," entschuldigte sich die Kleine. „Aber du sahst eben auch ganz traurig aus, Nora; du hast gewiß auch Heimweh und willst es mir nicht gestehen."

„Heimweh!" sagte Nora, „nein, wahrlich, ich glaube, ich habe gerade das Gegentheil, ich habe »Fernweh«. Zehn Jahre bin ich schon hier, und es ist mir liebe Heimath gewesen — aber ich möchte hinaus; der Boden brennt mir unter den Füßen. O, ein Mal wieder andere Menschen, andere Gegenden sehen, ein Mal wieder ein Pferd besteigen, frisch in die Weite zu sprengen!" — und sie streckte die Arme wie sehnsüchtig aus.

„Warum gehst du nicht nach Hause? Du bist doch eigentlich erwachsen," meinte Lilly mit aller Ehrfurcht ihrer fünfzehn Jahre für Nora's siebenzehn Sommer.

Nora erröthete leicht. „Ich habe eigentlich kein Daheim," sagte sie zögernd. „Meine Mutter ist todt und mein Vater ist stets auf Reisen."

„Wer ist dein Vater?" frug Lilly ein wenig neugierig.

Nora erröthete noch stärker; sie sprach nie darüber. Seit jenen Tagen in der Schweiz hielt ein eigenes Gefühl sie davon zurück, und das stete Schweigen der Erzieherinnen über diesen Punkt bestärkte sie darin. So überhörte sie auch jetzt die Frage, und den Eintritt einer Dritten als willkommene Unterbrechung nehmend, wandte sie sich an diese.

„Komm, Elisabeth," sagte sie, „komm, wir sind Beide melancholisch — Lilly hat Heimweh."

„Und Nora hat Fernweh!" ergänzte die Kleine.

„Fernweh?" wiederholte die Angeredete, — es war gerade diejenige, welche vorhin ihr Wort für Nora erhoben. „Fernweh — das kenne ich nicht. Die Stille dieser Mauern, wo man nur Ein Ziel kennt, nur Einen Zweck hat, liebe ich zu sehr, um je daraus scheiden zu mögen."

„Ich weiß, was du meinst," sagte Nora, zur Sprecherin aufschauend; „aber ich bin nicht wie du. Meine Gedanken möchten sich über die ganze Welt ausbreiten, und die deinigen wollen nur aufwärts steigen."

„Schön geredet, wie immer, Nora," gab die Andere scherzend zurück. „Aber wer weiß, was die Zukunft bringt: mag man wünschen, was man will."

„Die Zukunft, ja, ich möchte wissen, was sie mir bringt," rief Nora; „sie liegt so räthselhaft vor mir, daß ich nicht ein Mal eine Ahnung habe, wie mein Leben sich gestalten könnte."

„Ich weiß es schon recht gut," sagte Lilly ruhig dazwischen.

„Du, Kleine?" fragten die Andern.

„Ja, warum nicht? Tante hat alles ganz genau bestimmt. Ein Jahr bleibe ich noch hier, dann gehe ich zu Tante zurück, und dann heirathe ich meinen Vetter" — sagte sie naiv.

Die beiden Mädchen lachten hell auf.

„Du heirathest deinen Vetter? Du weißt das schon gewiß? Kennst du ihn denn?"

„Darüber ist gar nicht zu lachen," sagte die Kleine empfindlich. „Papa hat es sterbend gewünscht, und Tante will es auch, und alle Leute wissen es —"

„Wer ist denn der glückliche Vetter?" wollte Nora eben fragen, als ein lauter Glockenton an ihr Ohr schlug.

„Das ist dein Zeichen, das dich zur Oberin ruft," sagte die als Elisabeth Angeredete. „Zu so ungewohnter Stunde! Schwester Barbara scheint unerbittlich; wir müßten dich wirklich vertheidigen."

„Soll ich mitgehen," frug Lilly, sich an Nora schmiegend, „und sagen, wie es war?"

„Nein, kleines Herz, so viel will ich dir nicht zumuthen; ich fechte meine Sache selbst aus," rief Nora, und ein Ausdruck von Muth und Energie blitzte in ihr auf. „Ich mag gern mit dem Leben ringen und es zu bezwingen suchen. Besser Sturm als ewige Ruhe, und nur Schwester Barbara schafft Einem ein Mal ein kleines Stürmchen hier."

„Hüte dich doch; es könnte schlimmer werden, als du denkst," warnte Elisabeth mit all' der Wichtigkeit, mit denen Angelegenheiten solcher Art im Pensionsleben behandelt werden, wo das Auszeichnungsband so gut das Ziel des Ehrgeizes ist, als alle Ordensbänder der Welt.

Aber Nora sprang schon lachend davon und die Treppe hinab in mächtigen Sätzen. Doch an der Pforte, die zur Oberin führte, hielt sie einen Augenblick inne, ihr Aeußeres

4*

musternd wie ein ängstlicher Recrut, ob nichts Ordnungs=
widriges den Sturm verschärfen könne, dem sie so kühn
entgegen ging. Aber sie hätte den scharfen Blick der Ordens=
Oberin nicht zu fürchten brauchen, so in Gedanken verloren
erschien diese heute. Nora fand sie nicht zum Verhör bereit
stehend, wie meist in so richterlich peinlichen Fällen, sondern
am Schreibtisch sitzend, einen Brief vor sich, von dem sie
jetzt mit fast wehmüthigem Ausdruck auf die Eintretende sah.
Madame Sibylle war eine kleine, zarte Gestalt, aus deren
Augen allein die Thatkraft leuchtete, die sie zu dem mühe=
vollen Posten der Vorsteherin einer so großen Anstalt befähigte.
Sobald Nora näher kam, erhob sie sich, und ihre beiden Hände
ergreifend, zog sie das junge Mädchen dicht an sich heran.

„Mein Kind," sagte sie leise, „es gibt immer Wendepunkte
im Leben, die überstanden sein wollen."

Nora, die so ganz anderes erwartete, trafen die Worte,
so innig sie auch gesprochen, wie ein Schlag. „Vater, . . .
o der Vater!" stammelte sie, von furchtbarer Angst ergriffen.

„Nein, beruhige dich," sagte die Nonne hastig, „er ist
wohl und gesund. Er ist sehr glücklich sogar, liebes Kind,
wie er mir eben schreibt; doch gibt er mir den Auftrag, dich
auf ein Ereigniß vorzubereiten, das in kürzester Frist ein=
treten wird."

Noch verwirrter sah Nora auf. „Gibt er sein Geschäft
auf?" fragte sie, und es fuhr wie ein heller Strahl der Freude
über ihr Gesicht.

Die Nonne schüttelte den Kopf. „Mein Kind," fuhr sie
fort, und es schien ihr schwer von den Lippen zu gehen, „der

Herr nahm ihm schon lange die Gattin, dir deine Mutter. Mit Gottes Hülfe hast du hier eine neue Heimath gefunden, und wollte Gott, wir hätten dir den Schatz der Mutterliebe ersetzen können." Nora preßte bewegt die Lippen auf die Hand der Nonne: Madame Sibylle war ja die Erste gewesen, die das mutterlose Kind aufgenommen hatte. Auf ihrem Schooß hatte Nora das bittere Weh ausgeweint, welches das Scheiden vom Vater ihr verursacht, und ein inniges Band fesselte sie seitdem an die Frau, die so gut ihr die Mutter ersetzte, wie das Leben in einer klösterlichen Anstalt es erlaubt.

„Aber auch dein Vater ist in der langen Zeit sehr einsam gewesen, sehr einsam, da er um deiner Erziehung willen sich auch von dir trennte. Er wünscht jetzt sich einen neuen häuslichen Kreis zu gründen, auch dir dadurch eine Heimath wiederzugeben — er will sich wieder verheirathen, mein Kind."

Größer und immer größer waren Nora's Augen bei diesen Worten geworden. Wie verständnißlos starrte sie die Sprecherin an.

„Er will sich wieder verheirathen," wiederholte die Nonne, und als müsse alles auf ein Mal gesagt werden, setzte sie hinzu: „Er zeigt mir seine Verlobung mit einer Fräulein Emilie Lauer eben an."

Ob Nora das gehört, war kaum zu entnehmen, so groß sah sie auf. Plötzlich aber schlug sie beide Hände vor das Gesicht und ein schneidender Laut des Schmerzes rang sich über ihre Lippen.

„Setze dich, mein Kind," sagte sorglich die Oberin, ihr einen Sessel zuschiebend, und sie innig umfangend. Nora's

Haupt sank schwer auf ihre Schulter. Das Ungeahnteste
hatte sie getroffen.

Nora's Verhältniß zum Vater war ein inniges gewesen,
trotzdem sie sich so wenig sahen. Alljährlich mehrere Mal
hatte er sie besucht. Der ritterlich aussehende Mann, der
sein Töchterchen mit Geschenken und Zärtlichkeiten überhäufte,
hatte jedes Mal das Pensionnat in große Erregung und
Neugier versetzt; das hatte Nora sehr stolz auf ihn gemacht.
Auch brieflich war er in stetem Verkehr mit ihr geblieben, und
in den Briefen hatte, wie einst im Verkehr mit seiner Frau,
stets der tiefere Zug seines Gemüthes Ausdruck gefunden.
Das Bild der Mutter, in seiner Erinnerung noch verklärt,
hatte er dem Kinde immer als ein heiliges, hochzuverehrendes
hingestellt; seine Liebe hatte darin fortgelebt, wie sein Schmerz
über die Verlorene. Auch seine gute Erziehung, seine Bildung
sprach aus diesen Briefen, und als Nora, älter werdend,
seine Lebenslage überdachte, hatte sie bald den Schluß gezogen,
daß schweres Mißgeschick ihn auf diese Bahn gedrängt habe,
und er im Grunde sich tief unglücklich dabei fühlen müsse.
Ihn zu trösten, ihm durch ihre Liebe alles zu ersetzen und
ihn mit dem Leben auszusöhnen, war der kindliche Traum
ihres Herzens seit Jahren gewesen. Sie war stolz und eifer=
süchtig darauf, die Einzige zu sein, die ihm naheständе, ihm
angehöre, die ein Recht auf seine Liebe habe. Und nun
sollte dieser Platz durch eine Fremde ausgefüllt werden, sollte
eine Andere die Erinnerung an diese Mutter entweihen! In
der Wandelbarkeit der Liebe liegt für die Jugend etwas so
Unnatürliches, Entsetzliches, daß sie am meisten davor zurück=

bebt. Der Vater, der ihr Ideal gewesen bisher, sank tief in ihren Augen; denn die Jugend ist auch schroff in allem, was ihr Gefühl verletzt: sie weiß noch nicht, mit wie vielem das Gefühl in spätern Jahren zu rechnen hat.

Die Nonne sah den bittern Zug, der sich um Nora's Lippen legte, den Abscheu, mit dem sie den Brief zurückstieß, als sie ihr denselben hinreichte.

„Kind," sagte sie, den dunkeln Scheitel zärtlich streichelnd, „verurtheile nicht, was du nicht zu beurtheilen vermagst; du weißt noch nichts von der Einsamkeit späterer Jahre."

„Aber er hatte ja mich jetzt: ich wäre so gern zu ihm geeilt," rief Nora heftig; „es ist entsetzlich von ihm!"

„Und wärest du auch immer bei ihm geblieben?" frug die Nonne, fein lächelnd, und sie fest ansehend. „Der Kinder Wege gehen oft anders."

Dunkles Roth stieg auf Nora's Stirne, und ein eigenes Gefühl zog ihr durch das Herz, jenes unbestimmte Etwas, das in jedem Mädchen erwacht bei der Frage. Ja, wie hatte sie sich denn die Zukunft gedacht? Beschämt senkte sich ihr Blick.

„Kein Mensch hat ein Recht, eines andern Menschen Glück nach seinen Ansichten modeln zu wollen. Das ist der furchtbarste Egoismus," fuhr die Nonne ernst fort. „Nimm das Ereigniß als eine Fügung Gottes hin. Dein Vater hofft dadurch auch dir wieder eine Häuslichkeit zu bereiten und nach den ersten Monaten seiner Ehe dich zu sich zurückzurufen — du wirst uns also bald verlassen müssen, mein Kind, und das ist mir hart."

Aber Nora überhörte den schmerzlichen Ton in den Worten; ihre Gedanken waren noch ganz bei dem Ereigniß.

„Und ist die — die Dame," frug sie endlich gepreßt, „eine — eine von der Gesellschaft?"

„Es ist nicht gut denkbar," sagte Madame Sibylle beschwichtigend, „daß er jetzt in andern Kreisen eine Ge= fährtin suchen wird. Er erwähnt es nicht direct, aber gerade sein Schweigen läßt es mich errathen. Doch erwähnt er aus= drücklich, daß ihre große Güte und Liebenswürdigkeit auch dich beglücken werde."

„O!" rief Nora wieder in schneidendem Schmerz, „auch das noch!" Plötzlich aufspringend und sich der Oberin an den Hals werfend, rief sie: „O, laß mich nicht zu ihr gehen, o, behalte mich hier, behalte mich hier!" Ein Strom von Thränen brach gewaltsam aus.

Die Nonne umschlang fest das weinende, zitternde Mäd= chen, als wolle sie fürwahr es festhalten. Waren die Worte ihr aus der Seele gesprochen, war es ihr heimlicher Herzens= wunsch, der da plötzlich laut wurde?

Sie war eine ernste Nonne, lange gereift in ihrem Amte. Hunderte von Kindern hatte sie schon willkommen geheißen, Hunderte hatten mit thränenden Augen von ihr Abschied genommen; und welch' warmes, pflichtvolles Interesse sie auch an ihnen nahm, das individuelle Gefühl stumpft in der Ge= wohnheit ab. Aber es gibt Naturen, denen ein wunderbarer Zauber und Reichthum eigen ist, wie es Länder gibt, die uns zum Paradiese werden.

Und Nora war eine jener gottgesegneten Naturen, die

warm und reich so viel bieten, daß das Herz arm sich
dünkt, das sie wieder lassen muß.

Madame Sibylle, die erfahrene Vorsteherin des Pension=
nates, hatte das Kind, das aus so eigenthümlichen Verhält=
nissen heraus ihrer Obhut anvertraut wurde, unter ihren
besondern Schutz genommen. Mit feinem Verständniß hatte
sie versucht, den großen Unterschied zu vermitteln, der zwischen
so verschiedener Lebensart lag, und das Kind hatte ihr mit
hingebender Liebe gelohnt. Früh entwickelt, stand Nora ihr
fast freundschaftlich nahe. Ihre Zukunft hatte die Nonne
schon manche Stunde schweren Nachdenkens gekostet. Nora
war kein Wesen, das unbeachtet durch die Welt gehen konnte,
das still und unscheinbar überall sein Plätzchen gefunden
hätte. Und in welche Welt, in welche Atmosphäre, in welches
Leben sollte sie hinaustreten! . . . Nora befand sich in den
verschrobensten Verhältnissen, wurzellos in jedem Stande,
ohne Schutz und Halt nach jeder Richtung — war es da der
Nonne zu verdenken, wenn sie den Liebling ihres Herzens
hätte bergen mögen in dem stillen Frieden des Gotteshauses?
wenn sie ihre liebliche Blume hätte retten mögen in diese
Mauern, wo sie vor Stürmen doch sicher war?

Nie war ein Wort, das auch nur darauf hindeutete, über
ihre Lippen gegangen, nur in ihren Gebeten war der Wunsch
oft aufgestiegen — aber jetzt, bei Nora's stürmischer Bitte, ja,
da schloß sie den Liebling fester an sich.

„Mein Kind, so bleibe," sagte sie innig. „Kannst du
dich entschließen, hier mit uns den stillen Weg zu gehen in
Gott und für Gott? Er gibt so reichen Frieden, und dir,

mein Kind, wäre er der sicherste Hafen gegen viele Kämpfe.
Ich würde die Stunde deines Entschlusses segnen."

Sie sprach innig und eindringlich. Nora's Kopf lag fest
gepreßt auf ihrer Schulter, so daß sie das Antlitz nicht sehen
konnte. Lange blieb Nora stumm; dann aber hob sie plötzlich das Haupt empor.

„Nein!" sagte sie leise, aber fest. „Nein, ich kann es
nicht; ich glaube, es war nur Stolz, der mir eben den Gedanken eingab. Friede und Ruhe ersehne ich noch nicht. Ich
kann in dem Hafen noch nicht bleiben: lieber laß mich hinaus
in Stürme und Gefahr. Ich bin so gern hier gewesen: aber
heiße mich nicht bleiben — laß mich fort, laß mich fort —
ich kann nicht Maria sein zu Füßen des Herrn!"

Ein tiefer Zug von Enttäuschung malte sich auf dem Gesichte der Nonne, und doch mußte sie lächeln über die eigenthümliche Sprache des Mädchens. „Nun, dann geh', mein
Kind," sagte sie, „dann geh'. Jedes Menschen Herz hat
seinen Weg, und alle können zum selben Ziele führen. Mögen
es der Kämpfe nicht zu viele für dich werden! Aber auch
Kämpfe und Gefahren schaden ja nicht. Ich werde dich entbehren, — deine alte Freundin wird dich vermissen: ein
Opfer mehr, welches der Herr will. Aber wir werden uns
nahe bleiben im Herzen, wo du auch bist."

„O, wie wird alles werden? Alles ist schrecklich!" sagte
Nora schaudernd.

„Nicht alles vorhersehen wollen, schreibt Thomas von
Kempen, darein füge dich. Nur eins vergiß nicht, wie auch
dein Leben sich gestalte: das Kind ist nie mehr als der Vater.

Das ist Gottes Wille und menschliche Ordnung, das nimm in Demuth von Anfang auf deine Schultern; damit ist noch keine Seele zu Grunde gegangen. . . . . . Uebrigens ist unser Abschied so nahe noch nicht. In drei Monaten erst wird dein Vater dich abholen. . . . . Aber nun geh'; die Abend= glocke ruft, und du wirst während des Gebetes dich am besten sammeln können. Vom gemeinschaftlichen Abendessen dispensire ich dich; der Mensch muß allein sein nach großen Erregungen. Geh' und beantworte den Brief deines Vaters liebevoll, wie er liebevoll stets für dich war."

Und Nora ging. Wohl las sie den Brief des Vaters, wohl rührte sie die Liebe, die er zärtlicher als jemals für sie darin ausdrückte, wohl nahm sie sich vor, ohne Egoismus an sein neues Glück zu denken, und versuchte den Wechsel, den sie in der letzten Zeit oft so heiß ersehnt, sich in rosigem Lichte zu malen. Aber als sie ihr Lager aufgesucht, lag sie noch lange wach, und als ihr Blick all' die Gegenstände traf, die ihre Umgebung so viele Jahre gebildet hatten, da war es, als ginge ihr der ganze Werth derselben noch ein Mal auf.

Von dem schwarzen Kreuz an der Wand bis zu den weißen bauschigen Gardinen, welche die friedlichen Lagerstätten umgaben, war alles ernst, rein und abgeschlossen, wie des Mädchens Jugend sein soll, ehe es hinaustritt in den grellen Sonnenschein des Lebens, in den unruhigen Wechsel der Welt: Ruhe, Stille und Einfachheit, die ihm Duft und Frische er= halten, wie der Waldesschatten der Waldblume. Und noch ein Mal legte es sich mild und süß auf Nora's Herz im schneidenden Gegensatze zu dem, was sie erwartete, wo alles

unklar, unruhig, unsicher erschien. Noch ein Mal winkte ihr
der Hafen, aus dem sie hinausverlangt, daß sich ihr das
Herz im ahnenden Abschiedsschmerz zusammenkrampfte und
sie laut aufschluchzte.

Ein leichter Schritt nahte ihrem Bett, ein Arm legte sich
weich um ihren Hals. Es war Elisabeth, die das Gemach
mit ihr und einigen Andern theilte.

„War es gar so schlimm?“ frug sie leise.

„Was?“ entgegnete Nora, die alles Vorhergehende ver=
gessen hatte. „O nein,“ fuhr sie in plötzlichem Erinnern fort,
„das war es gar nicht. Elisabeth, ich gehe, ich gehe bald
von hier fort zum Vater.“

„Also dein Fernweh gestillt,“ sagte diese lächelnd. „Warum
weinst du denn so?“

„O Elisabeth, bitt’ Gott, daß es kein Heimweh werde;
vielleicht habe ich zu ungeduldig gewünscht.“

„Warum kein Heimweh, wenn es nach der rechten Hei=
math ist?“ sagte Elisabeth ernst.

IV.

An den Rhein, an den Rhein —
Geh’ nicht an den Rhein,
Mein Sohn, ich rathe dir gut;
Da geht dir das Leben zu freudig ein,
Da wächst dir zu wonnig der Muth.

Es war April. Graue Wolken jagten daher, Flocken
flogen, der Sturm wirbelte; aber wo die Wolken auseinander
gestoben, lachte reines Himmelsblau, strahlte der hellste Son=

nenblick; die Flocken schmolzen schon im Fliegen, Wassertro=
pfen, die wie Geschmeide glänzten, blieben an den braunen
und grünen Baumknospen hängen, und die Erde sah warm
und lenzduftig aus. O, der schäkernde, übermüthige Monat
April! Schmeichelnd schaut er überall hin und lockt die Men=
schen aus der Winterhaft und die Blüthen und Pflanzen aus
den schützenden Hüllen, um sie gleich darauf so wild zu
schütteln. Und doch, wer widersteht dem losen Gesellen, wie
oft er auch trügt!

Wogte es nicht auch heute auf den Promenaden der rhei=
nischen Universitätsstadt unter den noch laublosen Bäumen
auf und nieder, als müsse Jeder einen Athemzug der weichen
lenzigen Luft erhaschen, die sich eben aufgethan, einen Strahl
der warmen Sonne genießen, die so freundlich niederschien,
als sei schon ihr Reich ganz hereingebrochen! Und doch glitzer=
ten rings umher die kleinen Tümpel als verrätherische Zeugen
des eben vorübergerauschten Wetters, und hoch oben am
Himmel tauchte schon wieder eine Handbreit Grau auf, ein
mahnendes Vorzeichen von dem, was kommen würde.

Im Gewoge der Spaziergänger machte sich vorwiegend
das bunte, kecke Studentenmützchen geltend. Es trat mit
einem Uebergewicht auf, daß man sah, wie sehr es sich hier
in seinem Recht fühlte; und darunter hervor sahen die jun=
gen, unbekümmerten Gesichter mit dem launig übermüthigen
Ausdruck deutschen Studententhums. Ja, deutscher April und
deutscher Student: kennt man euch noch irgendwo anders so
in euerer Eigenart? Findet man noch irgendwo dies Ge=
misch zweier Jahreszeiten, diese vermittelnde Pause zwischen

zwei Lebens=Abschnitten? Vom März den Sturm, vom Mai
die Sonne, — herbe wie der Winter, aufjauchzend wie der
Lenz, — äußerlich wenig voranschreitend in der Entwickelung,
doch innerlich gährend und sich klärend, — wechselnd und toll,
milde und schwärmend — das ist deutscher April und deutsche
Studentenzeit. Mehr nach Süden, mehr nach Norden, mehr
nach Osten, mehr nach Westen, da ist der Charakter beider
der einen oder der andern Jahreszeit bestimmt aufgedrückt.
Aber hier kennt der Mann wie die Natur diese Uebergangs=
zeit, wo die Unentwickeltheit der einen Periode sich mischt in
die brausende Lebenslust der andern, wo das Spiel des Knaben
eingreift in den Ernst des Manneslebens, daß ein wunderlich
Treiben daraus wird, was man später kaum begreift.

Doch goldener Wein, reiche Früchte und trußige Bäume
zeitigt das Land der Aprilschauern; und tiefe Denker, kräftige
Streiter, Männer in des Wortes ganzer Bedeutung gehen
hervor aus der tollen deutschen Studentenlust. Und in selte=
ner Analogie hat das Studententhum sein Reich auch gerade
dorthin verlegt, lebt sich da am vollsten aus, wo der April
seine meisten Knospen und meisten Schauer hat. Am Rhein,
am Neckar, an der Leine und Saale, in Mitteldeutschlands
Mittelklima blüht das Studententhum und wird dort auch
am richtigsten erfaßt.

Die jungen Leute auf der erwähnten Promenade zeigten
alle das Gepräge naiven Selbstbewußtseins und enger Zu=
sammengehörigkeit, welches den Musensohn kennzeichnet. Meist
sah man sie in Gruppen vereint in ihre eigenen Angelegen=
heiten vertieft, — Angelegenheiten, die dem Nichteingeweihten

so räthselhaft erscheinen wie die ihnen eigene mystische Sprache, die den Eingeweihten aber in ein ganzes Reich von Regeln und Sitten versetzen, die dem Betreffenden stets von unend=licher Wichtigkeit dünken.

Eine der Gruppen löste sich jetzt auf unter Händeschütteln und Zunicken. Die Worte „Hôtel X, vier Uhr" und „Bowle" verriethen genügend die Absichten für die nächste Hälfte des Tages. Zwei der jungen Leute schlugen eine Neben=Allee ein. Sie bildeten einen auffallenden Gegensatz. Der Eine fiel auf durch Breite und Corpulenz, die wunderbar genug zu seinem jugendlichen Gesichte standen, das rund, blond und rosig, der personificirte Ausdruck deutscher Behaglichkeit war, und in dessen Fülle ein Paar kleine, graue Augen gar nicht zur Geltung gekommen wären, hätte nicht ein scharfer, feiner Strahl daraus hervorgeblitzt, der gewiß nie sein Ziel verfehlte, wenn der jetzt fest geschlossene Mund den Commentar dazu lieferte. Sein Begleiter erzielte durch die Höhe, was Jener durch die Breite erreichte. Er sah neben ihm noch schlanker aus, als er eigentlich war; denn die Gestalt entbehrte nicht des Eben=maßes, und eine gewisse Elasticität in Haltung und Gang ersetzte den Ausdruck von Kraft, den man vermissen konnte. Sein Antlitz war eben so beweglich, wie das des Andern sich durch Ruhe auszeichnete, und verschwanden die Augen dort fast, so waren sie hier das Hauptmotiv. Es waren ernste Augen, tief und strahlend, wie braune Augen es sein können, noch ohne bestimmten Ausdruck, aber eine Fülle von Gedanken und Empfindungen verrathend. Die breite Stirne darüber zeugte von Denkfähigkeit, und ihre Weiße und Glätte

ließ auf einen seltenen Grad von Reinheit und Offenheit
schließen. Der weniger bedeutende Theil der Physiognomie
war wohl die untere Partie derselben. Das kleine Bärtchen
saß auf Lippen, deren weich geschwungene Linien mehr auf
Güte als auf Festigkeit deuteten, aber auch jedes Zuges von
Sinnlichkeit entbehrten. In der reichen Umrahmung des
dichten, braunen Haares war das Ganze jedoch ein sehr an=
ziehendes Jünglings=Antlitz, etwas über dem Realen stehend,
wie man es bei der Jugend so gern sieht, doch frisch in das
Leben schauend, fast lachend vor Jugendlust.

Seine Worte eben standen im Einklange damit. „Ich
glaube wahrhaftig, man lebt nur hier," sagte er, sein Stöck=
chen kühn in die Luft wirbelnd. „Das ist ein Wogen und
Treiben, ein Genießen und Freuen wie nirgendwo anders!
Die Natur lockt, die Menschen locken, das Leben lockt, daß
man kaum zu Athem kommt und doch fühlt, wie man inner=
lich wächst in so goldener Freiheit."

„Ihr Süddeutsche seid nur Schulbuben auf euern Uni=
versitäten," sagte der Dicke mit all' der souverainen Verach=
tung, die ein eingefleischter Norddeutscher für andere Zustände
als die seinigen an den Tag zu legen liebt. „Uebrigens
gehen hier auch Einige zu Grunde an der goldenen Freiheit
— vulgo Bier oder güldenem Rebensaft. Du wirst für
heute Abend deine Kräfte auch wieder sammeln müssen; beim
letzten Commers fiel ein gewisser Fuchs zeitig genug ab."

„Aller Anfang ist schwer, doch Beharrlichkeit siegt," lachte der
Andere. „Uebrigens sind diese ewigen Trinkereien am wenigsten
nach meinem Geschmack. Einige werden ja kaum nüchtern!"

„Beffer immerhin noch, als nie beraufcht gewefen zu fein in diefem Jammerthal," gab der Dicke zurück. „Wenn Einigen nicht der Raufch zu Kopfe ftiege, hätten fie gar nichts darin. Was haft du vor während der Pfingftferien, um dich nach deinen anftrengenden Studien zu erholen?"

„Ich habe noch keinen Entfchluß gefaßt," fagte der Schlanke zögernd. „Aber höre, Dahnow, begleite mich in meine Hei= math; fieh' dir den Fleck an, wo dein Alter fo oft war, wo die Freundfchaft unferer Väter fich begründete."

„Dank für die freundliche Einladung. Doch komme ich, aufrichtig geftanden, lieber im Herbft, und helfe dir Hafen morden, was ihr dort noch mit Behaglichkeit treibt. Will deine Frau Mutter dich fchon wieder einheimfen?" frug er, ihn fcharf anfehend.

„Sie würde es jedenfalls gern fehen, wenn ich käme."

„Vorfchlag für Vorfchlag, Degenthal! Laß uns eine Tour in das Neckarland unternehmen: ich beredete es fchon mit einigen unferer Freunde."

„Das wäre fo übel nicht; ich werde nach Haus darum fchreiben."

„Teufel auch! So entfchließe dich ein Mal felbft!" rief der Dicke ärgerlich. „Du bift doch nicht an das Schürzen= band deiner Mutter gebunden."

Ueber des Andern Geficht flog ein Schatten von Verdruß, und er richtete feine fchlanke Geftalt etwas höher auf. „Du magft darüber denken, wie du willft," fagte er; „aber ich liebe den Ton der Rückfichtslofigkeit gegen die Heimath nicht,

Tochter d. Kunftreiters.   5 den Viele hier anschlagen. Es liegt etwas knabenhaft Rohes darin, was mich anwidert."

„Mich auch," sagte der Dicke, „obschon ich nicht mehr so glücklich bin, eine Heimath zu besitzen. Aber Kind ist Kind, und Mann ist Mann. Jede Uebertreibung schlägt auf die Länge in das Gegentheil um, und wenn du jetzt um jede Lappalie frägst, wirst du im Wichtigsten einst deine Mutter gar nicht zu Rathe ziehen, — denn kein Mensch fügt sich immer."

Es lag eine derbe aber tüchtige Wahrheit in den Worten, die der Andere nicht zu widerlegen wußte. Das Unterordnen unter einen andern Willen war ihm theils zur Gewohnheit geworden, theils sah er es als kindliche Pflicht an. „Meine Mutter hat meine Erziehung fast ausschließlich geleitet," sagte er nach einigen Augenblicken wie entschuldigend, „und ich möchte ihr nie in etwas entgegentreten."

„Nie! Nimm mir nicht übel: das ist Unsinn. Kein Mann soll Phrasen aussprechen, die er doch nicht halten wird. Deine Mutter ist eine vernünftige Frau, die deinen Willen ehren wird, wie sie den eigenen zu schätzen weiß. Gewöhne sie und dich an eine Selbständigkeit, die doch eintreten wird; dann thut's dir gut und ihr nicht weh."

Degenthal schwieg; mit dem Stöckchen schlug er im Vor= übergehen die Blumenköpfchen am Wege nieder; es war ihm eigenthümlich, plötzlich tadeln zu hören, was er sich bis jetzt als Tugend zuerkannt. Denn seine Mutter hatte, wie viele Mütter, die alleinstehend ihre Söhne zu erziehen haben, durch sein kindliches Gefühl eine ausschließliche Herrschaft über ihn

ausgeübt. Er fing an zu verstehen, weshalb sein Erzieher
so auf eine Versetzung in andere Verhältnisse gedrungen; aber
eine Art von Verstimmung, wie immer, wenn wir entdecken,
daß uns etwas mangelt, zog ihm durch das Gemüth. So
schritten sie stumm weiter. Dahnow war nicht der Mann,
der leicht eine Unterhaltung wieder eröffnete. Plötzlich aber
blieben Beide stehen und traten zur Seite. Der weiche Sand=
boden hatte den Hufschlag zweier Pferde, die schon dicht an die
jungen Leute herangekommen waren, fast unhörbar gemacht,
und ein Reiterpaar ritt langsam an ihnen vorüber, um dann
in raschem Tempo bald zu entschwinden.

„Element, was für Pferde!" rief der Dicke elektrisirt; „so
etwas habe ich lange nicht gesehen."

„Und was für eine Reiterin!" sagte der Andere. „Die
war reizend! Wer mag das sein?"

„Ah, wenn sie angesehen sein will, muß sie sich nicht auf
diesen Schimmel setzen; das war das Prachtvollste, was mir
jemals vorgekommen."

„Nun, das ist Geschmackssache; ich habe den Schimmel
über die Dame vergessen. Dahnow, du kennst ja hier die
ganze Gegend: wer war es? Der Herr hatte ein mir sehr
bekanntes Aeußere, die Dame war dunkelhaarig."

„Gott bewahre, Junge: du hast genau zugesehen! Ein=
geborene waren es nicht; solche Pferde existiren hier nicht.
Es müssen Fremde sein; es wimmelt stets von Fremden hier.
Uebrigens Freund, wenn du der Schönen noch länger nach=
schauen willst, danke ich für den Spaß — habe die Güte,
ein Mal nach oben zu sehen."

5*

„Das ist allerdings abkühlend und viel versprechend," sagte der Andere, einen Blick auf die graue Wolke werfend, die jetzt drohend über ihnen hing. „Da möchte ich eine raschere Gangart vorschlagen; dann kommen wir noch vorher unter Dach."

„Renne du allein," sagte der Dicke ruhig. „Rennen ist mir außer dem Spaß; man kommt hinter Athem und wird doch naß — ich habe stets an einem Uebel genug."

„Nun, dann erlaube, daß ich dich deinem Schicksal über= lasse. Mein Athem hält den Wettlauf mit dem Sturm aus. Also bis heute vier Uhr, wenn du unterdeß in dem Schauer nicht untergegangen bist. Vor dem Wegwehen bist du, Gott sei Dank, geschützt," setzte er lachend hinzu, seine langen Glieder zu mächtigen Schritten dehnend.

Der Dicke knöpfte indeß phlegmatisch den Rock fest über der Brust zu, da der Wind in rauhen, kalten Stößen sich aufmachte. Bald brauste Schnee und Hagel herab, und trieb in wilden Wirbeln um ihn her, indeß er mit Ruhe voran= schritt, ungestört von des Wetters Treiben.

Als er die Stadt fast erreicht hatte, holte ihn das zurück= kehrende Reiterpaar wieder ein. Unmittelbar in seiner Nähe wurde der Hut der Dame vom Sturm gefaßt und jagte weit über den nassen Weg. Dahnow's Kennerblick sah, mit welch' vollendeter Reitkunst die junge Dame ihr Pferd im vollen Lauf parirte und zum Stehen brachte.

Behender, als man seiner Gestalt zugetraut, sprang er der entführten Kopfbedeckung nach und erreichte sie glücklich, ehe sie den Sprung in den Graben vollführte. Triumphirend

kehrte er mit dem Flüchtling zurück, ihn der Eignerin zu über=
reichen. Eine kleine behandschuhte Hand faßte danach, ein
erröthendes Gesichtchen, um welches die durchnäßten Haare
wirr herumhingen, neigte sich dankend, und ein Paar blaue
Augen blickten unter schwarzen Wimpern so freundlich ihn an,
daß es trotz des fest zugeknöpften Rockes tief in das Herz des
Dicken drang. Die Dankesworte aber verwehte der Sturm;
denn kaum war der Hut befestigt, so sprengte die junge Dame
dem Herrn nach in die Stadt hinein, und war längst nicht
mehr auf den Straßen zu sehen, als der Dicke dieselben
erreichte.

„Alle Wetter, der Junge hat Recht: das war wirklich ein
schönes Mädchen! Wäre man nicht in so verwünschtem Zu=
stande nach dem miserabeln Guß, ich ginge in die Hôtels
fragen, wer das wäre," brummte der Dicke vor sich hin.
„Ich mag übrigens eine nette Figur abgegeben haben," setzte
er mit melancholischem Blick auf seinen triefenden Anzug hinzu.

„Nun, nicht ertrunken?" sagte einige Stunden später Graf
Degenthal's muntere Stimme, als er seinen Freund Dahnow
eben beim Eintritt in das bezeichnete Hôtel erreichte.

„Nein, wie du siehst. Habe aber Glück gehabt und Aben=
teuer erlebt."

„Dicke Leute haben immer Glück!"

„Ihr Windhunde rennt ihm aus dem Wege. Rathe, wen
ich sah! Richtige Einleitung zur Bekanntschaft — Ritterdienste
geleistet."

„Die schöne Reiterin? Ist sie vielleicht vom Pferde ge=
stürzt — hast du sie gerettet?"

„Leider stürzte nur ihr Hut."

„Leider? Barbar! Aber wer ist sie denn?"

„Das stand nicht im Hut."

„Dann ist deine Bekanntschaft auch nicht weit gediehen. Doch laß uns eintreten, die Andern warten schon."

Die jungen Leute hatten sich zu einem späten Diner hier Rendezvous gegeben, einem Gast zu Ehren, der als Wilder einige Tage das Studententhum mitgenießen wollte. Es war eine muntere Ecke am Tische, wo bald Lachen und Reden in das Knallen der Champagner=Pfropfen sich mischte. Dahnow trug sein Abenteuer vom Morgen mit der ihm eigenen Komik vor. Er besaß jene Eigenschaft, von der eine geistreiche Französin sagt, es sei der Humor, der nie lache und stets lachen mache. Lautes Gelächter wie die eifrigsten Fragen und Muthmaßungen über die unbekannte schöne Reiterin waren denn auch die Folge seiner Erzählung.

Plötzlich stieß Degenthal den Freund an: „Schau' hin, dort ist er," flüsterte er ihm zu, ihn auf einen Herrn aufmerksam machend, der am Ende des Tisches Platz genommen. „Ich meine, ich müßte ihn kennen," setzte Degenthal nachdenkend hinzu; „die Züge muß ich schon ein Mal gesehen haben."

„Dort oben sitzt unser Held, aber ohne sie," wandte sich Dahnow an die Uebrigen. „Anscheinend also ein tyrannischer Vater oder ein eifersüchtiger Gatte, der die Schöne vor den Augen der Welt verbergen will."

Die Blicke der jungen Leute wandten sich alle dem Bezeichneten zu. „Das glaube ich," lachte der Fremde auf,

„daß der seine Damen nicht umsonst zeigt. Das ist Herr Karsten, der berühmte Kunstreiter=Director. Ich kenne ihn recht gut; sah ihn noch vor einigen Wochen zu W., wo er Vorstellungen gab."

„Hurrah, Herr Karsten! Dicker, dann bekommen wir deine schöne Reiterin auch noch zu sehen," zischelten die Andern.

„Er hat eine junge Frau," fuhr der Fremde fort, „die recht hübsch sein soll; die wird es gewesen sein."

„Nein, dann war es Nora, die kleine Nora!" rief Degen= thal aus. „Wie ist es möglich, daß ich sie nicht gleich erkannte! Die muß ich wiedersehen."

„Nora, ... kleine Nora!" sagte Dahnow erstaunt. „Du scheinst mir sehr vorgeschritten, daß du schon solche Be= kanntschaften hast."

„Nora Karsten," sagte Degenthal wieder, die Einrede gar nicht beachtend. „Deshalb frappirten mich die Züge so. Wie schön ist sie geworden!"

„Unser Fuchs scheint sich verlieben zu wollen," lachten die Andern. „Höre, Fuchs, einen Salamander auf deine wiedergefundene schöne Reiterprinzessin! Sie wird wohl so spröde nicht sein, daß wir nicht auch ihre Bekanntschaft machen können."

Der leichte Ton der jungen Leute verletzte Degenthal. „Meine Herren," sagte er sehr ernst, „meine Mutter hat einst die Familie des Herrn Karsten durch einen eigenthümlichen Zufall kennen gelernt. Fräulein Nora Karsten war damals noch Kind, und wir haben als Kinder Freundschaft geschlossen, da sie einige Zeit unter meiner Mutter Schutz lebte; das ist alles."

Die Herren sahen sich erstaunt an. Einer von ihnen, dem
der Wein schon etwas zu Kopfe gestiegen war, hob sein Glas:
„Auf unseres Fuchses schöne Kinderfreundschaften!" rief er.

Degenthal's Auge flammte. Er schien heftig antworten
zu wollen, als Dahnow ihn anstieß und aufmerksam machte,
daß der Herr Karsten sich eben erhebe und hinausgehen
wolle.

Degenthal sprang auf und vertrat ihm den Weg. „Herr
Director Karsten," sagte er, und die Erregung bebte noch in
seiner Stimme, „darf ich unsere Bekanntschaft erneuern? Wir
sahen uns nicht mehr seit jenen Tagen in Genf.... Graf Degen=
thal," setzte er hinzu, als der Director ihn befremdet ansah.

„Graf Degenthal!" wiederholte dieser, „das ist mir eine
große Ueberraschung und Freude" — die Macht der Erinnerung
nahm ihm aber die Worte; er reichte beide Hände dem jungen
Manne entgegen, die dieser auch kräftig schüttelte.

„Ich sah Sie heute Morgen ausreiten," fuhr Degenthal
fort, „und Ihre Züge kamen mir gleich bekannt vor."

„Es hat seitdem hier hereingeschneit," sagte der Director,
lächelnd durch seine Haare fahrend. „Ich würde Sie nicht
erkannt haben, Herr Graf. Doch ist das in Ihren Jahren
ein Compliment. Und die Frau Gräfin, Ihre Frau Mutter,
sie befindet sich doch wohl? Ich kann ihrer nur mit unend=
licher Dankbarkeit gedenken." Wieder zitterte des Mannes
Stimme vor Rührung.

„Mutter geht es Gott sei Dank recht gut. Wir lebten
fast immer auf unsern mährischen Gütern; erst seit meinen
Universitäts=Jahren bin ich von ihr getrennt."

„Und da haben Sie rheinische Studentenlust kennen lernen
wollen. Das war ein guter Gedanke. Ihr früherer Erzieher,
der Kaplan, lebt doch noch bei Ihnen? Er war freundlich
genug, mir einige Male zu schreiben; doch mein bewegtes
Leben macht mich zum schlechten Correspondenten."

„Gewiß, der Kaplan lebt noch und ist stets bei uns. Wir
könnten den treuen Freund gar nicht missen. Ihrer haben
wir oft gedacht, oft noch von den Tagen in der Schweiz
gesprochen. Das war doch Fräulein Nora, die heute Morgen
Sie begleitete?" frug der junge Mann mit leicht aufsteigender
Röthe, die bei ihm noch kam und ging, wie bei einem
jungen Mädchen.

„Es war meine Tochter," sagte der Director. „Sie ist
seit etwa einem halben Jahre aus dem Kloster zurückgekehrt,
wo sie ihre Erziehung erhielt. Es wurde mir endlich möglich,
mein Kind zu mir zu nehmen, da ich mich neuerdings wieder
verheirathete."

Degenthal's Züge zeigten einige Betroffenheit, die dem
Director nicht entging, und es entstand eine kleine, verlegene
Pause.

„Etwas Häuslichkeit thut Noth in all' unserer Unruhe.
Man fängt an, alt zu werden," nahm der Director das
Gespräch etwas gezwungen wieder auf.

„Man darf Ihnen also Glück wünschen," sagte Degenthal
in dem Gefühl natürlicher Güte, ihm über den peinlichen
Augenblick fortzuhelfen. „Aber Fräulein Nora — dürfte ich
nicht auch mit ihr die Bekanntschaft erneuern?"

„Wenn Sie mir die Ehre erzeigen wollen! Für den

Augenblick wohne ich noch hier im Hôtel; doch habe ich vor
der Stadt eine Villa gemiethet, wo meine Frau und Tochter
für einige Zeit leben werden. Meine Frau bedarf der
Schonung, und meine Tochter nimmt ja nicht an meinen
Geschäften Theil."

„Darf ich Sie schon hier ein Mal aufsuchen?" frug
Degenthal eifrig.

„Wenn Sie uns die Ehre erweisen wollen," wiederholte
der Director wieder etwas förmlich. Man merkte ihm an,
er wollte nicht einen Schritt dem jungen Manne entgegen=
kommen.

„Und wann kann ich am sichersten Sie und die Damen
zu Hause treffen?" beharrte Degenthal.

„Des Morgens nimmt mein Geschäft mich ganz in
Anspruch; doch die Abende, die wir frei haben, gehöre ich
meiner Familie. Morgen ist solch ein Tag."

„Dann komme ich morgen. Wollen Sie mich schon
Fräulein Nora empfehlen?" frug Degenthal mit erneuertem
Handschütteln.

„Meine Tochter würde mir wohl schwer vergeben, wenn
ich sie dieses Wiedersehens beraubte. Sie hat so wenig als
ich Ihre Güte vergessen, Herr Graf."

Während des eifrigen Gespräches hatten die übrigen
jungen Leute ihre Blicke auf die Beiden gerichtet, und auch
des Directors Auge überflog die Gruppe.

„Ich glaube, Herr Graf," sagte er, „ich sehe dort einen
Herrn unter Ihren Bekannten, dem ich eine Dankesschuld

meiner Tochter abzutragen habe: der starke Herr dort an der
Ecke. Dürfte ich Sie bitten, mich ihm vorzustellen?"

„Mein Freund Dahnow. Ja, er sagte uns von seinem
Erlebniß. Lassen Sie uns näher gehen. . . . . Lieber Freund,
der Herr Director Karsten wünscht dir ein Wort zu sagen.
Director Karsten — Baron Dahnow, etwas schwere mecklen=
burger Race," stellte Degenthal scherzweise vor.

„Irre ich nicht, Herr Baron, so waren Sie es, der heute
Morgen meiner Tochter freundlich aus der Verlegenheit half?"
sagte der Director mit jener Einfachheit in Haltung und
Wort, die immer den Mann von Erziehung und Welt
kennzeichnet.

„Leider verhindert mich meine Statur an jedem Incognito;
ich kann also die edele That nicht bescheiden leugnen. Uebrigens
war das Glück ganz auf meiner Seite einer so schönen Dame
gegenüber," erwiderte Dahnow galant. Der Director verbeugte
sich. „Wenn Sie erlauben," fuhr der Dicke mit größter Ruhe
fort, „so hole ich mir den Dank der Dame selber, indem ich
die Erlaubniß, die Sie eben meinem Freund Degenthal
gegeben, auf Grund meiner edeln That mit beanspruche."

„Gewiß," sagte der Director. „Wenn meine Frau und
Tochter auch ziemlich abgeschlossen leben, wird es mir eine
Freude sein, die Herren zu empfangen."

Jetzt war die Reihe der Verbeugung an Dahnow.

„Kommen Sie, Herr Director: schließen Sie sich uns an,
und lassen Sie uns ein Glas auf das Wiedersehen leeren,"
bat Degenthal.

„So gern ich Ihrer freundlichen Einladung Folge leistete,

meine Geschäfte sind heute allzu dringend. Mein graues
Haupt darf sich auch nicht mehr unter so junge Köpfe mischen;
nur ein Mal im Leben kommt so freie, glückliche Zeit. —
Entschuldigen Sie mich, Herr Graf."

Degenthal reichte ihm noch ein Mal die Hand, und mit
einer leichten Wendung auch gegen die übrigen jungen Leute
empfahl sich der Director.

„Was für ein schöner Mann und wie famos vornehm
der aussieht," sagte einer der jungen Leute, ihm nachschauend.

„Das, was er ist, sollte Niemand hinter ihm suchen."

„Seiner Zeit ward viel darüber gesprochen. Einige
hielten ihn für den ungerathenen Sohn einer guten Familie;
Andere für einen Offizier, der Schulden halber um die Ecke
gegangen; noch Andere für einen gewichsten Juden, der
americanischen Humbug gelernt."

„Wenn der ein Jude ist, bin ich auch einer!" rief die
dicke Stimme eines breitschulterigen Westfalen dazwischen,
dessen blondes Haar und Stumpfnase gewiß Niemand semitischer Abstammung beschuldigen konnte. „Habt ihr ihn ein
Mal zu Pferde gesehen? Der Mann ist wie von Eisen,
und seine Kunst ist wahrhaftig kein Humbug."

„Dicker, du bist doch die unverschämteste Seele der Welt,"
meinte ein Dritter jetzt, „dich gleich da so anzuschlängeln.
Wenn du noch das Anstandsgefühl gehabt hättest, uns Alle
mit in die Einladung einzuschließen, der unbekannten Schönen
unsere Huldigung darzubringen."

„Massen-Deputation war unnüß," sagte Dahnow lakonisch.

„Ah, wir werden die Schöne doch noch sehen," sang der

in der weinseligen Laune wieder. „Degenthal — Glücksmensch — dies Glas deiner Schönen! Sei nicht so grausam, sie unsern Blicken ganz zu entziehen — — ein Hoch für Fräulein Nora Karsten!"

Degenthal sprang auf; sein Auge flammte, seine Stirne glühte, seine Stimme bebte vor Erregung. „Herr!" rief er, „Sie haben kein Recht, den Namen einer Dame . . . ."

Aber was er ferner sagen wollte, blieb unbeachtet, trotzdem Aller Blicke sich erstaunt auf ihn gerichtet hatten; denn im selben Augenblicke fielen klirrend zwei neugebrachte Flaschen auf den Tisch, großes Unheil zwischen den Gläsern anrichtend, indeß ihr Inhalt sich. stromweis ergoß. Es entstand ein Augenblick voller Verwirrung; Jeder frug nach der Ursache des Ereignisses, Jeder griff rettend nach seinem Glase. Kellner eilten herbei, abzuräumen, und die Sitzung war gestört.

Dahnow griff Degenthal beim Arm. „Komm mit," sagte er ernst; „es ist genug. Etwas frische Luft und ein Glas Bier nach all' dem Zeug wird nicht schaden. Komm, ehe die Andern uns bemerken."

Degenthal zögerte einen Augenblick, schloß sich dann aber doch seinem Freunde an.

„Die Flaschen und Gläser zahlst du," sagte Dahnow in seiner trockenen Weise, als sie eben den Saal verlassen; „der Freundschaftsdienst, sie zu zerschmeißen, ist mir genug."

„Thatest du es absichtlich?" frug Degenthal erstaunt.

„Wie hätte ich denn anders dein parlamentarisches Talent zum Schweigen bringen können? Ein paar Scherben ist eine gute Sache immer werth!"

„Warum unterbrachst du mich aber?" fuhr Degenthal heftig auf. „Ist es nicht eine Rücksichtslosigkeit, den Namen einer jungen Dame in dieser Weise öffentlich zu mißbrauchen? Ich sehe wahrlich nicht ein, weshalb du mich hindern willst, solchen Menschen die Meinung zu sagen."

„Erstens, weil es Betrunkenen gegenüber stets verschwendete Worte sind, und zweitens, weil ich Rücksicht genug für jede Dame, welchen Standes sie auch sei, empfinde, um sie nicht in einen Studentenstreit zu verwickeln. Glaubst du vielleicht, wenn du dich um ihretwillen mit dem Kurländer hautest, das würde ihr förderlich sein?"

Degenthal schwieg, da er einsehen mußte, daß sein Freund Recht hatte. Aber innerlich gereizt, frug er gleich darauf: „Warum betonst du das so: wessen Standes sie auch sei?"

„Weil der Stand ihres Vaters sie vielen Rücksichtslosig= keiten aussetzt."

„Aber sie theilt den Stand nicht; sie wurde von Kindheit an davon fern gehalten. Sie ist in einer vornehmen Erziehungs= Anstalt erzogen; ihre Mutter war ein sehr feines, gebildetes Wesen, deren letzte Stunden meine Mutter pflegte, — daher datirt unsere Bekanntschaft. Der Vater ist auch reich genug, der Tochter eine unabhängige Stellung zu geben."

„Trotz alledem ist es eine schwierige Lage für das arme junge Mädchen," sagte Dahnow wieder. „Gehst du also wirklich morgen hin?"

„Gewiß," bestätigte Degenthal. „Nichts natürlicher als das. Meine Mutter wird sich sehr freuen, wieder von der kleinen Nora zu hören, an der wir Alle solches Interesse nahmen."

Dahnow schien die Freude der Gräfin etwas zweifelhaft zu finden. „Es ist immerhin ein complicirter Fall, und über diesen würde ich vielleicht meine Mutter fragen, wenn ich noch eine hätte," sagte er in dem halb ironischen Tone, den er gern dem jüngern Freunde gegenüber annahm.

V.

Ihr wißt's, wie wir so selig waren,
So selig und so rein dabei —
Rein, wie man's ist mit achtzehn Jahren:
Es war im schönen Monat Mai.

Geibel.

Vor der Stadt lag eine reizende Villa, eine Villa, wie der frische, graciöse Sinn des Rheinländers sie baut: zierlich und leicht, von Reben umrankt, von Grün umgeben, das von Blumen überschüttete Gärtchen schon von fern Einem entgegen= leuchtend. Dicht an der Wegstraße liegen die rheinischen Villen, da der gesellige Sinn der Menschen dort nicht gern weit vom Verkehr weilt und die Schönheit der Natur sich bis mitten in die Städte hineinzieht. Aus irgend einem Fenster an irgend einer Seite ist dann noch ein besonderer Auslug auf den alten Vater Rhein mit seinen grünen Wogen und grünen Bergen, ohne deren Anblick der Rheinländer nicht leben kann.

Karsten hatte seine Frau und Tochter für die Sommer= Monate hier eingemiethet, einen Aufenthalt ihnen da bereitet und sie mit einem Luxus umgeben, wie es nur erworbener

Reichthum thut, der gern im Ueberfluß des Lebens schwelgt, im Gegensatz zum ererbten, der lieber unter dem Maßstab desselben bleibt. Beides hat seine Berechtigung; das Gefühl, alles selbst errungen zu haben, es täglich vermehren und erneuern zu können, gibt auch größere Freiheit zum Ver= schwenden des Besitzes; die größere Anstrengung verlangt größern Genuß. Es ist das anders, als wenn ich mein Hab und Gut gleichsam nur als Lehen überkommen habe und die Macht und die Pflicht zum Erhalten fühle, deren Haupt= bedingung Vorsicht ist.

Ueberdies muß der Eine durch äußern Glanz sich erst seine Stellung erobern, indeß der Andere, im sichern Besitz derselben, seinen Mitmenschen gegenüber des äußern Glanzes entbehren kann. Je zweifelhafter daher der gesellschaftliche Standpunkt, um so mehr Luxus sieht man entfalten, und auch Director Karsten hatte fast unbewußt nach diesem Gesetze gehandelt.

Nora saß in dem reizend ausgestatteten Boudoir, das sich an den größern Salon schloß, auf ihrem Lieblingsplatze im Erker mit der schönen Aussicht. Sie träumte von den ver= gangenen Tagen. Mai war es, und im November hatte sie Abschied genommen von ihrem stillen Klosterleben. Was für bunte Bilder hatten sich schon aneinander gereiht seitdem! Ihr Mund lächelte dabei, denn keiner der Schrecken, die sie befürchtet, hatte sich bis jetzt verwirklicht; es schien ihr, sie müsse sich nur stemmen gegen das weiche Wohlbehagen, das sie aufgenommen, das so seltsam abstach gegen den Ernst ihres frühern Lebens. Ihr Vater hatte sie mit größter

Zärtlichkeit empfangen, und schien nur den Gedanken zu haben, sein Kind mit allen Annehmlichkeiten des Lebens zu umgeben. In ihrer Stiefmutter fand Nora ein gutmüthiges, harmloses Wesen, noch ganz erfüllt von der Ehre, zur Frau Directorin erhoben zu sein, sie, die hübscheste aber mittelmäßigste Reiterin der Gesellschaft, die mit ihren hellen Locken und ihrem rosigen Gesicht, zum Neid aller ihrer Gefährtinnen, diese große Eroberung gemacht. Der Director hatte vollkommen die Wahrheit gesagt, indem er als Grund seiner zweiten Ehe den Wunsch angab, seine Tochter bei sich haben zu können. Er sehnte sich wieder nach dem, was er einst besessen: einem häuslichen Herd inmitten des fahrenden Lebens. Zu alt, um sich in andern Cirkeln umzusehen, hatte die anerkannte Güte wie der für diese Kreise selten gute Ruf der bescheidensten seiner Damen sein Augenmerk auf sie gelenkt. Ihre blauen Augen, die geschickt genug ihre Bewunderung für ihn auszudrücken wußten, hatten seinen Entschluß bald zur Reise gebracht.

Frau Emilie wußte, daß in dem friedlichen Verkehr mit der Stieftochter ihr Haupthalt liegen würde; sie war auch viel zu leichtherzig und leichtlebig, um ihr nicht freundlich entgegen zu kommen. Nora's Unbefangenheit gab sich auch gern der gebotenen Herzlichkeit hin. Was ihr feineres Gefühl an der Stiefmutter entbehrte, ersetzte deren Heiterkeit; eine gewisse Ehrfurcht für die höhere Bildung der Tochter legte ihr überdies in Gegenwart derselben stets einen kleinen Zwang auf, der manche Mängel verdeckte. So hatten die Verhältnisse sich für Nora sehr befriedigend gestaltet. Die steten Reisen, der Aufenthalt in den größten Residenzen, hatten ihren Geist

Tochter d. Kunstreiters.   6

genügend beschäftigt und sie den Umgang mit andern Menschen nicht entbehren lassen; der Luxus aber, von dem sie sich um= geben sah, ließ ihr das angenehme Gefühl höherer Lebens= stellung.

Jetzt war die Familie zum ersten Mal zu einer festen Niederlassung gekommen, zu einer Art begründeter Häuslich= keit, die Nora mit dem vollen Reiz der Neuheit umfing. Die Beherrschung des kleinen Reiches hatte die Stiefmutter gern an Nora überlassen, da sie ihrem Köpfchen doch zu schwer geworden wäre, und sie lieber dem Genusse all' der Herrlich= keiten ungestört sich hingab. Nora aber, die viel vom orga= nisatorischen Talent des Vaters ererbt, nahm sich der Sache mit voller Thätigkeit an, und wußte dem häuslichen Luxus den feinen Anstrich guten Geschmackes zu geben. Der Director selbst kehrte nur auf Tage und Stunden in der Villa ein, da seine Truppe in verschiedenen Abtheilungen in den größern Städten des Rheinlandes Vorstellungen gab, und er bald hier bald dort bei ihnen weilte.

Nora's ganzes Glück war es gewesen, als sie selbst ein Pferd ihr eigen nennen, es wieder besteigen durfte. Das war der einzige Punkt, worin sie dem Rathe ihrer frommen Freundin und Erzieherin nicht gefolgt war.

Auf den Brief voll Entzücken, den sie über ihres Vaters Güte schrieb, als er ihr eines seiner schönsten Pferde geschenkt, hatte die Oberin etwas ernüchternd geantwortet: „Wäre es nicht besser, mein Kind, du enthieltest dich ganz dieser Uebung in deinen Verhältnissen?"

Das junge Mädchen hatte da zum ersten Mal ungeduldig

den Brief bei Seite gelegt, hatte fast schmollend die rothen Lippen aufgeworfen, und eine heiße Thräne war ihr in das Auge getreten.

Sie war ihres Vaters echte Tochter; wie sie als Kind schon es leidenschaftlich geliebt hatte, an dem Pferde ihre Kraft, ihre Geschicklichkeit, ihren Muth zu erproben, so liebte sie diese Uebung um so mehr, je länger sie dieselbe entbehrt hatte. Es lag eine Wahrheit in den Worten der Nonne, der sie sich nicht entziehen konnte; aber wenn wir etwas sehr wünschen, finden wir leicht einen Grund, den Wunsch vor uns selbst zu rechtfertigen. „Lassen Sie mir diese Freude," schrieb sie zurück; „es ist überdies das Einzige, was mich meinem Vater wieder so recht nahe bringt." Die Nonne kam in keinem fernern Schreiben darauf zurück; den leisen Seufzer aber, mit dem sie diese Zeile las, hörte Nora nicht.

Ihrem Vater brachte es sie näher, das war richtig; er war nie entzückter von seiner schönen Tochter, als wenn er sie zu Pferde sah, wenn sein Talent so ganz in ihr sich widerspiegelte. Eine leise Reue über das gegebene Ver= sprechen war manchmal auf seinen Zügen zu lesen, wenn er ihre außerordentliche Gewandtheit anstaunte; doch lieh er ihr nicht Worte.

Was aber es war, das Nora so das Gefühl innerer Befriedigung gab, als sei plötzlich alles, wonach sie unklar sich gesehnt, in dem neuen Leben gefunden, — das hätte sie selbst nicht zu sagen gewußt. Sie empfand es nur als ein Glück, das sich nicht ergründen läßt, für das wir noch keinen Namen haben. Der ungetrübte Abglanz davon lag auch jetzt

6*

auf ihrem lieblichen Gesichte: ein Ausdruck frischester, freiester Fröhlichkeit. Was hatte sie diesen Morgen nicht alles schon geleistet! In den frühen Morgenstunden hatte sie ihr Pferd getummelt, ihre kleine Häuslichkeit beherrscht, und nun lag vor ihr ein ernstes Buch, in das sie sich vertiefen wollte; denn in kindlicher Unterordnung hielt sie die Rathschläge ihrer frommen Erzieherin fest und ließ auch in keiner ihrer frommen Gewohnheiten nach.

Aber der helle Maimorgen war dem Studium wohl nicht zuträglich; denn alle Augenblicke hob sich ihr Kopf, hinaus=zuschauen in die lachende Landschaft, oder ihre Hand griff hinein in das junge Grün, das seine ersten Sprossen am Fensterrand zeigte.

Plötzlich wandte sie sich rasch um, strahlenden Blickes einen eben Eintretenden zu begrüßen. „O, wie gut, daß Sie endlich kommen, Graf Degenthal," rief sie munter; „es ist unmöglich, etwas zu thun bei dem Sonnenschein." Sie klappte das Buch zu, das vor ihr lag, und trat ihm entgegen.

„Also ich darf eintreten?" sagte der Angeredete. „Aber, wenn ich eintreten darf, brauche ich Sie auch nicht von Ihrem Lieblingsplatz zu verscheuchen."

„Nein, da haben Sie Recht; nirgends plaudert sich so hübsch wie hier," sagte sie unbefangen und nahm ihren frü=hern Platz wieder ein.

Er setzte sich ihr gegenüber. An der ungezwungenen Art der Begrüßung, an der ruhigen gegenseitigen Sicherheit konnte man sehen, wie diese Besuche etwas Gewohntes waren.

„Nun, und woran störte Sie der Sonnenschein?" frug er, die Hand nach dem Buche ausstreckend, das sie ihm bereitwillig hinschob. „Wie ernst! Sie beschämen Einen ja, Fräulein Nora," sagte er, „indem Sie an solche Gedanken sich wagen!"

„Gegengewicht muß sein," sagte sie mit einem kleinen Seufzer; „ich habe es nöthiger, als Sie. Der gänzliche Mangel an allem Tiefern und Ernstern ist das Einzige, was ich hier schmerzlich empfinde. Bei Ihnen allein finde ich darin Verständniß." Ihre blauen Augen ruhten dabei so voll und ganz auf ihm, daß es dem jungen Manne eigen zu Muthe ward, als er sich dem schönen Blick gegenüberfand.

„Mit dem Ernst sieht es schlimm bei mir aus," gab er ein wenig gezwungen zurück. „Schwärmen, nichts als schwärmen und verschwendete Zeit! Wäre es nicht Studentenleben, das nur ein Mal kommt, man sollte es bereuen. Aber denken Sie ebenso, Fräulein Nora? Sie sind ja auch dem Schulleben erst entronnen. Sehen Sie, ich habe Ihnen hier etwas mitgebracht, was vielleicht besser zur Maisonne paßt; Sie klagten über Mangel an Lecture."

„Haben Sie mir etwas zu lesen mitgebracht?" sagte Nora, froh nach den Goldschnitt-Bänden greifend, die er vor ihr niederlegte. „Ich hatte nichts mehr zu lesen als meine Studienbücher, da mir Niemand darin rathen kann. Aber darf ich dies auch lesen?" setzte sie zögernd hinzu.

Der junge Mann lächelte nicht bei der naiven Frage; er kannte zu gut die Schranke, welche vorsichtige Erziehung um eine junge Mädchenseele zieht, und nicht die geistvollste Be=

merkung hätte ihm so zugesagt, sie seinen Anschauungen so nahe gebracht, wie diese zarte Gewissenhaftigkeit.

„Meine Mutter selbst würde sie Ihnen empfehlen," sagte er. „Es sind Sammlungen unserer besten deutschen Dichter; ich habe mich schon darauf gefreut, Ihnen einiges daraus mitzutheilen. Kennen Sie dieses?" frug er und beugte sich über das Buch, ihr einige Strophen vorlesend.

Er las gut, und Nora lauschte gern, — seiner Stimme, wie dem, was er las. Es waren ernste, schwermüthige Worte. Die Jugend liebt das Wehmüthige, wie das Alter das Er= heiternde; aber es waren Worte voll echter Poesie. Nora's leicht rührbare Natur mit der poetischen Ader, die ihr als irisches Erbe von der Mutter überkommen war, machte sie besonders empfänglich für alles, was Dichtung war. Seine gründliche Bildung wußte das wahrhaft Schöne daran noch mehr hervorzuheben. Wort und Gedanke spann sich hin und her wie ein leuchtender Faden. Wie sie da saßen, die Beiden, und das Herz ihnen pochte vor unverstandener Erregung, ahnten sie kaum, daß noch ein anderer magischer Zauber sich über sie ausbreite, stärker als Dichterwort und Maienrausch.

Das ist vielleicht das Schönste an der ersten Liebe, daß noch ganz rein sich Seele an Seele schließt, und der Mensch kaum versteht, daß es der Strahl des Auges ist, der fesselt, daß es der Druck der Hand, der brennt, daß auch der Hauch der Lippe den Menschen zum Menschen zieht. Keine spätere Liebe, wenn sie auch treuer, tiefer und heißer sein kann, ist mehr so frei vom Irdischen; das ist der Strahl, der auf der erften ruht, weshalb wir wohl fpäter mit folcher Sehnfucht ihrer gedenfen.

Degenthal hatte feit Wochen in der Villa verfehrt; es hatte fich fo natürlich ergeben, daß er jetzt faum bemerfte, wie viel Zeit er dort zubrachte. Bei feinem erften Befuche, den er mit Dahnow dem Director und feiner Familie ge= macht, war Nora bei dem Wiederfehen ftumm und fchüchtern geblieben, wie das oft ift, wenn die Jahre, welche Kindheit und Jugend trennen, dazwischen liegen, und die frühere Ver= traulichfeit mehr hindernd als vermittelnd wirft.

„Nur eine Penfionnairin," hatte Dahnow etwas enttäufcht gefagt; „wer fich die Haare fo entftellend über die Schläfen ziehen fann, ift wahrlich feine gefährliche Sirene. Nicht ein Mal die Verfuchung, ein armes unterdrücktes Gefchöpf vor einer böfen Stiefmutter zu retten, — denn das blonde Wefen da fieht wie die perfonificirte Gutmüthigfeit aus und fcheint mehr in Furcht vor der Tochter, als umgefehrt. In unferer nivellirenden Zeit bietet nicht ein Mal eine Kunftreiter=Ge= fellfchaft mehr etwas Intereffantes; denn ein hübfches, linfifches Mädchen fann man auch in befferer Gefellfchaft finden," hatte er brummend hinzugefetzt. Dahnow war gleich darauf feiner Familienverhältniffe wegen in feine Heimath gerufen worden, und weilte noch da. Degenthal aber hatte nichts Pifantes gefucht; ihm war es um das Wiederfehen zu thun gewefen mit dem Mädchen, das ihm als Kind folches Intereffe ein= geflößt, deffen eigenthümliches Schickfal ihn fo oft in Gedanfen befchäftigt. Er fonnte fich der Phantafie nicht erwehren, daß sie ihm gewissermaßen anvertraut worden sei in jener Stunde, wo er an dem Sterbebett ihrer Mutter geweilt.

Ob ihm diese Verpflichtung so vor Augen getreten wäre, hätte er Nora unschön und unliebenswürdig wiedergefunden, wollen wir dahingestellt sein lassen; aber er fand sie wieder mit allen Reizen der Natur geschmückt und, was seinem feinen Sinne fast noch mehr zusagte, mit all' der Anmuth, die eine gute Erziehung gibt, und die man der Harmonie wegen, die sie dem Ganzen leiht, gar nicht mit Unrecht „den guten Ton" nennt. Curt Degenthal war fast ausschließlich von Frauen= hand erzogen und des Frauen=Umganges gewohnt; inmitten des lauten Studentenlebens that es ihm daher doppelt wohl, einem fein gebildeten weiblichen Gemüth zu begegnen. Daß er des Umganges mit viel größerer Freiheit genoß, als in jeder andern Häuslichkeit der Fall gewesen wäre, lag eben in den eigenthümlichen Verhältnissen, und kam weder ihm noch Nora recht zum Bewußtsein. Die Kindheits=Episode schlang in ihren Augen eine Art geschwisterlicher Vertrautheit um sie, die sie ganz natürlich fanden.

Frau Emilie, geschmeichelt durch die Besuche eines Grafen, hatte in der ersten Zeit versucht, sich an der Unterhaltung zu betheiligen; aber Degenthal's ganze Art und Weise war ihr zu fern und zu fremd, um Geschmack daran zu finden, so daß sie bald sich gern davon dispensirte und Curt und Nora meist ungestört ließ. Wer die beiden jungen Leute aber belauscht hätte in den langen Stunden ihres Beisammenseins, würde vielleicht gestaunt haben über die ernste Richtung, welche ihre Gedanken nahmen. Aber, wie schon gesagt, die Jugend sucht

den Ernst. Beide waren tiefe Naturen, Beide retteten sich
zu einander aus der Oberflächlichkeit der übrigen Umgebung.

Curt's Anschauungen waren die, in denen Nora erzogen
worden, die Lebensgewohnheiten, von denen er sprach, waren
die der Kreise, von denen sie gehört, und vor allem besaß
der Jüngling einen in ihren Augen unschätzbaren Vorzug —
Curt hatte einen festen Glauben, einen warmen, frommen Sinn,
den er ohne Demonstration, aber treu und offen an den Tag
legte. An das gemeinsame kirchliche Leben des Klosters gewöhnt,
hatte Nora es tief empfunden, jetzt in dieser Beziehung allein
zu stehen. Ihre Stiefmutter gehörte dem Namen nach einer
andern Confession an; bei ihrem Vater aber waren die Ein=
drücke, die seine fromme Frau einst in ihm erweckt, längst
verwischt worden. War es auch Nora's stilles Hoffen, ihn
dafür wieder zu gewinnen, so lag doch die Zeit dafür allzu fern.

Um so wohlthuender war es ihr, mit Curt auch in diesem
Punkte übereinzustimmen. Er ging stets voll Ernst darauf
ein: war ihm ja der Eindruck nie geschwunden, ihr Halt und
Schutz sein zu wollen. Oft stieg ihm der Gedanke auf, wie
ihr Leben sich entwickeln würde; das war das Einzige, was
sie nie berührte. Ihm selbst schwebte der Gedanke so nebel=
haft unklar vor, daß er ihn gern zurückwies und nur dem
Augenblick lebte. Seiner Mutter hatte er gleich zuerst ge=
schrieben, daß und wie er Nora wiedergefunden; sie hatte es
in ihrer Antwort als eine ihr ganz nebensächliche Angelegen=
heit kaum berührt; er war daher auf seine fernern Besuche
in der Villa nicht zurückgekommen.

Allmälig fanden sich außer ihm noch mehr Besucher dort

ein. Nora war zu wenig weltkundig, um zu bemerken, daß es nur Herren, und zwar meist nur aus den Studentenkreisen waren. Es gehört ja zur goldenen, aber gefährlichen Studenten= freiheit, in jeder Gesellschaft Fuß fassen zu dürfen, ohne die Schranken abgemessener Geselligkeit inne zu halten.

Frau Emilie sah gern einen kleinen Kreis von Verehrern und Bewunderern um sich, denen zu Ehren sie ihre schöne Toilette zeigen konnte, und auch dem Director war es nicht unangenehm, Gesellschaft in seinem Hause zu treffen, wenn er sich dort einfand. An öffentlichen Vergnügungen, wie Theater und Concerte, die Frau Emilie sehr liebte, nahm Nora nie Theil. Ein ernster Blick Curt's hatte sie vielleicht noch in ihrem Vorsatze bestärkt, als einst ihre Stiefmutter in seiner Gegenwart mit einem ähnlichen Vorschlage in sie drang. Um so mehr liebte sie die Ausflüge zu Wasser oder zu Land, zu Wagen, zu Pferd oder zu Fuß, die man zu den schönsten Punkten der Gegend unternahm, und denen meist einige der bekannten jungen Leute sich anschlossen. Es war wie ein stillschweigendes Uebereinkommen, daß Nora nie daran Theil nahm, wenn nicht Curt sie begleitete. Er übte eine Art brüderlichen Schutzrechtes über sie; sie fühlte sich sicher und unbefangen in seiner Nähe und hatte das unwillkürliche Ge= fühl, daß seine Gegenwart dem Ganzen Halt gebe. Darin hatte sie auch nicht Unrecht, denn sein ernster, ehrfurchtsvoller Ton diesen Damen gegenüber imponirte seinen Gefährten.

Wochen waren so vergangen; wie jener Besuch am Mor= gen waren deren viele gewesen, voll reiner, noch unbefangener Schwärmerei und Jugendlust.

Noch war es Mai, aber einer der letzten Tage des Monates, und eine heitere Gesellschaft zog, ihn zu nützen in seiner Schönheit, hinauf den reizenden Weg nach dem alten Rolandseck. Frau Emilie, das schwarze Hütchen mit der kleinen rothen Feder auf den Locken, sah anziehend genug aus, die Schaar der jungen Leute um sich zu fesseln. Ihre kecken Antworten wie ihr munteres Lachen paßten allzu gut zu dem Stumpfnäschen, um abstoßend zu wirken, wenn sie oft auch etwas scharf an die Grenzen des guten Tones streifte. Aber Frau Emilie konnte nicht immer die Würdevolle spielen. Sie sah nicht ungern, daß ihre Stieftochter ihr schon so weit vorangeschritten war, und blieb absichtlich etwas zurück.

Curt ging an Nora's Seite. Beide waren wie immer in ein Gespräch vertieft, das sie ausschließlich in Anspruch nahm. Nora schritt schnell, denn sie liebte es, den ersten Blick auf eine schöne Aussicht ungestört zu genießen. Bald waren die Beiden oben angelangt an dem alten Mauerbogen, aus dem man hinausschaut auf den fluthenden Strom und auf die grüne Insel tief unten, auf das Panorama von Berg und Wald, von Städten und Dörflein rings herum, diese seltene harmonische Vereinigung ernsten Naturzaubers und heiterster menschlicher Belebung.

Curt's Auge ruhte aber heute nicht auf der Landschaft, sondern blieb auf seiner Gefährtin haften, die still an dem alten Gemäuer lehnte, während ihr Blick mit eigenthümlichem Ausdruck an einem Punkte hing, der sie alles vergessen zu machen schien. Nora war streng in der Einfachheit ihrer Pensionnats=Erziehung geblieben. Schlicht und anspruchslos

war das leichte Frühjahrsgewand, das sie trug, einfach der
breitrandige Hut, der das Antlitz tief beschattete und die von
Baron Dahnow so streng gerügte Frisur gerade verdeckte.
Nora war schön; aber es war noch die herbe, unbewußte
Mädchenschönheit, die den Blick eher abweisen als anziehen
will, deren Ausdruck noch verschlossen ist wie eine Knospe.

Curt schien etwas besonders Unlösbares darin zu finden,
— so unverwandt mußte er das feine Profil anschauen, das
wie träumerisch aus den epheuumrankten Bogen sah. Plötzlich zuckte er zusammen; er sah, wie eine Thräne langsam
aus der dunkeln Wimper schlich und sich die Wange herab-
stahl. „Nora!" rief er erschreckt und beugte sich zu ihr.

Sie sah ihn an, das Auge noch feucht, aber ein Lächeln
schon wieder auf den Lippen. „Ritter, treue Schwester-
liebe . . . ." sagte sie schelmisch. „Der arme Toggenburger!"

Curt fuhr zurück; die Worte berührten ihn. „Warum
sagen Sie das gerade, Fräulein Nora? Haben Sie daran
gedacht?" frug er ein wenig geärgert.

„An was gedacht?" fragte sie unbefangen entgegen. „An
den edeln Toggenburger? Nein, ich citirte die Stelle nur,
wie sie hier wohl schon tausend Mal citirt worden ist. Ich
will Ihnen aber sagen, woran ich dachte. Das Kloster da
unten mit seinem Kreuz rief so viele Erinnerungen wach an
mein liebes altes Kloster, daß ich wahrhaft Sehnsucht danach
bekam."

„Deshalb dachten sie der grausamen Schönen des treuen
Ritters?"

„Warum grausam? Ist es nicht wundervoll, so Gott allein zu lieben, daß man sein Herz gar keinem Andern geben kann? Eine Freundin habe ich, die hat es gekonnt; eine, die wird es können. Aus ganzer Seele, aus allen Kräften, mit dem ganzen Gemüth — es gibt nichts Schöneres, nichts Beneidenswertheres!" sagte sie mit tiefer Innigkeit, und in ihrem Auge lag die Sehnsucht, von der sie eben gesprochen.

Es ergriff Curt sonderbar, sie so zu sehen. „Ich glaube, Sie könnten auch so einen treuen Ritter harren lassen," meinte er, etwas gezwungen in dem Tone des Scherzes bleibend.

„Ach, der gute Toggenburger!" sagte sie lächelnd. „Er war ein Bißchen langweilig mit seinem ewigen Schauen. Wie lasen Sie gestern? . . . . Es gibt noch mehr zu schaffen als einen Liebesmai."

„Wenn man aber nicht überwinden kann?"

„O, man muß können," sagte Nora bestimmt, mit all' der Energie der Jugend, die meist daher rührt, daß sie noch nichts zu können braucht. Und ihren Blick wieder dem Kloster zuwendend, fuhr sie fort: „Mit dem Herrgott sollte man nicht ringen; wenn dem ein Herz ganz gehört, ist es ja unmöglich, es abwendig zu machen."

„Aber, Fräulein Nora — Sie!" rief Curt wie entsetzt aus.

„Es wäre das Allerglücklichste, vielleicht gerade für mich," flüsterte sie wie halblaut für sich, und ein Ausdruck unbeschreiblicher Wehmuth zog über ihr Gesicht. . . . Im selben Augenblick wurden die Stimmen der Andern hörbar; sie wandte sich von ihm und sprang ihrer Stiefmutter entgegen, die eben mit den Uebrigen die Höhe erreichte. Laute Fragen über ihr

Verweilen begrüßten sie, und heitere Worte gab sie zurück;
sie hatte, wie als Kind schon, die anmuthige Sicherheit der
Gesellschaft.

Man ließ sich nach der ermüdenden Promenade auf Rasen
und Steinen im Schutze der alten Ruine nieder. Maiwein
ward credenzt, Lieder wurden angestimmt. Kleine Mädchen
mit den klaren, frohen Augen, die rheinischen Kindern eigen,
brachten Maiblumensträuße und Epheukränze, mit denen man
Hüte und Knopflöcher schmückte. Fern vom Strom herauf oder
drüben von einem der andern Plätze klangen die Töne heiterer
Musik oder die Stimmen fröhlicher Menschen herüber und
gaben die Atmosphäre des Frohsinnes, wie sie nur im Rhein=
lande herrscht und so ansteckend wirkt.

Still im frohen Kreise blieb heute nur Curt. Die Worte
Nora's hatten sein tiefstes Innere aufgewühlt, einen Ideen=
gang heraufbeschworen, von dem er sich nicht los zu machen
vermochte. Was, war das Kloster ihre Sehnsucht? War das
ihr Entschluß? War sie deshalb so heiter, so unbefangen,
weil sie so ganz schon mit sich im Reinen war? Curt hatte
oft gehört, daß gerade die lebensvollsten Mädchen am leichtesten
den Entschluß faßten.

Und warum freute er sich nicht darüber? Wäre es nicht,
wie sie eben gesagt, das Glücklichste für sie? — der sicherste
Zufluchtsort auch in weltlicher Beziehung?

Aber der Gedanke empörte ihn ordentlich. Was, sollte
dies schöne, liebenswürdige Wesen sich von der Welt zurück=
ziehen müssen, weil diese ihr keinen passenden Platz biete?

Sollte sie hinter Klostermauern sich vergraben, weil es keinen Fleck gebe, dem sie angehören könne?

Curt war in frommer Ehrfurcht für den klösterlichen Beruf erzogen, aber in Bezug auf Nora dachte er doch an „starre Klostermauern", und sprach er von „sich vergraben". Der Gedanke, daß sie das Kloster als Rettung aus ihren schwierigen Verhältnissen betrachten würde, gewann zuletzt sogar die Oberhand.

Als man Abends im Kahn auf dem Rheine zurückkehrte, hatte Nora ihm gegenüber Platz genommen. Sie hatte den Hut abgelegt und ein weißes Tuch um den Kopf geschlungen; die Hände ruhten gefalten im Schooße, und die Züge hatten das Gepräge sinnender Melancholie, wie Abendstille, Mondschein und das leise Wogen des Wassers es so leicht hervorruft.

Für Curt aber sah sie jetzt erschreckend nonnenhaft aus; es war ihm wie die Bestätigung seiner Gedanken; er sah nichts wie Aufopferung und Ergebung in ihren Zügen. Das Herz schnürte sich ihm zusammen, das Wort drängte sich ihm auf die Lippe. „Gehen Sie nicht in's Kloster, Nora, gehen Sie nicht!" flüsterte er, sich zu ihr neigend.

Nora sah ihn erstaunt und befremdet an. Aber in jedem Mädchenherzen steckt ein kleiner Kobold, der ihr verräth, wann sie die Macht hat, den Mann quälen zu können. Sie sah ihn mit einem halben Lächeln an. „Und warum denn nicht?" sagte sie; „es ist ja der schönste Beruf."

Curt schwieg; er war sich halb und halb bewußt, etwas recht Dummes gethan zu haben. Er war froh, daß der Kahn an's Land stieß und er sich von seinen Freunden verabschieden konnte, indem er Kopfschmerzen vorschützte, die auch seine vorhergehende Schweigsamkeit rechtfertigen sollten.

In seine Träume hinein aber verfolgten ihn die ein Mal erregten Gedanken. Immer sah er Nora hinter vergitterten Fenstern, immer hatte er das Gefühl, daß nur er sie retten könne, und wußte nicht wie.

Vielleicht hätte er besser geschlafen, wenn er gewußt hätte, wie auch Nora noch lange mit offenen Augen und brennenden Wangen auf ihren Kissen lag, eine einzige Frage sich immer wiederholend: „Warum wollte er nicht, daß ich in's Kloster ginge, obgleich er so fromm ist?"

VI.

Man soll kein Leben auf Gefühle bauen,
Die mit den Dingen nicht im Einklang sind;
Das Herz ist wandelbar, die Dinge bleiben.
                                        Geibel.

Dahnow war nach dreimonatlicher Abwesenheit zurückge= kehrt. „Wo ist Degenthal?" hatte er gefragt, als er ihn im Kreise der Freunde, die ihn willkommen hießen, nicht sah.

„Ja, Degenthal," lautete die Antwort, von Achselzucken und geheimem Lächeln begleitet, „der hat anderes zu thun; den sieht man kaum noch."

„O Liebe, Liebe, du bist so wunder=wunderschön," sang Einer mit pathetischer Stimme, die Hand auf das Herz legend.

„Was ist's mit dem Jungen?" fuhr Dahnow heraus, sie fast grollend ansehend. „Was habt ihr mit ihm?"

„Wir haben nichts mit ihm, aber er scheint etwas mit
Andern zu haben, daß er sich so rar macht; vielleicht ist er
auch nur Studiums halber so unsichtbar — in der Villa stu-
dirt er vielleicht schöne Künste.“

„Ach was,“ fiel der Westfale dem Redner in's Wort,
„ihr seid ja schlimmer als eine Gesellschaft alter Jungfern.
Degenthal war immer mit uns bis vor einiger Zeit, und
Einige von euch sind selbst oft genug in der Villa; kann
denn Niemand ein hübsches Mädchen ansehen, ohne daß gleich
alles schwatzt!“

„Es kommt darauf an, wie oft man sie ansieht!“ lachte
einer der Andern dazwischen. „Degenthal macht sich das
Vergnügen wenigstens gründlich.“

„Das ist auch übertrieben; er ist seit einigen Tagen verreist. Er hatte eine Rheintour vor. Sonst wäre er gewiß
hier, Dahnow; er frug öfter nach dir.“

Dahnow athmete etwas auf; er hatte in all' der Zeit
nichts von Degenthal gehört, und wenn das auch gerade
unter Herren, denen gemeinlich die Lust zu brieflicher Mittheilung abgeht, nichts Ungewöhnliches ist, so stieg bei den
Andeutungen doch eine unheimliche Ahnung in ihm auf. Er
mochte gar nicht weiter fragen. Als er sich nach dem kleinen
Willkommensfest, welches die Freunde ihm bereitet hatten, von
ihnen trennte, begleitete ihn der Westfale noch eine Strecke.

„Du, Clemens,“ sagte er nach einigem Schweigen, „du
könntest dem Degenthal doch 'mal ein Wort sagen; euere
Alten waren ja schon befreundet. Ich hab's vorhin den An-

Tochter d. Kunstreiters.   7

dern ausreden wollen; aber es gefällt auch mir nicht, daß er da immer in der Villa liegt und sich von allem zurückzieht."

„In welcher Villa?" frug Dahnow.

„Na, da bei der Kunstreiter=Director=Familie! Das ist doch keine Gesellschaft für ihn, wenn die Leute auch noch so viel Luxus treiben. Das Mädchen ist verteufelt schön; ich hab' sie ein paar Mal vorüber reiten sehen; wenn der Degen= thal sich aber da verplemperte, wär's doch schade."

„Ah bah!" sagte Dahnow, „wenn es das ist! Er kennt die Familie von früherer Zeit her; ich glaube, das Mädchen kam durch einen Zufall auf längere Zeit in das Degenthal'sche Haus, weil die Gräfin ihre Mutter kannte — Kinderfreundschaft."

„Geh' mir mit der Kinderfreundschaft; thu' Feuer und Stroh zusammen, dann brennt's schließlich!" meinte der vor= sichtige Westfale.' „Das ist schon Bessern passirt, als dem Degenthal; ich sage dir, warne ihn."

„Warst du auch dort?" frug Dahnow.

„Nein! Einige von uns gehen hin. Es sollen ganz an= ständige Leute sein, da will ich nichts gegen sagen; auch gegen das Mädchen nicht. Aber bei uns zu Land bleibt man lieber unter seines Gleichen, dann gibt es auch keine Dumm= heiten nicht. Bei der Besucherei von dem Degenthal da kann nichts herauskommen, als daß er sich oder das Mädchen un= glücklich macht." Der Westfale hielt selten so lange Reden und hatte sich ganz in den Eifer hineingesprochen.

„Ah bah!" sagte Dahnow wieder, „ihr Westfalen schließt euch auch dreifach hermetisch ab; das kann man andern Menschenkindern nicht zumuthen."

„Na, wir sind bis jetzt nicht schlecht dabei gefahren," brummte der Westfale. „Thu', was du willst, ich hab's dir gesagt."

„Wir wollen 'mal sehen," sagte Dahnow beschwichtigend. „Degenthal wird schon wissen, was er thut."

Der Westfale zuckte die Achseln und ging. Dahnow selbst war aber nicht so ruhig, als er vorgab zu sein. „Ich werde doch dem Jungen etwas aufpassen," sagte er. „Im Grunde hat er gerade das Zeug zu den lebenslangen dummen Streichen in sich — zu gut, um leichtsinnig zu sein, zu schwärmerisch, um vernünftig zu bleiben."

Das Aufpassen wurde dem guten Dahnow für die ersten Tage aber schwer gemacht, denn er bekam Degenthal gar nicht zu sehen, und bei seinen jedesmaligen Besuchen in dessen Wohnung ward ihm ein „Nicht zu Hause" bedeutet.

„Vielleicht ist er vernünftig gewesen und ist abgereist," tröstete sich der Dicke, entschloß sich aber, in der Villa ein Mal den Stand der Dinge auszuforschen. Auf Grund seines ersten Besuches beim Director war eine Visite dort ganz gerechtfertigt.

So setzte denn Dahnow eines Nachmittags seinen äußern Menschen mit seines Besuches Absicht in Einklang und wanderte zu der Villa hin.

Er ward angenommen. Die Frau Directorin empfing ihn freundlich und erkundigte sich auf das liebenswürdigste nach seiner Heimath und seiner Reise. Einigen ihrer geographischen Ungenauigkeiten in Bezug auf Mecklenburg hielt er ritterlich Stand, und brachte die geschwinde Zunge der

7*

103

Frau Directorin ſtets wieder in das rechte Fahrwaſſer. Doch blieb ſie hartnäckig bei dem Ausfragen ſtehen, ohne ſich viel auf Mittheilungen einzulaſſen.

Dahnow's kleine graue Augen hatten ſich indeß vergeblich in den Salons umgeſchaut, bis durch die hohen Erkerfenſter ſein Blick in den Garten fiel. Da erkannte er zwei Geſtalten, die eifrig redend auf und nieder gingen. Die Directorin war ſeinem Blicke gefolgt. „Ihr Freund iſt eben hier," ſagte ſie, „und wird ſich gewiß ſehr freuen, Sie zu treffen. Ach, Ihr Freund iſt ein entſetzlich ernſter Mann; ich rette mich ſtets vor ſeinen und meiner Tochter Geſprächen. Sollen wir die Herren Gelehrten hereinrufen?" ſetzte ſie mit einem kleinen coquetten Blicke hinzu, „oder ſie ihrem Ernſt überlaſſen?" Ein verlängertes tête à tête mit dem liebenswürdigen Baron, der ſo gut zu plaudern wußte, ſchien ihr gar nicht unangenehm. Dahnow aber kleidete ſeine Wünſche, auch Fräulein Nora zu begrüßen, in die höflichſte Form, und die Directorin hüpfte graciös an das Fenſter, ſie herbeizuklopfen. „Aber nun werden ſie Alle gleich möglichſt sérieux werden, und dann — sauve qui peut", meinte ſie. „Ich hoffe, wir ſehen Sie noch öfter in dieſer Zeit" — und ehe ihre Stieftochter eintrat, hatte ſie das Zimmer verlaſſen.

Jedenfalls war es mehr Ueberraſchung als Freude, was ſich in Degenthal's Zügen malte, als er ſich plötzlich ſeinem Freunde gegenüber ſah. Dahnow bemerkte es nicht, ſo nahm ihn Nora's Anblick gefangen. Sie begrüßte ihn mit lebhafter Freundlichkeit. Was war mit ihr vorgegangen, ſeitdem er ſie geſehen? Das war nicht mehr das ſteife, abweiſende Mäd=

chen, das er damals so summarisch unter die Backfische ver=
wiesen hatte. Ihre Gestalt schien anmuthiger; war es das
leichte Sommergewand, was sie so vortheilhaft erscheinen ließ?
War es, daß die dunkeln Haarmassen jetzt Stirne und Schläfen
frei ließen, um in reichen Locken am schlanken Halse nieder=
zufallen? Jede Linie, jede Falte zeigte den echt weiblichen
Wunsch nach Verschönerung und Gefallen; die Augen strahlten
dabei so hell, der Mund lachte so lieblich, daß es Dahnow
war, als sei ihm niemals so viel Liebreiz entgegen getreten.

„Bist du schon zurück?" frug Degenthal, dem Freunde
die Hand auf die Schulter legend. „Ich ahnte gar nicht,
weshalb wir eben hereinbeordert wurden."

„Schon?" sagte Dahnow, und sein Blick, den er von Nora
auf seinen Freund wandte, zeigte das schelmische Blinzeln, das
bei aller Ruhe sein Antlitz so sehr beleben konnte. „Schon?
Die drei Monate scheinen dir kurz vorgekommen zu sein, mein
Freund. Du mußt mich nicht sehr vermißt haben . . . . hast
du nicht eine ziemliche Anhäufung meiner Karten bei dir
gefunden? seit acht Tagen versuche ich vergeblich, bei dir Ein=
laß zu finden."

„So?" sagte Degenthal zerstreut, denn er schien nur Augen
für Nora zu haben, die sich jetzt dem Erker zuwandte. „Ja,
ich war einige Tage abwesend; ich hatte zu thun — ich hatte
gar nicht gehört, daß du zurück seiest."

„Ich habe überhaupt die melancholische Bemerkung gemacht,
daß du sehr gut leben kannst, ohne von mir zu hören, mein
Bester. Was haben Sie alles getrieben diesen Sommer,
Fräulein Nora, daß mein Freund so stumm blieb? Oder

war er so mit Studien beschäftigt, daß er auch Sie vernach=
lässigt hat?"

„O nein!" sagte Nora warm; „uns ist Graf Degenthal
ein sehr treuer Freund gewesen. Fast täglich ist er gekommen;
ich weiß gar nicht, wie die Tage uns sonst vergangen wären."
Jetzt streifte sie Dahnow's scharfer Blick, und unwillkürlich
stieg ihr eine leichte Röthe auf die Stirne. „Der Sommer in
dieser herrlichen Gegend ist mir vergangen wie ein einziger
reizender Traum," setzte sie hinzu, den Kopf wie träumerisch
zurücklegend.

„Warum wie ein Traum?" warf Degenthal mit sichtlicher
Unruhe dazwischen.

„Weil wir ja so bald unsere Zelte hier abbrechen, und
dann kommt alles anders," sagte sie. Es lag fast etwas
Klagendes in ihrer Stimme.

Degenthal sah sie forschend an; eine Frage schien auf
seinen Lippen zu zittern.

Dahnow indessen fing an, sich merklich unbehaglich und
zu viel zwischen den Beiden zu fühlen.

Aber plötzlich sprang Degenthal auf. „Du wirst doch
noch viel von deinen Reisen zu erzählen haben," sagte er mit
erzwungener Leichtigkeit zu seinem Freunde; „ich darf leider
mich nicht länger hier aufhalten.... Fräulein Nora, empfehlen
Sie mich, bitte, Ihrer Frau Mutter..... Ich treffe dich,
wenn nicht heute Abend, so doch morgen wohl, und dann
sollst du auch mir berichten."

Unwillkürlich war Dahnow bei dem plötzlichen Abschied
ebenfalls aufgesprungen. Er wollte gerade den Mund öffnen,

um zu erklären, daß er Degenthal begleiten wolle, als dieser schon den Hut ergriffen hatte.

Einen Augenblick ruhte Nora's kleine Hand in der seinen. „Ich darf ja dieser Tage wiederkommen?" sagte er. „So eilig brechen Sie Ihre Zelte doch nicht ab?" Und mit einem „Ade Dahnow!" war er verschwunden.

Der Dicke wurde etwas perplex bei diesem hastigen Rück= zug. Hatte er sich im Stillen doch vorgenommen, gerade den Rückweg zu einem ernsten Wort zu benutzen, anknüpfend an das Gesehene: und nun entschlüpfte der Freund ihm so.

Seine Reise=Erzählungen, über die er den Mund noch nicht aufgethan, schienen auch nicht allzu sehr das Interesse der schönen Dame in Anspruch nehmen zu sollen; denn für den Augenblick blieb der Kopf ihm ganz abgewandt, die Augen fest auf den Garten gerichtet, wo Curt's elastische Gestalt eben verschwand. War es nur tändelndes Spiel, daß sie den rothen Nelkenstrauß, den sie aus dem Garten mit hereingebracht, dabei so fest an die Lippen preßte, als wollte sie den Duft desselben einsaugen?

Clemens Dahnow hätte viel Vernünftigeres zu denken gehabt in dem Augenblicke; aber der einzige Gedanke, dessen er sich klar bewußt wurde, war der, daß er mindestens der Geber der Nelken hätte sein mögen, die in so directen Contact mit diesem reizenden Munde kamen.

Zwei Stunden später ging Dahnow noch immer erregt in seinem Zimmer auf und nieder. Er war der echte Nord= länder, der alle erregte Stimmungen unter Dach und Fach in seinen vier Wänden abzumachen liebt, indeß der Süd=

länder sie in die freie Natur hinausträgt. Dahnow's „vier
Wände" bedeuteten zwar vier mit allem Comfort eingerichtete
Zimmer; denn auch darin war er eine echt nordische Natur,
daß selbst im leichten Studentenleben seine Häuslichkeit ihm
die Hauptsache blieb. Bisher hatte er alle seine Denkübungen
bequem auf der Chaise-longue liegend bei dampfender Havanna vorgenommen; doch heute schien alle Ruhe und jeder
Gleichmuth ihn verlassen zu haben, daß er sich trotz der
drückenden Spätsommer-Schwüle solcher rastlosen Bewegung
hingab. „Es muß etwas geschehen!" wiederholte er sich dabei
in einem fort; „es muß etwas geschehen! Man kann den
Jungen doch nicht so in den Unsinn hineinlaufen lassen, — er
kann ja nie daran denken, sie zu heirathen! Und das Mädchen unglücklich zu machen! Prügeln sollte man den Kerl,
so eine dumme Geschichte anzufangen. Es muß etwas geschehen . . . ."

Trotz dieser oft aufgestellten Behauptung geschah aber für's
erste nichts; nur daß es ihn dem Schreibtisch stets näher trieb,
als liege dort der Schwerpunkt der That. „Man muß es
seine Mutter wissen lassen. Es ist Freundespflicht — vielleicht kann sie es noch hindern. Das haben sie davon," setzte
er wie rachsüchtig hinzu, „wenn sie die Jungens nur durch
Weiber erziehen; dann kann das erste beste Frauenzimmer
mit ihnen anfangen, was es will." Und doch fühlte Dahnow gleich nach diesem Ausspruch etwas wie Reue aufsteigen,
indem Nora's Liebreiz ihm vor Augen trat. Sie konnte doch
wohl am wenigsten unter „die ersten besten Frauenzimmer"
gezählt werden. „Freilich, die könnte auch einen Philosophen

toll machen," brummte er weiter; „aber um so mehr! Er hat kein Recht dazu, das liebliche Wesen unglücklich zu machen, da seine Verhältnisse es ihm geradezu verbieten, an solche Heirath zu denken."

Vielleicht nahmen Baron Dahnow's Gedanken dabei eine kleine Abschweifung auf seine eigenen „Verhältnisse" vor, oder richtiger gesagt auf die Abwesenheit alles dessen, was mit diesem Namen hätte bezeichnet werden können. Clemens Dah= now gehörte einer alten Familie an; seine Eltern waren früh gestorben, und der Besitz eines selbständigen Vermögens stellte ihn ganz frei. Da seine beiden ältern Brüder schon für die Fortpflanzung des guten Namens in ebenbürtiger Weise gesorgt hatten, brauchte der jüngste Sprosse der Familie Nie= mand Rechenschaft abzulegen, wenn er eine Wahl treffen wollte, und war durch nichts gebunden, jeden Augenblick nach freiem Gutdünken zu handeln.

Eigenthümlich aber, daß meist auf solchem Boden die einsam bleibenden Menschen gedeihen. Auch um in den Hafen der Ehe einzulaufen, gehört der Ballast der Wenns und Abers in das Lebensschifflein; denn die dessen entbehren, treiben meist draußen ziellos herum. Dahnow schien gleich= wohl in diesem Augenblick durch den Gedanken an seinen „Mangel an Verhältnissen" durchaus nicht unangenehm be= rührt zu werden, denn ein leichtes Schmunzeln zog über das runde Gesicht. Doch heroisch riß er sich von dem Gedanken= streifzug los, um auf den Freund zurückzukommen.

„Seine Mutter muß es wissen, — es ist Gewissenssache," war sein oft wiederholter Schluß. „Am besten wird es sein,

daß sie ihn Geschäfte halber abruft. Schwärmer, wie er,
vergessen auch leicht wieder; aber mir, dem ältern Freunde,
würde sie es nie vergeben, nicht gewarnt zu haben. Eine
Kunstreiterstochter — das wäre der alten Gräfin eben recht!"

Baron Dahnow ließ sich mit einem schweren Seufzer
endlich an den Schreibtisch nieder. Die Feder ruhte noch
eine Weile unentschlossen in der Hand, bis sie in Fluß kam,
bis die kleinen, scharf gezeichneten Buchstaben, die bei weitem
mehr das Innere als das Aeußere des Schreibers verriethen,
den Briefbogen bedeckten. Als der letzte Schnörkel des Na=
menszuges vollführt, warf er die Feder fort, als brenne sie
ihm in den Fingern. „Teufelswerk, solche Angeberei!"
brummte er vor sich hin. „Und doch, wenn denn ein Mal
nöthig, soll man die Sache auch nicht halb thun. Der an=
dern Partei wär's auch gut, zu erfahren, wie die Sachen
stehen! Die zarte Hoffnung, als könnten sie den jungen
Herrn Grafen einfangen, die mir die Frau Stiefmutter zu
hegen scheint, ist besser gleich im Keime erstickt. Der Mann hat
mir überdies gefallen; er hat auch ein Recht, sein Kind vor
einer harten Erfahrung zu schützen."

So griff Dahnow zum zweiten Male zur Feder, einen
zweiten Brief zu stilisiren, der ihm nicht weniger schwer als
der erste zu werden schien. Als er endlich vollendet, siegelte
und adressirte er mit einer bei ihm seltenen Hast beide Schrei=
ben, sie sofort, ohne sie eines fernern Blickes zu würdigen,
seinem Groom zur Beförderung übergebend.

Er stand dann schwer athmend auf, warf sich in seinen
bequemsten Lehnstuhl, griff nach seiner feinsten Havanna, und

gab sich in fünf Minuten zehn Mal das Zeugniß, nach bestem Ermessen gehandelt zu haben. Hätte man ihn aber in dem Augenblicke als Spion hängen wollen, er würde es trotz allem gerecht gefunden haben, in so kläglicher Gemüthsverfassung befand er sich. „Hol' mich der Henker, wenn ich den Jungen, sobald er morgen kommt, nicht zum Beichten bringe, und ihm gerade heraus meine Meinung sage, damit er zur Raison kommt!" Das war der letzte Entschluß dieses ereignißvollen Tages für den ehrlichen Mecklenburger.

Vorsätze, die sich auf Andere gründen, sind aber nie so stricte inne zu halten. „Der Junge" kam eben am andern Morgen nicht, und nachdem die Briefe nun doch einmal un=widerruflich geworden, beruhigte sich auch Dahnow's Eifer, den Freund noch mündlich zur Raison zu bringen, wenig=stens etwas.

Nach einigen Tagen wurde Dahnow die Unsichtbarkeit seines Freundes doch unheimlich. „Als der Berg nicht zu Mahomed kam, ging Mahomed zum Berge," meinte er philo=sophisch, und „stieg seinem Freunde auf die Bude", wie der technische Studenten=Ausdruck dies bezeichnet. Der Eintritt ward ihm nicht schwer gemacht. Alle Thüren waren geöffnet, so daß er ungehindert in Degenthal's Zimmer gelangen konnte.

Degenthal lehnte im geöffneten Fenster, den Kopf wie in Gedanken verloren auf die Hand gestützt. Er wandte sich erst um, als er Dahnow's Schritte dicht neben sich hörte. Einen Augenblick stutzte er und sah ihn wie fragend an; dann aber warf er sich ihm plötzlich stürmisch um den Hals. „Du, gerade du der Erste, mein bester Freund, der mir Glück wün=

schen kann, dem ich nichts verheimlichen will! Clemens, sie
ist mein! Ich habe ihre Liebe: ihr Herz gehört mir seit ihrer
frühesten Kindheit. Ich bin selig, daß all' diese Ungewißheit
zu Ende, daß alles klar zwischen uns!" —

„Was klar? Zwischen wem alles eins? Bist du verrückt?
Von wessen Liebe sprichst du?" rief der Dicke, unwillig sich
losmachend.

„Ja, verrückt und toll vor Seligkeit!" rief Curt, und
seine Augen glänzten. „Von wessen Liebe ich spreche? Nun,
hast du denn nichts geahnt, nichts bemerkt? Von Nora spreche
ich natürlich! Sahst du je ein herrlicheres Geschöpf? —
Kennst du ein reizenderes, liebenswürdigeres Wesen? — und
sie ist mein . . .!"

„Bist du denn ganz blind und toll, daß du nicht einsiehst,
in was für bodenlosen Unsinn du dich hineinrennst?" polterte
der Dicke endlich heraus. „Muß man dir es denn vor den
Kopf sagen, daß du kein Recht hast, eines Mädchens Liebe
zu gewinnen, daß du nicht denken kannst zu heirathen! — —
du Graf Degenthal und sie des Kunstreiter-Directors Tochter.
— Hat dich wirklich aller gesunde Sinn verlassen?"

Degenthal ließ den Freund los. „Kannst du mich
nicht eine Stunde glücklich sein lassen?" sagte er schmerzlich.
„Ich weiß alles, was kommt; aber einen Tag wollte ich nur
an mein Glück denken. Erst heute Morgen haben wir uns
ausgesprochen, erst heute Morgen haben wir uns ganz ver=
standen, sind alle meine schweren Kämpfe beendet. Es war
eine schwere Zeit!"

„Für solche Verrücktheit brauchteſt du auch noch Zeit,"
brummte Dahnow grollend, indem er ſich auf einen Stuhl
niederließ.

Aber Degenthal ſchien ihn kaum zu hören. „Ich glaubte
es anders," ſagte er, ſich die Haare von der Stirne ſtreichend
und ſich wieder an das Fenſter lehnend. „Ich glaubte, ſie
hätte einen andern Beruf im Sinne, dem ich ſie nicht hätte
ſtreitig machen können."

Ueber Dahnow's Lippen fuhr ein etwas ſkeptiſches Lächeln.

„Beſonders in der letzten Zeit, da ſie anfing, ſich zurück=
zuziehen, da ſie mir plötzlich fremder und kälter entgegentrat
— aber ſie fürchtete nur, ihre Liebe zu verrathen!" ſetzte er
mit ſtrahlendem Antlitz hinzu. „Doch mich brachte dieſe
Furcht, ſie habe den Kloſterberuf gewählt, zum Ausſprechen;
denn in meinem Herzen war es mir längſt klar, daß nur
Nora, nur ſie allein mir je genügen würde. Ohne dieſe
Furcht würde ich vorher alles geordnet haben, ihr die Bitter=
keiten davon zu ſparen."

„Ich verſtehe dich nicht," ſagte Dahnow wieder unwillig,
„wie du ſo ohne weiteres mit all' deinen Grundſätzen brechen
kannſt."

„Grundſätze!" rief Degenthal. „Es gibt ein Ding, das
zu allen Zeiten ſtärker geweſen iſt, als Grundſätze — das iſt
die Liebe. Und wenn ſie uns nicht in das Schlechte, Ge=
meine hinabzieht, braucht ſie auch nicht im Kampfe mit den
Grundſätzen zu unterliegen. Hier aber wirkt eine eigenthüm=
liche Fügung mit. Nora iſt mir als Kind ſchon zugeführt,
gleichſam in die Arme gelegt, als ſie ſchlimmer denn verwaiſt

da stand. Ihre Mutter hat mich gesegnet; von dem Augen=
blicke an habe ich mich wie verantwortlich gefühlt für ihr
Lebensschicksal. Der Augenblick ist auch für ihre Erziehung
entscheidend geworden; sie gehört nicht mehr den Kreisen an,
in die der Zufall sie versetzt. So, wie sie da ist, ist sie jeder
Stellung ebenbürtig. Ich habe alles mir wohl überlegt; —
oder hältst du mich für Schurke genug, daß ich ohne bestimmte
Absicht ihre Liebe annehmen könnte?" Sein Auge blitzte dem
Freunde entgegen.

Dahnow schwieg einen Augenblick; er war ganz aus dem
Context gebracht. All' die Tage hatte er sich vorbereitet,
seinem Freunde das Geheimniß zu entlocken — nun ward
es ihm förmlich entgegengeschleudert. Seine Reden waren
berechnet gewesen, vor einer nahenden Gefahr zu warnen,
ein noch unbestimmtes Etwas zu bekämpfen — nun stand er
vor einer vollendeten Thatsache, und statt einen Schwanken=
den, Zagenden, Reuigen vor sich zu sehen, stand Curt ihm
gegenüber, als habe er das Vernünftigste, das Besonnenste
von der Welt vollführt. Er wußte kaum etwas vorzubringen.

„Und deine Mutter?" sagte er lakonisch.

„Ja, meine Mutter," rief Degenthal, „das ist das Här=
teste dabei. Es wird ihr furchtbar sein. Auch um ihretwillen
habe ich lange mit mir gerungen. Ich hätte ihr mein eigenes
Glück vielleicht zum Opfer gebracht, — aber auch das von
Nora steht auf dem Spiele, ihre ganze Zukunft hängt davon
ab. Wenn meine Mutter Nora sieht und kennen lernt, wird
sie sehen, wie nur der Name sie von uns trennt. Persönlich
wird sie gerade die Tochter sein, die ihr gefällt."

„Sie hatte aber andere Pläne für dich, die euere Fami=
lien=Verhältnisse sehr wünschenswerth machen."

„Ich lasse nicht über meine Zukunft bestimmen," sagte
Degenthal trotzig. „Wenn meine Mutter die Schwierigkeiten
für unüberwindlich hält, mag mein jüngerer Bruder es über=
nehmen, und ich werde mich mit seiner Apanage dann begnü=
gen. Nora ist mir alles werth —"

„Curt, um des Himmels willen, bedenke, was du thust!"
rief Dahnow. „Handele nicht in der Stunde der Schwär=
merei — höre doch einen vernünftigen Rath."

„Ich bin gar nicht in schwärmerischer Stimmung: ich bin
ganz ruhig, wie du siehst. Aber sage alles, was du zu sagen
hast, ich werde dir dankbar dafür sein." Curt setzte sich ge=
lassen dem Freunde gegenüber.

Dahnow, der wenigstens seiner Pflicht genügen wollte,
und der seine ganze Fassung wiedergefunden, sagte alles, was
über einen solchen Fall zu sagen ist und wohl schon hunderte
Mal dann gesagt wurde. Ja, er sagte es besser, als es in
den meisten Fällen geschieht; denn er sagte es ohne Heftigkeit
und Uebertreibung, kurz und mit einschneidender Wahrheit —
aber er sprach auch mit dem gewöhnlichen Erfolge. Es ist
wie ein Tropfen Wasser auf einen heißen Stein: es zischt
etwas, aber es löscht nicht.

„Ich habe mir alles überlegt, und werde alles überwin=
den," war die einzige, auch schon oft dagewesene Antwort.

„Wie aber denkst du es mit ihrem Vater zu halten?"
frug Dahnow noch.

„Ihrem Vater habe ich natürlich gleich geschrieben; er wird meinen Brief schon haben. Glaubst du, Nora sei ein Mädchen, die ein heimliches Verhältniß auch nur eine Stunde dulde?"

„Auch das noch!" seufzte Dahnow. Doch dachte er mit einiger Befriedigung dabei, daß der Director vorbereitet sei.

„Meiner Mutter schreibe ich heute noch, ihr alles dar= zustellen. Ich werde sie nur um eines bitten: nicht zu ur= theilen, ehe sie Nora gesehen."

„Sie wird sie gar nicht sehen wollen, oder ich müßte sie schlecht kennen. Aber es ist nutzlos, jetzt weiter mit dir zu streiten," sagte Dahnow aufstehend. „Es ist schwer begreif= lich, wie der Mensch sein ganzes Lebensschicksal auf einen Moment des Gefühls bauen kann."

„Einen Moment des Gefühls nennst du das, was sich all' diese Wochen und Monate tief in mein Herz gegraben hat? — wovon ich die sichere Ueberzeugung habe, daß es sich in meine Seele gesenkt hat wie Goldgrund, der nie mehr wechselt: das Einzige, was meinem fernern Leben Glanz verleihen kann! Wäre es aber auch nur ein Moment gewesen, — geh', solche Momente sind immer entscheidend. Gäbe es noch ein zweites Paar solcher Augen, Alter, ich würde dir sagen: versuche ein Mal hineinzuschauen, und sieh', was ein Moment vollbringen kann." Lächelnd legte sich Curts Arm um des Freundes Nacken bei diesen Worten. — „Sei gut," setzte er hinzu; „sag' mir ein gutes Wort zu meinem Glück."

„Ich kann zu keinem Unsinn Glück wünschen," sagte Dah= now, absichtlich sich verhärtend; „magst du es noch so poetisch

einfleiden. Thu', was du nicht laſſen kannſt; aber ich werde
immer dagegen ſein."

Troß der herben Worte aber faßte die Rechte doch des
Freundes Hand, und mit einem warmen Drucke ſchieden ſie.

Dahnow war ſelbſt noch jung. Hatte er auch ſeines
Freundes Entſchluß eine Thorheit, eine Verrücktheit genannt,
ſo blieb ihm die Verrücktheit doch im Sinn, wobei der Menſch
ſo ſtrahlend, ſo glücklich ausſieht und das Leben ſo leicht nimmt.
„Gäbe es noch ein zweites Paar ſolcher Augen!" hatte Degen=
thal geſagt, und die folgenden Tage ertappte ſich Dahnow
mehr als ein Mal darauf, darüber nachzudenken, ob er jemals
ſolche Augen geſehen, ſolche kindlich lieblichen Augen in ſo
reinen, faſt ſtreng geſchnittenen Zügen, und ſo tiefblau bei
ſo dunkeler Umgebung. Er mußte ſie ſich ſo deutlich vorzu=
zaubern, daß ſie ihn endlich Tag und Nacht verfolgten, und
er ſie ſich vorſtellen mußte, bald mit dem ſehnſüchtigen Aus=
druck, wie ſie Curt damals nachgeſchaut, bald glückſtrahlend,
wie auch deſſen Blicke jetzt geweſen. Dahnow wurde ſelbſt
ganz ſehnſüchtig dabei zu Muthe. „Glücklicher Kerl," hätte
er beinahe geſagt; aber zornig brach er ab. „Nichts wie
bodenloſer Unſinn! Mögen ſie ſehen, wie ſie damit zurecht
kommen; ich will mit der ganzen Angelegenheit nichts zu
thun haben."

VII.

Mein muß ſie ſein — Mein muß ſie ſein!
Loreley.

Widerwärtige Angelegenheiten haben meiſt auch noch die
Eigenſchaft, uns zu den uns unbequemſten Stunden zu be=

Tochter d. Kunſtreiters.   8

läſtigen. Clemens Dahnow liebte die Ruhe allezeit, die innere wie die äußere, abſonderlich aber die Morgenruhe. Der Tag ſchien ihm verfehlt, wo er nicht Morgenſchlaf, Morgenkaffee, Morgen-Cigarre und Zeitung ungeſtört genießen konnte. Seine innere Ruhe war durch die Degenthal'ſche Geſchichte ſchon in's Schwanken gerathen, jetzt bedrohte ſie auch ſeine äußere.

Wenige Tage nach der Unterredung ſtürmte Degenthal eines Morgens in der Frühe in das Schlafzimmer ſeines Freundes, dem proteſtirenden Diener zum Trotz.

Dahnow wollte deſſen Proteſt eben auf das energiſchſte erneuern, als ein Blick auf ſeinen Freund ihn verſtummen ließ; denn bleich und zerſtört ausſehend, war Curt in einer Erregung, die Zeit und Ort nicht achtet. „Lies das," ſagte er mit heiſerer Stimme, Dahnow einen Brief hinreichend, deſſen zerknitterter Zuſtand ſchon zeigte, wie beunruhigend ſein Inhalt auf den Leſer gewirkt hatte.

Degenthal ging dann mit großen Schritten in dem Ge= mach auf und nieder.

Eine Liebesgeſchichte hat ſtets das Eigenthümliche, nur den direct Betheiligten zu imponiren. Bei traulicher Wan= derung im Grünen oder in ſtiller Dämmerſtunde bei Sternen= licht können wir wohl an den hochgehenden Wogen ſolcher Herzensergießungen verſtändnißinnig Theil nehmen. Aber wenn wir Morgens halb acht noch in den Kiſſen liegen, wo die Mor= genſonne uns in's verſchlafene Antlitz ſcheint, — da kann der tragiſchſte Liebhaber nur auf die nüchternſte Auffaſſung rech= nen. Dahnow las mit der kaltherzigſten Befriedigung den hingereichten Brief, der die Unterſchrift des Directors trug.

„Indem ich Ihnen, hochzuverehrender Herr Graf," lautete
er, „für die Ehre danke, die Sie durch Ihre gestrige Anfrage
meiner Tochter wie mir erweisen, muß ich doch die Bitte, die
Sie an mich richten, ein für alle Mal entschieden zurückweisen.
Ich zweifele durchaus nicht an Ihrer festen Absicht, das Glück
meines Kindes begründen zu wollen; Ihre Jugend allein
spiegelt Ihnen aber die Möglichkeit dazu vor. Sie werden
nie die Einwilligung Ihrer Familie zu dieser Verbindung
erhalten, und ich kann von deren Standpunkt aus dies nur
als berechtigt erkennen, da unsere Lebensbahnen zu verschieden
sind. Aber niemals werde ich auch zugeben, daß meine
Tochter in Verhältnisse tritt, wo sie nicht mit Freuden auf=
genommen werden könnte, wo ihre Verbindung nur Anlaß zu
Zwist und Mißstimmung gäbe, deren Folgen sie stets zu
tragen hätte. Sie selbst, Herr Graf, haben in der Erregung
des Augenblickes die Tragweite Ihres Entschlusses nicht ermessen.
Meine Tochter erkennt vollkommen die Richtigkeit meiner
Gründe an. Ich will Ihnen keinen Vorwurf daraus machen,
daß Sie ihr Wort gewannen, ehe Sie meine Ansicht darüber
kannten, indem meine Tochter mir sagte, welch' seltsame Täuschung
Sie zu Ihrer Erklärung veranlaßte; — mit jungen, liebenden
Herzen soll man nicht streng rechten. Doch bedaure ich sehr,
zu spät eingetroffen zu sein. Ein Gerücht hatte mich auf das
aufmerksam gemacht, was leider jetzt eingetroffen ist. An Sie,
Herr Graf, muß ich aber um so mehr die Bitte stellen, meine
Entscheidung streng zu achten, und in keiner Weise zu suchen,
meine Tochter in ihrem Entschlusse wankend zu machen oder
ihn zu erschweren. Suchen Sie daher auch nicht, ihren Auf=

8*

enthalt zu erforschen, — wir verlassen auf einige Zeit diese Gegend. Sie werden mir einst selbst für den Schmerz danken, den ich Ihnen heute bereiten muß, und an den ich gern glaube, wie an die Aufrichtigkeit aller Ihrer Gesinnungen. Mit der aufrichtigsten Hochachtung 2c. 2c."

„Vernünftiger Mann!" klang es aus Dahnow's tiefster Seele; doch ehe das Wort noch laut wurde, schien es ihm Degenthal schon von den Lippen zu lesen.

Funkelnden Blickes blieb er vor ihm stehen. „Du findest das natürlich alles vortrefflich, ausgezeichnet, ganz deine Mei= nung," sagte er schneidend und mit bebender Stimme, „wie unglücklich wir auch werden mögen durch diese philisterhafte Auffassung! O, sie haben sie zu Tode gequält, bis sie das erreicht!" rief er wie außer sich, und warf sich auf einen Stuhl nieder, die Hände vor das Antlitz schlagend.

Dahnow wandelte menschliches Rühren an. „Armer Junge," sagte er möglichst theilnahmvoll, ihm die Hand rei= chend. Innerlich dachte er aber noch mehr: „Armes Mädchen!" Seltsamer Weise geht das Liebesweh des andern Geschlechtes uns immer mehr zu Herzen als das des eigenen. Er sah wieder jenen Blick von ihr, mit dem sie Curt nachgeschaut und in dem ihr ganzes Herz gelegen. Warum sie es gerade an den ver= loren, begriff er nicht recht: kein Mann begreift, daß der Andere sehr geliebt werden kann. Aber es war ein Mal so, und daß das liebliche Geschöpf vielleicht jetzt eben so traurig darein schaute wie der da vor ihm Sitzende, ging dem ehr= lichen Mecklenburger doch gewaltig nahe.

„Lies das auch noch," sagte Degenthal, ihm einen zweiten
Zettel hinreichend, da er die weichere Stimmung des Freun=
des witterte. Eine Mädchenhand hatte nur die wenigen
Worte darauf geworfen: „Es war ein schöner, aber großer
Irrthum. Es ist besser zu scheiden. Leben Sie wohl! Gott
segne Sie. Nora."

Dahnow seufzte; ein gewisses Schuldbewußtsein stieg in
ihm auf, mit Ursache dieses Kummers zu sein. Eine Weile
blieben beide Freunde stumm. Aber je mehr Dahnow nach=
dachte, um so mehr siegte die trockene Morgenstimmung wie=
der. Sie wäre jung und schön, und würde vergessen, Andere
würden sie trösten, meinte er.

„Weißt du, Alter," begann er demgemäß in versöhnlich=
stem Tone, „wie traurig es auch für den Augenblick ist, hat
ihr Vater doch wohl Recht; jetzt ist die Trennung noch leich=
ter, und du würdest doch nie die Schwierigkeiten haben be=
wältigen können.

Degenthal schnellte ordentlich empor. „Glaubst du denn,
daß ich es dabei lassen würde?" schrie er fast.

Dahnow hatte einen verkehrten Schachzug gethan. Nichts
befestigt in solchen Fällen mehr, als der Zweifel an der
Möglichkeit des Gelingens. „Glaubst du, daß so ein Wisch,"
und Degenthal schleuderte den Brief verächtlich von sich, „mich
in meinem Entschluß wankend machen würde? Bis an den
Nordpol werde ich sie suchen; ich weiß, sie liebt mich, und
Niemand soll uns trennen!"

Dahnow hätte Lust gehabt, wegen des Nordpols zu erwäh=
nen, daß dort ein sehr abkühlendes Klima sei; da seine Worte

aber bis jetzt so unglücklichen Effect gehabt, hielt er für weiser, zu schweigen. Degenthal fuhr unaufhaltsam fort. „Ich habe sofort alle erdenklichen Versuche angestellt, etwas über sie zu erfahren. Indeß hörte ich, daß sie gestern Morgen abgereist seien. Hätte ich nur Nora nicht das Versprechen gegeben, nicht vor der Antwort des Vaters wiederzukommen! Ich war schon auf dem Telegraphenamt wie auf dem Postbureau heute Morgen; ich dachte, der Director könne dort Adressen zurück= gelassen haben. Aber ich erfuhr nichts. Jetzt erkundige ich mich an der Eisenbahn. Director Karsten ist eine bekannte Per= sönlichkeit; man muß es dort leicht in Erfahrung bringen."

„Du bist ja recht zeitig gewesen," brummte Dahnow da= zwischen mit einem trübseligen Gedanken an seine gestörte Ruhe.

Degenthal beachtete es aber nicht. „Nun habe ich hier noch eine Nachricht erhalten," fuhr er fort, „und um deßhalb mußte ich dich stören. Du könntest mir einen großen Gefallen thun. Meine Mutter schrieb mir gestern, daß sie kommen wolle; ich verstand nicht recht, wann. Meine Gedanken sind zu zerstreut. Da ich aber wahrscheinlich abreisen muß, kann ich sie nicht empfangen. Sei du so freundlich, sie am Bahn= hofe zu begrüßen. Da, lies ihren Brief, damit du weißt, wann; ich kann mich nicht darum kümmern."

Dahnow las gottergeben auch dies dritte Schreiben. „Deine Mutter will nicht hierher kommen; sie ist nur auf der Durch= reise nach B., wo sie deine Cousine aus dem Pensionnat holen will. Sie hofft aber, dich am Bahnhof zu treffen, und rechnet darauf, daß du sie nach B. begleiten würdest."

„Davon kann jetzt keine Rede sein," erklärte Degenthal.

„Es wird deiner Mutter aber sehr auffallend sein, wenn du ihr diese kleine Gefälligkeit abschlägst."

„O nein," meinte Degenthal; „sie wird meinen Brief schon haben und wissen warum."

„Es ist sehr fraglich, ob sie deinen Brief schon hat," sagte Dahnow wieder, indeß er gar nicht daran zweifelte, daß die Gräfin den seinen erhalten habe und daher einen Reise=Ab= stecher für Degenthal sehr günstig fände. „Dem Poststempel zufolge ist es sehr möglich, daß dein Brief sie noch nicht er= reichte. Wie dem auch sei, du wirst die gute Stimmung deiner Mutter immerhin nöthig genug haben, um sie nicht unnütz zu erzürnen. Wie ich damals deine unbedingte Ab= hängigkeit nicht begriff, ist es mir jetzt unerklärlich, wie du so gar nicht daran denkst, ihre Gefühle zu schonen. Ich hab' es dir freilich prophezeit."

Ein tüchtiges gesundes Wort findet auch in das erregteste Gemüth noch immer am ersten Eingang. So auch hier. Degenthal fühlte sich getroffen; er murmelte etwas von „was ihm jetzt am wichtigsten sein müsse"; doch Dahnow verfolgte den errungenen Vortheil.

„Ob du deine Nachforschungen einen Tag später oder früher beginnst, ist jedenfalls gleichgültig. Der Director ist kein Mann, der spurlos verschwinden kann; also behalte jetzt die Hauptsache im Auge, deine Mutter dir freundlich gesinnt zu erhalten. Auf der Reise findet sich Gelegenheit zu man= chem vertraulichen Wort —"

„Ich werde sehen," sagte Degenthal, der nicht gleich ganz zustimmen wollte. „Aber jedenfalls sei du auch am Bahn=

hofe; wenn ich kann, werde ich dir folgen. Ich glaube, du meinst es gut mit uns."

„O Herr," dachte Dahnow, als Degenthal sich endlich entfernt hatte, „wenn er es wüßte!" Und griesgrämig schellte er seinem Groom, den Kopf in einige Waschbecken kalten Wassers zu stürzen, um sein Gleichgewicht wieder herzustellen, und dann, in einen türkischen Schlafrock gehüllt, ein heraus= forderndes Fez auf dem Haupte, zu einem möglichst behag= lichen Morgenkaffee überzugehen. Doch wenn das „Schick= sal" sich gegen uns verschwört, helfen uns selbst die „Götter" nicht. Der braune Trank duftete eben noch in der Tasse, das erste Wölkchen der Havanna wirbelte in die Luft, und die Morgenzeitung lag noch unaufgefaltet neben ihm, als schon wieder ein Gast an der Thüre erschien und sich eben so wenig als der erste abweisen ließ. Aeußerst mißmuthig und etwas verlegen griff Dahnow nach seiner rothen musel= männischen Kopfbedeckung, als der neue Eindringling schon vor ihm stand. Er musterte ihn mit erstaunten Blicken: ein schlanker Mann in den mittlern Jahren, dessen langer schwarzer Rock seinen geistlichen Stand anzeigte.

„Kaplan L., der frühere Erzieher von Graf Degenthal," sagte der Fremde. „Sie werden meinen Namen kennen durch Graf Curt's Vermittelung, wie ich in Ihnen, Baron Dahnow, seinen besten Freund weiß."

Dahnow's Züge hellten sich auf; er hatte durch Curt zu viel von dem würdigen Manne gehört, um ihn nicht gern willkommen zu heißen.

„Was mich zu Ihnen führt, werden Sie errathen, Herr Baron," sagte der Geistliche, direct auf den Gegenstand kommend, obgleich bei den Worten auf Dahnow's Stirne eine Wolke wieder aufzog. „Zuerst und hauptsächlich soll ich Ihnen den Dank der Frau Gräfin aussprechen," fuhr er fort, „für den echten Freundschaftsdienst, den Sie ihr und ihrem Sohne geleistet durch Ihren Brief."

„Er würde ihn mir schwerlich danken, wenn er davon wüßte," sagte Dahnow melancholisch. „Wer weiß, ob man gut thut, sich um fremde Angelegenheiten zu kümmern; man macht die Leute zehn Mal leichter unglücklich als glücklich," setzte er unwirsch hinzu.

„Wie steht die Sache?" frug der Geistliche weiter, ohne auf den Einwurf einzugehen.

„Gut und schlecht, wie Sie oder er es nennen," sagte Dahnow, und berichtete die Ereignisse der letzten Stunden. „Natürlich denkt er noch nicht daran, die Sache aufzugeben; und wenn die Frau Gräfin meint, den Herrn Sohn mit Redensarten herumzukriegen, irrt sie sehr; dann geht er ihr ganz gewiß durch."

„Halten Sie es für eine Intrigue der Familie? — eine Berechnung, den jungen Grafen zu — nun einzufangen, wie der landläufige Ausdruck sagt? Was halten Sie von der jungen Dame?" inquirirte der Geistliche weiter, als suche er sich ein klares Bild von der Sache zu machen.

„Mit solchen Augen, wie die sie hat, braucht sie nicht zu intriguiren und zu suchen, ob sie Jemand einfangen kann," antwortete Dahnow immer im selben unwirschen Tone. „So viel sage ich Ihnen, Herr Kaplan, wenn ich sie fest hätte, wer weiß, ob ich sie aufgäbe, und wenn die ganze Welt dagegen wäre! Sie ist ein Mädchen, wie jeder Mann sich nur seine Liebe träumen kann. Aber das ist ja nicht Ihr Fach," setzte Dahnow plötzlich mit einem freundlichen Lächeln hinzu, sich entsinnend, daß er einem Fremden gegenüber stände. Wenn aber Dahnow lächelte, hatte er etwas sehr Gewinnendes, was jeden unangenehmen Eindruck verwischte.

„Die junge Dame war als Kind schon schön und selten begabt," fuhr der Geistliche in dem eigenen Gedankengange fort. „Schon um der verstorbenen Mutter willen nehme ich großen Antheil an dem Kinde, und es würde mir unsäglich leid thun, wenn die Erziehung, die wir ihr nach bestem Willen geben ließen, sie nur zu einer Intrigue fähiger gemacht hätte, wie die Frau Gräfin meint."

„Wer spricht von Intrigue?!" rief Dahnow. „Können Frauen nie etwas einfach nehmen? Sie meinen immer, das müßte fein angelegt und angesponnen sein. Was gibt es Einfacheres, als daß ein junger Mann sich in ein selten schönes, liebenswürdiges Mädchen verliebt und sie in ihn? Wäre die vertrackte Stellung des Vaters nicht, man könnte ihm wahrlich Glück dazu wünschen. So begreife ich, daß es der Gräfin ein Dorn im Auge — aber ich thue nichts mehr in der Sache, gar nichts, das sage ich Ihnen."

Der Kaplan sah den jungen Mann aufmerksam an. Er schien seine eigenen Gedanken dabei zu haben; denn ein feines Lächeln umspielte seine Lippen, als Dahnow sich jetzt abwandte und, beide Hände in die weiten Taschen seines

türkischen Schlafrockes versenkt, in Gedanken verloren am
Fenster stand.

„Ich glaube, wie die Sache jetzt liegt, brauchen wir auch
nichts darin zu thun. Der Vater hat ja vor der Hand selbst
abgebrochen. Da wird es am besten sein, die Angelegenheit
ruhen zu lassen. Die Frau Gräfin hofft, daß Graf Curt sie
nicht allein nach B., sondern dann auch heim begleiten wird,
und gedenkt ihn dazu zu bewegen. Andere Kreise, andere
Beschäftigung — da wird sich die Leidenschaft legen und der
Schmerz heilen."

„So, meinen Sie das?" sagte Dahnow, sich fast zornig
umwendend. „Sie müssen einen verzweifelt kurzen Begriff
von der Liebe haben, daß Sie das so leicht nehmen."

„Sie haben ja eben selbst gesagt, daß es mein Fach nicht
sei," meinte der Kaplan, ruhig lächelnd. „Einige Beispiele
habe ich aber immerhin für meine Behauptung, — Gott sei
Dank; denn es wäre entsetzlich, wenn jeder Jugend=Eindruck
unauslöschlich wäre — und Sie selbst, Herr Baron, sprachen
ja auch ganz Aehnliches in Ihrem Briefe aus."

Der Baron strich sich verlegen den Bart; er war in der
eigenen Schlinge gefangen.

„Die Frau Gräfin," fuhr der Geistliche fort, ohne ihm
Zeit zu seiner Verlegenheit zu lassen, „ist gestern mit dem
Spätzuge in T. angelangt. Sie schickte mich heute Morgen
mit dem Frühzuge her, um Erkundigungen bei Ihnen einzu=
ziehen — weshalb ich mich noch wegen meiner so unziemlich
frühen Störung entschuldigen muß. Die Gräfin wünscht
aber vor Mittag die Antwort zu haben, und ich werde

ihr doch einige vorläufige Beruhigung bringen können. Sie denkt heute Nachmittag weiter zu reisen und hofft, ihren Sohn auf dem Bahnhofe zu treffen."

„Rechnen Sie nicht zu sicher darauf, obgleich ich es ihm möglichst an's Herz legte," sagte Dahnow. „Er ist in einer Stimmung, in der er zu allem fähig ist. Sie haben mir übrigens eben eine Inconsequenz so schlagend nachgewiesen, daß ich Sie wohl mit etwas consequenter Schlußfolgerung überraschen darf. Ein Frühzug, der an einen Spätzug schließt, ergibt die geringste Frist zur Befriedigung unserer leiblichen Bedürfnisse. Ich bin überzeugt, Sie haben nur sehr hastig früh= stücken können; darf ich Ihnen einen Ersatz bei mir anbieten?"

Der Kaplan mußte diese Folgerung als richtig anerkennen und nahm den Vorschlag an. Die gereizte Stimmung des jungen Mannes schien ihm nicht ganz unerklärlich, trotzdem es nicht sein Fach war.

Dahnow aber, der sich eines kleinen Privatkellers erfreute und sich auf eine gewisse Frühstückswissenschaft etwas zu Gute that, zauberte, nach einigen geheimen Winken an seinen Groom, bald ein Mahl herbei.

„Also auf unsern Feldzug contre l'amour!" sagte Baron Dahnow, ein Glas mit Sherry füllend und dem Kaplan hinreichend. „Wäre ich nicht ein so arger Ketzer, ich könnte Sie um Ihren Stand beneiden, der Ihnen solche Ruhe in diesen Dingen in Ihrem Alter schon gibt."

„Aber ich möchte nicht auf den Feldzug trinken," gab der Kaplan zurück. „Weiß Gott, wären nicht so ernste Hinder= nisse, ich möchte am wenigsten solches Glück gestört wissen.

Ich bin Ihrer Ansicht, daß es stets furchtbar ist, in anderer
Leute Geschicke einzugreifen. Auf dem Lebenswege dieser
jungen Dame, der ohnehin so schwierig ist, wird dies ein
Stein mehr sein. Möge Gottes Wille es lenken! Wer weiß,
wozu Er ihr diesen Schmerz sendet."

„Sie sind sehr fromm, Herr Kaplan," sagte Baron
Dahnow. „Bah! Weiber vergessen leicht, und schöne beson=
ders finden bald einen Tröster. Wir Beide haben das
Schlimmste von der Sache, nichts als Mühe und Unruhe."

Am Nachmittage befand sich Dahnow zur bestimmten
Stunde auf dem Bahnhofe. Als der Zug schon heranbrauste,
kam auch Degenthal im Reise=Costüm, doch nur eine leichte
Reisetasche mit sich führend.

„Ich werde meine Mutter begleiten, komme aber über=
morgen zurück. Laß mich dann auch dich hier finden," sagte
er zu Dahnow. Es war schon Zeit zum Einsteigen. Eben
erfolgte noch eine kurze Vorstellung Dahnow's an die Gräfin,
welche ihm besonders wohlwollend zunickte; dann setzte sich
der Zug wieder in Bewegung.

„Jedenfalls bis übermorgen!" rief Curt dem Freunde
noch ein Mal aus dem Coupé zu, als wolle er auf diese
Weise auch seiner Mutter gleich seine Absicht kund thun —
dann sauste der Zug weiter.

„Ein bestimmtes Gesicht, die Mama! Mit der ist nicht
gut Kirschen essen," dachte Dahnow bei seiner Heimkehr zur
Stadt. „Am besten würde es sein, wenn die Cousine schön
wie ein Cherub wäre; solche Schwärmer sind zu allem fähig,
obgleich der Junge mehr Willen hat, als ich dachte. Arme

Nora dann! Aber der Kaplan hat Recht: es wäre hart,
wenn jeder Jugendeindruck unauslöschlich wäre." Und Baron
Dahnow seufzte schwer dabei auf!

„Na, in die Hand hab' ich ihn der Frau Mama wieder
geliefert, — mehr thu' ich nicht," setzte er wie gewöhnlich
auch dies Mal hinzu.

VIII.

„Kein Recht soll eine Vogelscheuche werden."
Shakespeare.

„In ihre Hand geliefert" — damit hatte Dahnow sehr
richtig die Summe der Wünsche der Gräfin gekennzeichnet.
Wie alle Frauen, die ein Mal die Leitung einer Sache hatten,
sah sie die Ursache des Unglückes einzig darin, sie eine Weile
aus den Händen gelassen zu haben. Ihr Sohn hatte auf
den Rath des Kaplans, der eine größere Selbständigkeit für
ihn wünschte, die rheinische Universität besucht. Sie war nicht
dafür gewesen, hatte es aber geschehen lassen, und es war
ihr eine Art Trost in allem Kummer, daß derselbe aus einer
ihr entgegenstehenden Meinung entstanden. Es war ein
schwerer Schlag, der sie getroffen. Sie war eine Natur, die
ganz auf Grundsätze gebaut, jede Handlung denselben entnahm;
wie schon ein Mal erwähnt, war ein ernstes Pflichtgefühl stets
die Richtschnur ihres Lebens gewesen. Bei activen Naturen,
besonders bei weiblichen Charakteren, liegt aber eine gefähr=
liche Klippe darin, was alles sie in den Bereich ihrer Pflichten
ziehen, und wie weit sie dieselben über Andere ausdehnen.

Von da bis zur Herrschsucht ist nur ein Schritt, wenn das Herz nicht mildernd dazwischen tritt.

Früh verwittwet, hatte die Gräfin sich mit seltener Energie und wirklicher Aufopferung sowohl der Führung ihrer Geschäfte wie der Erziehung ihrer Söhne gewidmet. Was sie an Zärtlichkeit besaß, gehörte ihrem ältesten Sohne, in dessen weicherm Gemüthsleben sie eine Art Ergänzung fand. Sie hatte ihn dadurch sich ganz zu eigen gemacht, nicht denkend, was Mütter bei Söhnen oft vergessen, daß eben dies hingebende Gefühl, worin ihre Macht liegt, einst eben so ausschließlich in die Hände einer Andern übergehen wird, für die dann das stärkere Gefühl spricht.

Sie hatte den Sohn ihren Grundsätzen gemäß gebildet; es waren kräftige, große Anschauungen, die aber in seinem Gemüthe etwas Idealeres annahmen, sich nicht so an den trockenen Buchstaben banden. Daß aber seine Grundsätze beim ersten Schritt in die Welt hinein nach ihrer Ansicht scheitern konnten, das ließ ihn tief in ihren Augen sinken. Mit mütterlicher Eitelkeit wollte sie den Grund dazu nicht in ihm, sondern in außergewöhnlichen, äußern Einwirkungen finden. Deshalb schob sie alles Unheil auf das ungebundene Studentenleben und auf unwürdige Intriguen. Wenn sie ihn erst wieder in ihren Händen wußte, hielt sie ihn für gerettet. So sah sie es jetzt schon für einen halben Sieg an, daß er ihr gegenüber saß. Dahnow hatte sich geirrt; sie hatte noch im Augenblicke der Abfahrt den Brief des Sohnes erhalten, dessen Bitte sie natürlich wie die Krisis seiner Verblendung ansah, die weiter gar nicht zu beachten sei. Immer in jeder Sache gleich thätig einzugreifen, war aber einer ihrer Grundsätze. So hatte sie sich sofort entschlossen, auf den Gedanken Dahnow's einzugehen, den Sohn heim zu rufen und daheim zu halten. Die Abholung ihrer Nichte aus dem Pensionnat sollte der äußere Vorwand zur Reise sein; im Stillen hoffte sie auch durch die Anwesenheit eines jungen Mädchens die Heimath ihm wieder zu beleben, und später konnte sich daraus die Veranlassung ergeben, eine Saison mit den jungen Leuten in der Stadt zu verleben, um dem Sohne Zerstreuung zu bieten. Sie besaß einen jener Köpfe, die gleich alles bis zum Ende durchdenken und planen.

Aber sie war auch eine kluge Frau darin, daß sie zu schweigen verstand. Kein Wort, was auf die Angelegenheit nur gedeutet hätte, kam über der Gräfin Lippen, während sie auf der langen Fahrt ihrem Sohne gegenüber saß. Die Freude, daß er sie begleite, hatte ihren Empfang wärmer gemacht, als es ihr sonst möglich gewesen wäre, und so blieb Curt ahnungslos, ob sie wisse oder nicht.

Die Geschäftsverhandlung, in welche sie ihn zu verwickeln suchte, und worin der Grund seiner möglichst raschen Heimkehr liegen sollte, trug sie ihm vor, und wußte durch das Interesse daran ihn aus seinem augenblicklichen dumpfen Brüten etwas zu wecken. Die Antwort des Vaters, die der Kaplan ihr gebracht, sah sie eigentlich nur für einen andern Schritt der Intrigue an, hoffte aber doch Vortheil daraus zu ziehen. Für jetzt den Sohn möglichst wenig aus den Augen zu lassen, war ihr einziges Bestreben; sie hatte das dumpfe Gefühl, als könne er jeden Augenblick ihr ent=

fliehen. Am folgenden Morgen war daher ihre erste Bitte, daß er sie in das Pensionnat begleiten möge, wo sie die kleine Lilly von dem Heimweh erlösen wolle, das sie dort nicht verließ.

Curt empfand wenig Luft dazu; doch streiten wir am wenigsten gegen kleine Unannehmlichkeiten, wenn ein großer Kummer uns bedrückt. Er hatte nur dem Gedanken nach= gehangen, wie Nora wieder aufzufinden sei, nachdem die ersten raschen Versuche gescheitert waren, und wie er ihr und dem Vater beweisen könne, daß kein Hinderniß ihm unüberwindlich scheine, wenn es gelte, sein Glück zu erringen. Ueber den Plan, den er dabei innehalten wolle, war er noch nicht klar; der Gedanke, in seine Heimath zurückzukehren, war ihm selbst schon aufgedämmert, da ihm die Universitätsstadt doch für den Augenblick verleidet war, und er von jedem Orte aus seine Nachforschungen fortsetzen konnte. Der Aufenthalt des Vaters wenigstens konnte nicht lange verborgen bleiben.

So begleitete er, um unnützen Widerspruch zu vermeiden, seine Mutter bis an die Klosterpforte. Er wollte sie dort verlassen, die Abgeschlossenheit des Ordens vorschützend. Die Gräfin aber nöthigte ihn zum Eintritt; die Oberin sei eine Jugendfreundin und Verwandte; sie freue sich, ihr den Sohn vorstellen zu können. Gleichgültig gab Curt auch dies Mal nach. Ueber den alterthümlichen kleinen Hof traten sie in das Ge= bäude ein. Die Pförtnerin empfing sie, führte sie in das Sprechzimmer und ging, wie sie sagte, die Frau Oberin zu rufen. Die Gräfin ließ sich auf dem kleinen härenen Sopha nieder. Curt starrte gedankenlos die wenigen Bilder an, die das sonst kahle Gemach zierten. Mutter und Sohn hatten beide zu viel auf dem Herzen, um ein leichtes Gespräch zu führen.

Die Nonne kam nach wenig Augenblicken zurück, zu melden, daß die Frau Oberin gleich erscheinen werde. Sie wollte eben das Zimmer wieder verlassen, als an der Thüre Jemand sie anzuhalten schien, und eine leise Stimme nach der Oberin frug.

„Nein, gehen Sie nicht hinauf, Fräulein," sagte die Nonne, „die Frau Oberin wird sogleich hierher kommen. Sie würden sie oben verfehlen. Treten Sie gefälligst einen Augenblick hier in das Sprechzimmer."

„Ich habe nur ein Wörtchen zu sagen," antwortete die Sprecherin, und das leise Rauschen eines Kleides ward hörbar. „Aber da sind ja schon Fremde," setzte sie hinzu, einen Blick in das Zimmer werfend und auf der Schwelle stehen bleibend.

Graf Curt hatte bei dem ersten Klang der Stimme gestutzt und wandte sich jetzt hastig um. Einen Augenblick starrten sich zwei Augenpaare wie gebannt an.

„Nora, Nora!" schrie er auf, und war schon an ihrer Seite. „Du darfst nicht hier sein! Du hast kein Recht, hier zu sein! Sie sollen dich hier nicht lebendig begraben!" rief er wie außer sich. „Alle Gerichte der Welt werde ich dagegen aufrufen, gegen solche Vergewaltigung. Du bist mein! Du hast es mir selbst gesagt."

Die Gräfin schaute bei den lauten Worten sprachlos vor Entsetzen auf. Sie sah eine junge, schöne Dame in der Thüre stehen, deren Hände ihr Sohn in leidenschaftlichster Weise gefaßt hielt. Sie sah, wie die junge Dame eine abwehrende

Bewegung machte und versuchte, sich aus dem Zimmer zu entfernen. Die Kräfte schienen sie aber dabei zu verlassen, denn plötzlich schwankte sie und lehnte bleich an dem Thürpfosten.

Curt umfing sie im selben Augenblicke. „Gehen Sie und rufen Sie die Oberin," herrschte er die erschrocken dastehende kleine Nonne an. „Gehen Sie augenblicklich und bringen Sie einige Wiederbelebungsmittel mit; Sie sehen ja, daß sie ohnmächtig wird. Die junge Dame ist meine Braut; ich habe ein Recht, für sie zu sorgen."

Dabei hob er Nora mit kräftigem Arme auf und trug sie auf das Sopha, von dem seine Mutter instinctmäßig zurückwich. Die Nonne verschwand; so etwas war in den stillen Klosterräumen wohl nie vorgekommen. Aber mit echt weiblicher Regung hatte sie das größte Mitgefühl mit dem unglücklichen Brautpaar.

Curt kniete indeß vor Nora's Lager nieder. Er rief ihren Namen mit dem zärtlichsten Ausdruck; er bedeckte ihre Hände mit leidenschaftlichen Küssen und beschwor sie, ihm zu sagen, warum sie ihn verlassen habe. Ihre Augen öffneten sich bald wieder; es war nur eine durch den Schrecken veranlaßte leichte Schwäche gewesen.

„Curt," sagte sie leise, und aus ihrem Blicke sprach all' die Liebe, die sie empfand. Plötzlich aber richtete sie sich er= schrocken hoch auf, angstvoll ihn zurückschiebend. Sie hatte Curt's Mutter bemerkt, den strengen, fast verzweifelten Blick gesehen, den sie auf den Sohn richtete.

Auch Curt wandte sich um. „Mutter," sagte er, „dies ist Nora. Sie sollte mir entrissen werden: du selbst führst mich

9*

ihr wieder zu. Es wäre dir vielleicht schwer geworden, sie dir zu denken, wie sie ist; nun fügt Gott es, daß du sie hier findest, daß du selbst sehen kannst, wie sehr sie deiner würdig ist. Ein Brief von mir war schon auf dem Wege, der dir alles sagen sollte; doch jetzt können wir dich hier um deinen Segen bitten."

„Ich habe deinen Brief erhalten," sagte die Gräfin kalt; „doch gibt es Thorheiten, die keiner Antwort werth sind."

„Mutter!" rief Curt heftig, „dann weißt du auch, daß ich diese Thorheit für meines Lebens einziges Glück halte und alles dafür hingeben werde."

„Ich denke, es wäre genug der Scene," sagte die Gräfin wieder. „Ich liebe nicht, Familien=Angelegenheiten vor Frem= den zu verhandeln."

Damit wandte sie sich um, denn die Oberin war eben ein= getreten und sah mit erstaunten Blicken auf die erregte Gruppe. Nora aber sah sie kaum, als sie auch aufsprang und sich ihr weinend um den Hals warf.

„Was ist dir, mein Kind?" frug die Oberin mild.

Curt nahm in großer Erregung das Wort. „Frau Oberin, diese junge Dame wird hier widerrechtlich festgehalten! Selbst wenn sie freiwillig hergekommen, dürfen Sie ihren Worten keinen Glauben schenken, dürfen ihr Gelübde nicht annehmen. Sie ist dazu überredet, geängstigt, gezwungen worden; sie gehört nicht diesem Beruf an: sie hat mir selbst gesagt, daß ihr Herz mir gehöre, hat mir ihr Wort gegeben. Nora, du kannst, du darfst das nicht leugnen!"

„Wer spricht denn von hier festhalten, von Gelübde und Beruf?" entgegnete ruhig die Oberin. „Diese junge Dame ist mit ihrem Vater hierhergekommen, weil sie hier zehn Jahre lang erzogen ward; sie wollte nur einige Tage bleiben und dachte bis morgen wieder abzureisen."

„Nein, Nora, du wirst nicht reisen! Du wirst nicht abermals mir untreu werden! Kann deine Liebe so wenig ertragen? Ist sie zu schwach für etwas Geduld?" rief der junge Mann fassungslos.

„Herr Graf," sagte die Nonne ernst, „so lange die junge Dame hier unter meinem Schutze weilt, kann ich nicht dulden, daß Sie diese Sprache zu ihr führen. Ich weiß nicht, welches Recht Sie dazu haben, kann die Gründe nicht beurtheilen, die Ihre Trennung veranlaßte, noch was Ihre Einigung hindert. Das haben Sie mit dem Vater der jungen Dame und mit Ihrer Familie abzumachen," setzte sie bedeutungsvoll hinzu, indem sie den Blick auf die Gräfin wandte, die mit schmerzlich verzogenen Zügen dastand.

„Liebe Nora," fuhr sie fort, „Sie werden besser thun, sich hinauf zu begeben, wenn Sie stark genug dazu sind."

Nora richtete sich gehorsam auf; zaudernd stand sie noch einen Augenblick still, dann wandte sie sich plötzlich zur Gräfin. „Frau Gräfin," sagte sie, und ihre Stimme hatte etwas ungemein Rührendes in ihrem Ausdruck, „o, ich hatte nicht gedacht, daß das Wiedersehen so herb sein würde! Sie waren so unsäglich gut für die sterbende Mutter — seien Sie nicht hart gegen die Tochter, die Ihnen ihr ganzes Leben

danken wird. Es ist so entsetzlich, die Ursache solchen Kum=
mers zu sein!"

Die Gräfin war zu erbittert und erregt, nur ein Wort
zu verstehen von dem, was Nora sagte.

„Sie haben ihn so fest in Ihre Netze gefangen," sagte
sie kalt, „daß es wenig darauf ankommen wird, wie seine
Mutter dabei fühlt."

Nora richtete sich hoch auf. „Er hat mich aufgesucht, und
ohne meinen Willen haben wir uns heute hier wiedergesehen.
Er ist ganz frei!" sagte sie mit kalter Ruhe, und es lag etwas
in dem Tone, was die Gräfin unwillkürlich aufsehen machte.
Die schlanke Gestalt, wie sie ernst und stolz sich abwandte,
imponirte ihr; das war der einzige Augenblick, wo sie die Ver=
blendung des Sohnes begriff.

„Mutter!" rief dieser aber jetzt außer sich, „versündige
dich nicht an unserm Glück! Ich werde dich bitten können,
aber ich werde auch zu handeln wissen. Nora, sag' mir nur
noch ein Wort!" und er wollte ihr nachstürzen.

Die Oberin vertrat ihm den Weg. „Sprechen Sie mit
dem Vater der jungen Dame, oder suchen Sie sie bei ihm
auf; hier darf ich Ihnen kein Wort mehr erlauben," sagte sie
fest. „So viel ich weiß, wohnt Herr Karsten im P.'schen
Hôtel."

Curt sah in das milde Gesicht der Nonne; es war ihm,
als wenn er eine Bundesgenossin in ihr ahne. „O," bat er,
„wenn Sie die mütterliche Freundin sind, von der Nora mir
so viel erzählt, dann sagen Sie meiner Mutter doch, daß sie
ihrer als Tochter würdig ist."

„Sie besitzt alle Eigenschaften des Geistes und des Her=
zens, die sie zu einer solchen Stellung befähigen," sagte die
Oberin. „Aber, lieber Herr Graf, es gibt Verhältnisse, mit
denen der Mensch sich nicht in Kampf einlassen soll, da er
dies früher oder später fast immer bereut. Es wäre besser ge=
wesen, Sie hätten sich nicht wiedergefunden."

„Aber es ist ja wie eine Fügung Gottes — zum dritten
Male führt er uns so wunderbar zusammen!"

„Was uns angenehm ist, nennen wir gern eine Fügung,
und doch ist es oft nur eine Prüfung," gab die Nonne
mild zurück.

„Ich kann nicht länger hier weilen, ich will einen Wagen
haben, um zurückzukehren," sagte die Gräfin heftig.

Die Oberin wollte schellen; Curt aber erbot sich, selbst
einen Wagen zu holen.

Die Gräfin sank wie geknickt auf dem Sopha zusammen,
sobald er das Zimmer verlassen.

„Clothilde," sagte die Oberin, sie vertraulich wie in ihren
Mädchenjahren anredend, „Clothilde, ich fühle und verstehe
deinen Schmerz, deine bittere Enttäuschung. Aber nimm den
Trost wenigstens: von keiner Unwürdigen hat dein Sohn sich
fesseln lassen. Seit ihrer Kindheit habe ich sie ja erzogen
und, weiß Gott, wäre ihre äußere Stellung eine andere, er
hätte keine bessere Wahl treffen können."

Die Gräfin machte eine ungeduldige, abwehrende Bewe=
gung.

„Ich weiß, wie sehr es gegen deine, gegen meine Grund=
sätze verstößt; ein fremdes Element in einen Stand zu

drängen, thut selten gut. Aber kannst du dir keinen Aus=
nahmefall denken? Bei zwei Charakteren, wie Nora und
dein Sohn, glaube ich nicht an eine flüchtige Leidenschaft.
Es ist eine tiefe, reine Neigung, wie sie in jungen, unverdor=
benen Herzen entspringt. Die eigenthümlichen Verhältnisse
gerade haben sie erstarken lassen; denn auch er hat lange
gekämpft, bis die Liebe siegte über die Kluft, die er kaum
minder empfand als du; — so viel entnahm ich ihren Er=
zählungen, denn sie hat mir ihre kleine Geschichte anvertraut.
Ohne den wichtigsten Grund aber eine wirkliche Neigung zu
trennen, ist bedenklich — du weißt — junge Herzen kehren
sich nicht viel an alte Grundsätze."

„Ich ändere meine Grundsätze nie," sagte die Gräfin herb,
„am wenigsten aber einer verliebten Thorheit oder gemeinen
Intrigue wegen. Es ist meine Pflicht, so zu handeln."

„Die Pflichten, die wir uns selbst auflegen, dünken uns
immer die wichtigsten; das Glück Anderer läßt sich nicht nach
eigenen Wünschen bauen. Clothilde, sei nicht hart, du könn=
test einen Sohn verlieren, anstatt eine Tochter zu gewinnen."

„Sprich nicht mehr davon," sagte die Gräfin ungeduldig.
„Ich lasse mich nie beeinflussen. Ich wünsche übrigens nicht,
daß Lilly von der Sache erfährt; sie ist noch zu jung dazu.
Heute Nachmittag werde ich meinen Caplan senden, um sie
abzuholen. Ich fühle mich zu angegriffen dazu; verschweige
ihr für jetzt meinen Besuch."

Die Oberin versprach es. Curt trat ein, den Wagen zu
melden. Die Mutter nahm seinen Arm nicht an, zu dem
Wagen zu gehen; doch stieg er mit hinein. Stumm saßen

sich Mutter und Sohn gegenüber. Vielleicht hoffte Curt auf ein milderes Wort; aber schweigend langten sie in dem Hôtel an. Curt half seiner Mutter aussteigen, doch begleitete er sie nicht in das Haus. Er rief dem Kutscher nur eine Adresse zu, sprang wieder in den Wagen und fuhr von dannen.

„Wohin fuhr der Graf?" fragte die Gräfin den Kellner, der dienstfeifrig neben ihr stand.

„In das P—'sche Hôtel," lautete die Antwort.

Die Gräfin seufzte tief auf; die Adresse hatte sie ver= standen.

IX.

> Verrathen soll ich, was ich heiß gefühlt?
> Und was ich lieb', auf ewig lassen —?
>
> Loreley.

Nora war nach der Scene des Morgens auf das Zimmer zurückgekehrt, welches sie bewohnte, so lange sie die Gastlich= keit des Klosters in Anspruch nahm. In freundlicher Rück= sicht hatte man ihr früheres Gemach ihr zugetheilt. So saß sie denn wieder auf der stillen Stätte, von der sie so oft sehnsüchtig hinausgeblickt nach dem vollen, unruhigen Leben, und jetzt wogte schon der erste heiße Kampf desselben in ihrer Brust.

Viel hatte sich für sie zusammengedrängt in der kurzen Spanne: das höchste Glück und der heißeste Schmerz, den ein junges Herz empfinden kann. Nun stritten von neuem in ihr all' die Gefühle, und auch der beleidigte Stolz wollte sein Recht.

Siegreich über alle blieb aber der eine Gedanke: „Wir
haben uns wiedergefunden, uns wiedergefunden . . . . und
er liebt mich, — ich weiß, daß ich ihm alles werth!"

Durch die Thränenschauer brach dann immer wieder
seliges Lächeln, und die kleinen Hände legten sich vor die
Augen, als scheue sie sich vor diesem tiefen, heimlichen Glück.
Wie sie da saß und dachte, stiegen die Erlebnisse dieser
Tage vor ihr auf. Es waren ja kaum vierzehn Tage seit
jenem Morgen am Erkerfenster, wo sie das erste gegenseitige
Geständniß mit ihm ausgetauscht, wo sie noch lächeln mußte
über sein arges Mißverständniß, daß sie den Klosterberuf
erwählt haben sollte! Und wie war alles da so unverhofft
über seine, über ihre Lippen geglitten, was seit Monaten
unausgesprochen im Herzen gelegen, wogegen sie Beide gekämpft
und gerungen hatten, und was sie doch in festem Bann
gehalten! O, süß ist der Augenblick, wo die Liebe zum
ersten Male spricht, zum ersten Male sich ganz und voll aus=
tauscht. Hatten sie der Hindernisse dabei gar nicht gedacht?
Gewiß, sie wollten ja Beide so vernünftige junge Leute sein;
aber wie waren in dem Augenblicke alle Schwierigkeiten so
klein erschienen, so leicht zu überwinden! Er war ja frei,
unabhängig, nur ein Mutterherz hatte er zu erweichen, —
wenn der Mensch recht glücklich ist, fühlt er sehr viel und
denkt sehr wenig klar.

Doch vor Nora's Augen trat jetzt auch das zweite Bild:
wie ihr Vater heimgekehrt war — schon alles wissend, noch
ehe sie es ihm vollkommen gesagt. Sein Unmuth war so groß
gewesen; nur als kindische Thorheit hatte er das Ganze betrach=

ten wollen. Wie verschieden kann doch ein und dieselbe Sache beleuchtet werden! War denn das alles nicht dasselbe, was sie mit Curt durchgesprochen? Wie riesengroß wuchsen jetzt die Schwierigkeiten heran, die ihnen so klein gedünkt; wie tief erschien die Kluft zwischen den verschiedenen Lebens=stellungen, wie drohend der Zorn seiner Familie, die tiefe Schädigung seines ganzen Lebensglückes!

Und endlich das entsetzliche Wort des Vaters: „Sie werden denken, wir hätten ihn durch unwürdige Mittel ange=lockt; sie werden deine Schönheit für die Fessel halten, mit der du ihn hältst, um seine Jugend und Unerfahrenheit aus=zubeuten, um zu Rang und Stellung zu gelangen; ja, man wird es aussprechen — man wird glauben, daß wir einen unüber=legten Augenblick zu einem bindenden Worte benutzt hätten."

Nora war wie gestochen dabei zurückgewichen; ihrem kind=lich unbefangenen Sinn war die Ahnung von etwas Schreck=lichem gekommen, gegen das ihr ganzes Sein sich empörte. Da war es gewesen, wo sie ihren Vater fast angefleht: „Schreibe ihm, daß es ein Irrthum war, daß wir scheiden müssen," und mit fester Hand hatte sie selbst jene Worte dem Briefe ihres Vaters beigefügt. „Aber dann," hatte sie damals gesagt, „laß uns auch gleich von hier scheiden, Vater. Hier brennt mir der Boden unter den Füßen. O, laß mich ihn nie wiedersehen! Schicke mich weit, weit von hier zu dem Lande meiner Mutter über das Meer, damit sie nicht glauben können, ich hätte ihn angelockt."

Der Vater, dem der Schmerz seines Kindes zu Herzen ging, um so mehr, da er sich Vorwürfe machte, nicht vorsich=

tiger gewesen zu sein, hatte versucht, sie zu beruhigen. Er hatte selbst gefunden, daß, um dem Verdacht aus dem Wege zu gehen, daß Nora den jungen Grafen an sich ziehen wolle, es am besten sei, daß sie möglichst rasch die Gegend verlasse. Um aber allen extremen Entschlüssen auszuweichen, hatte er ihr einen Besuch auf einige Tage in ihrer frühern Erziehungs= Anstalt vorgeschlagen, wo man Näheres bereden könne. Nora war auf das bereitwilligste auf den Vorschlag eingegangen. Bei der bewährten Freundin ihr Herz auszuschütten, sich Rath und Trost dort zu holen, erschien ihr der erquickendste Ge= danke. Demnach war der Director noch in derselben Nacht mit ihr dorthin abgereist, indeß die Directorin die Auflösung des Haushaltes in der Villa leitete.

Die Oberin hatte ihren Liebling voll Freude aufgenommen. Mit Wehmuth sah sie das Kind so früh schon in einer jener Verwickelungen, die sie geahnt. Sie billigte den Gedanken, daß Nora ihre Verwandten mütterlicher Seits im fernen Westen aufsuche; aber der Director wollte von solcher Tren= nung noch nichts hören. In diesen Zwiespalt war das gänz= lich unvorhergesehene Wiedersehen gefallen: einige Tage später — und Nora wäre Curt vielleicht völlig entrückt gewesen.

Wie aber Nora dies alles jetzt durchdachte, erschien es ihr in neuem Lichte. Wohl hatte sie geglaubt, ein großes Opfer zu bringen; sie hatte das eigene Glück dem seinigen ja unter= ordnen wollen; aber schwer hatte dennoch diesen Morgen sein Wort sie getroffen: „Was, kann deine Liebe so wenig ertragen, ist sie zu schwach für etwas Widerstand?" Ja, jetzt kam es ihr wie Schwäche, wie Untreue vor. Sie hatte gleich ihren

Stolz siegen lassen. Alle die Einwendungen, die ihr Vater gemacht, hatten sie Beide ja vorausgesehen. Sie hatte gleich nachgegeben, während Curt so fest für ihre Liebe eintrat. Würde es denn sein Glück wirklich sein, wenn sie sich ihm entzöge? Welch' tiefes Leid hatte nicht schon gestern aus seinen Zügen gesprochen! Sie fragte sich selbst, ob sie nicht alles hingeben würde für seine Liebe. Warum hatte sie ihn denn geringer beurtheilt?

Und wieder preßten sich die Hände vor das Gesicht. O, was sollte, was mußte sie denn nun thun? Abermals der Liebe entsagen? Abermals ihm entfliehen? Oder mit ihm für alles kämpfen . . . ?

Wer kann sagen, wohin sich in solchen Augenblicken der Entschluß neigt, wenn kein äußerer Anstoß hinzukommt?

Die Sonne stand schon im Nachmittage und vergoldete wie an jenem Tage, als Nora zu der Unterredung mit der Oberin gerufen wurde, die fernen Berggipfel, die man von dem Stübchen aus wahrnehmen konnte. Nora saß noch immer da, versunken in ihre Gedanken. Man hatte mehr= mals angepocht, sie zu den Mahlzeiten zu rufen; sie hatte sich aber mit Kopfschmerz entschuldigt und auch Niemand ein= gelassen. Die Oberin, das wußte sie, konnte erst gegen Abend wieder freie Zeit für sie gewinnen.

Jetzt pochte es wieder, und zugleich ward ihr gemeldet, daß man einen Brief für sie habe. Tausend Ahnungen durch= kreuzten in dem Augenblicke Nora's Hirn; pochenden Herzens nahm sie den Brief entgegen. Er zeigte eine ihr fremde Handschrift, aber das Siegel trug eine Grafenkrone. Der erste Blick sagte ihr, daß er von Curt's Mutter war. Die Gräfin gehörte zu den activen Naturen, die stets in einer Sache handeln müssen: das Einzige, was ihnen den Kummer erträglich macht.

Als sie allein in dem öden Hôtelzimmer saß, wissend, welchen Weg ihr Sohn eingeschlagen, war sie der Verzweiflung nahe. Sie konnte weniger wie Andere ertragen, daß ihre Pläne gekreuzt wurden, daß man ihr Widerstand bot. Eine lange Selbständigkeit, eine maßvolle kluge Leitung derselben hatte sie darin verwöhnt. Sie war sich bewußt, auch dies Mal nur vernünftige Ansichten zu vertreten. Aber das Wort „was thun?" war ihr stets das erste auf den Lippen. Daß ihr Sohn jetzt keinem Rathe zugänglich, machte sie sich klar; die Schilderung aber, die ihre Freundin von Nora entworfen, kam ihr wieder in den Sinn. Nun, wenn sie denn so edel, so wohl erzogen, so jeder Intrigue fern war, dann konnte sie sich nicht in eine Familie drängen wollen, die sie nicht wünschte; wenn es wahr war, daß sie sich zurück= gezogen, dann konnte sie auch es aussprechen, dann mußte sie ihre Liebe seinem Glück zum Opfer bringen. Die Gräfin beschloß, ihr zu schreiben, an ihr Herz, ihren Verstand, ihren Stolz zu appelliren.

Nora saß jetzt mit glühenden Wangen da und las diesen Brief.

„Rauben Sie mir meinen Sohn nicht," lautete der Schluß des Briefes, der erst alle Gegengründe geltend machte; „stehen Sie nicht zwischen ihm und seiner Mutter. Das aber würden Sie thun, wenn er meinen Willen nicht achtete. Ja, Sie

würden auch dann trennend zwischen uns stehen, wenn meine
Macht so weit ginge, ihn davon abhalten zu können; denn
das würde er der Mutter nie verzeihen. Aber man sagt mir,
Sie seien großherzig und edelmüthig — so verzichten sie auf
das, was unter diesen Verhältnissen sein Glück nicht sein kann:
wir Frauen sind opferfähig. Nur wenn er aus Ihrem Munde
hört, daß Ihre Liebe die Kluft nicht übersteigen will, die sie
Beide trennt, wird sein Herz sich beruhigen und sein Ehrge=
fühl, das sich an Sie gebunden glaubt. Sie können ermessen,
welche Kraft des Geistes und Herzens ich Ihnen zutraue,
daß ich diese Bitte an Sie stelle — und unbegrenzt wird
meine Achtung und meine Dankbarkeit für Sie sein."

Das war kein übeler Schluß; aber selbst unbegrenzte
Achtung und Dankbarkeit fallen sehr leicht in die Waagschale
gegen das, was das Herz als sein Liebstes erkennt. Es wäre
der Gräfin vielleicht selbst schwer zu erklären gewesen, warum
sie ihrem Herzen nichts wollte rauben lassen, und doch ver=
langte, daß ein anderes Herz so viel um ihretwillen aufgebe.

Nora las den Brief ein, zwei Mal wieder. Verstand sie
nicht recht, was die Gräfin wollte, hatte der liebevolle Anfang
sie erst in andere Hoffnung gewiegt?

Aber plötzlich sprang sie empor; es war ihr klar gewor=
den, was sie sollte. Was, was verlangte diese Frau von
ihr? Sie sollte zur Selbstmörderin werden an ihrem
eigenen Glück, — sie sollte sich selbst als wankelmüthig und
schwach bezeichnen und ihre Liebe verleugnen? Die leiden=
schaftliche Natur des Vaters regte sich in ihr. „Es wäre eine
Lüge," sagte sie, „es wäre eine Lüge; denn meine Liebe findet

wie die seine nichts unübersteiglich. Ich weiß, daß ich ihn nicht erniedrigen würde," setzte sie mit bebenden Lippen hinzu, „ich weiß, wie gleich unser Denken und Fühlen ist. Ich werde ihn nicht zurückhalten — aber ich werde auch meine Liebe nicht noch ein Mal verleugnen! Er soll wenigstens nicht von mir sagen, daß ich untreu sei und schwach." Alle ihre frühern Zweifel waren geschwunden. Die Röthe brannte noch auf ihren Wangen, als sie auch die Feder schon zur Hand genommen.

„Ihr Herr Sohn ist heute frei, wie er es gestern war," schrieb sie fest und stolz; „denn mein Vater war es, der seine Einwilligung versagte, und ich werde ihm stets gehorsamen. Kein Wort, kein Schritt meinerseits wird Ihren Sohn zurückrufen, wie ich ihm schon ausgewichen bin. Aber ich kann keine Unwahrheit sagen, und die würde es sein, wollte ich das Versprechen der Liebe zurücknehmen, das er als sein Glück von mir gefordert, wollte ich das Gefühl verleugnen, das ich tief im Herzen erkenne und, ich glaube es, ewig für ihn empfinden werde. Ich will mit keiner Unwahrheit von ihm scheiden, denn die hat noch nie einen Schmerz gelindert, noch niemals Heil gebracht. Möge Gottes Wille geschehen, möge Er alles leiten, wie es uns zum Heile gereicht; aber auch meine Liebe ist stark genug, zu warten und auszuharren."

Der Brief war kaum beendet, als er auch schon geschlossen ward und die Schelle die Dienerin rief, die ihn besorgen sollte.

Da stand Nora lange still am Fenster. Wie ein Echo hallten die eben geschriebenen Worte ihr im Herzen wieder, bald feierlich ernst, bald wie spottend und höhnend.

Hatte sie recht gehandelt, für ihre Liebe kämpfen zu wollen, — hatte sie unrecht gethan, das Opfer zurückzuweisen, das den Kampf gleich beendet hätte?

Und die Frage brannte auf ihren Lippen, brannte in ihrem Herzen, bis endlich die treue Freundin erschien.

Madame Sibylle war müde von den Leistungen des Tages, erschöpft von der Erregung des Morgens. Ihre Gedanken waren so lange diesem Gebiete der menschlichen Leidenschaft entfremdet, daß es ihr schwer wurde, sich hineinzudenken. Aber es gibt Herzen, denen die Erde nicht fremd wird mit all' ihrem kleinen Leid, wie nahe sie dem Himmel auch kommen. Madame Sibylle nahm den heißglühenden Kopf des jungen Mädchens zwischen ihre Hände, sah beruhigend in diese brennenden, erregten Augen, hörte, wie es stammelnd von ihren Lippen kam, was als Sturm in der jungen Seele wogte.

„Recht oder Unrecht!" sagte sie mild. „Kind, irdische Liebe ist keine Tugend und kein Fehler — ihr gemäß hast du gehandelt. Keine Pflicht forderte das Opfer, welches man dir auferlegen wollte; keinen Rath hast du gefragt, und vielleicht konnte auch nur dein eigenes Herz dir rathen. Aber eines bedenke auch, mein Kind: es ist nichts Hohes, nichts Ungewöhnliches, wenn man für seine irdische Liebe kämpft oder leidet; das haben die schwächsten Menschen gethan. Vor Gottes Auge ist es gar wenig bedeutend; denn unsere Liebe ist das natürliche Erzeugniß unseres Herzens, die schönste Gabe des Lebens, die reizendste Blume, die der Herr in unser Dasein gesetzt. Aber wer ihren Duft genießen will, muß ihre Dornen mit in den Kauf nehmen; und es sind auch die

Tochter d. Kunstreiters. 10

schärfsten Dornen, die ein menschliches Herz treffen können. Ist deine Liebe dir alle die Leiden werth, die sie bringen kann und unter diesen Verhältnissen wahrscheinlich bringen wird — nun denn!! .... Jetzt hättest du vielleicht mit einem Opfer noch sie überwinden können, — wer weiß, ob du sie nicht mit tausend dir wirst erkaufen müssen. Aber Liebe — das ist auch wahr — wiegt viel auf .... Vielleicht hat der Herr sie dir als Wache an dein Herz gestellt, es vor andern Kämpfen zu bewahren," setzte sie hinzu, und legte wie segnend die Hand auf das junge Haupt, das sich tief vor ihr beugte. „Zum zweiten Male hast du den Kampf anstatt der Ruhe gewählt — möge der Herr dich führen, mein Kind!"

X.

> Wo still ein Herz in Liebe glüht,
> O rühret, rühret nicht daran.
> > Geibel.

Als die Gräfin Nora's Brief erhalten, ging nur ein Lächeln über ihre Lippen. „Ich dachte es mir," war das einzige Wort, welches sie sprach, vielleicht um die Maßregel als von einem andern Einfluß ausgegangen sich selbst zu bezeichnen. Auch sie war allein geblieben die langen Stunden; denn ihr Sohn war seit dem Morgen nicht zurückgekehrt, und den Kaplan hatte sie in das Kloster gesandt, nicht allein um Lilly abzuholen, sondern auch um das junge Mädchen dann noch zu den Sehenswürdigkeiten der Stadt zu führen.

Die Gräfin selbst fühlte sich nach dem Vorgefallenen nicht
fähig, sich mit der Unterhaltung ihrer Nichte zu beschäftigen.
Die Stunden ihrer Einsamkeit hatte die Gräfin aber nicht
unbenutzt gelassen; sie hatte sie ausgefüllt mit Denken, um sich
die Lage der Dinge immer und immer wieder klar zu machen.
Noch ehe Antwort auf ihren Brief kam, der ihr nur ein letzter
Versuch gewesen, hatte sie ihren Entschluß gefaßt. Sie wollte
lieber zugeben, was sich nicht ändern ließ, um Bedingungen
daran knüpfen zu können, als es bis zum Aeußersten zu treiben
und damit jeden Einfluß aus den Händen zu geben.

„Man muß den Kindern ihr Spielzeug lassen, sonst
werden sie erst recht eigensinnig darauf," war so ungefähr
die Summe ihrer Erwägungen, und von dem Augenblicke an
glätteten sich in etwa die Falten auf ihrer Stirne und be=
schäftigte sie sich auf das eifrigste, Notizen auf ein Blatt
Papier zu werfen. Zur Stunde des Abendessens erschien der
Kaplan mit Lilly. Der Blick der Tante fiel auf das junge
Mädchen, das in den letzten Jahren sich nicht vortheilhaft
entwickelt hatte. Die kleine Gestalt, die unbedeutenden Züge
verschwanden fast in der Ueberfülle erster Jugend, und jetzt
mit den verweinten Augen, dem verlegenen Ausdruck, sah sie
unglaublich wenig hübsch und sehr nichtssagend aus. Die
Gräfin wandte sich ungeduldig von ihr ab; das war ihr ein
neuer Strich durch die Rechnung. Wie konnte aus dem nied=
lichen blonden Kindergesicht so wenig Hübsches werden!
Unwillkürlich tauchte Nora's schlanke Gestalt mit dem geistig
belebten Ausdruck vor ihr auf. Mit einem Seufzer kehrte
die Gräfin zu ihren Notizen zurück. Eben, als man sich zur

10*

Abendmahlzeit setzen wollte, kam Curt. Er sah erhitzt und
ermüdet, aber weicher und beruhigter aus. Der Empfang
von Seiten der Mutter war kalt und stumm, obgleich er in
einiger Bewegung ihre Hand ergriff und diese küßte. Auch
während der Mahlzeit, wo die Unterhaltung ziemlich einsilbig
blieb, suchte sein Blick oft den der Mutter. Er schien nur
auf den rechten Augenblick zu warten, um mit ihr zu reden.
Doch dazu wollte die Gräfin es entschieden nicht kommen
lassen. Kaum war das Abendessen beendet, als sie sich erhob,
um sich zurückzuziehen, und nur den Kaplan noch zu sich
beschied. Curt's Stirne faltete sich wieder, und der weiche
Ausdruck schwand aus seinen Zügen. Einen Augenblick blieb
er zaudernd stehen, als wolle er der Mutter folgen; dann
aber besann er sich eines andern, und seiner Cousine nur
ein kurzes „Gute Nacht" wünschend, zog auch er sich zurück.

Die arme kleine Lilly! Dieser erste Abend in der Welt
war ein trüber Anfang. Sie hatte sich auf das Wiedersehen
mit dem Vetter gefreut, und er hatte kaum ein Wort mit ihr
gewechselt, sie kaum eines Blickes gewürdigt. Daß zwischen
Mutter und Sohn etwas vorgefallen, bemerkte sie wohl; sie
schob darauf seine Mißstimmung, nahm aber mit dem esprit
de corps der Jugend sofort Partei für ihn gegen die Tante.

Am andern Morgen, noch ziemlich zeitig, hielt am P.'schen
Hôtel eine Droschke, aus welcher der Kaplan stieg. Er ließ
sich beim Director Karsten melden. Der Director war mit
Schreiben beschäftigt, sprang aber, als ihm der Gast gemeldet
wurde, sofort auf und ging ihm entgegen. Nach zwölf Jahren
standen die beiden Männer wieder einander gegenüber.

Der Kunstreiter streckte dem Geistlichen die Hand hin. „Sind die Jahre spurlos an Ihnen vorübergegangen?" frug er, erstaunt ihn musternd. In der That, die Ruhe und der Friede im Ausdruck ließen ihn jetzt so viel jünger erscheinen, als der Ernst seines Berufes ihn damals älter aussehen machte.

Die Männer schüttelten sich die Hände. „Kommen Sie als Botschafter?" sagte der Director lächelnd. „Dies leidige Wiedersehen hat einen Proceß erneuert, den ich glücklich ab= geschnitten zu haben glaubte. Sagen Sie der Gräfin, es sei nicht mein Wunsch, nicht mein Wille, und sie könne es nicht mehr beklagen, als ich es thue. Ich hätte vorsichtiger sein sollen. Aber in Folge der Erziehung, die wir dem Kinde gaben, konnte nur ein Umgang dieser Art ihr zusagen. . . . . . Zu diesen Kreisen wird sie sich immer hingezogen fühlen," setzte er mit verdüsterter Miene hinzu; „aber ich hielt die Kluft für zu tief, um an ein Ueberschreiten zu denken — besonders bei des jungen Grafen ernstem Sinne und strengen Ansichten."

„Ich komme als Vermittler," sagte der Kaplan. „War Graf Curt gestern bei Ihnen?"

„Ja, mehrmals, da er die ersten Male mich nicht fand. Er wiederholte mir seine Bitte, und ich ihm meine Antwort. Der junge Mann hat seine Sache ernst und heiß vertreten: ich glaube an die Ehrlichkeit seiner Absicht, an die Tiefe seiner Neigung — wie der meines Kindes. Es ist hart, ein solches Loos zurückweisen zu müssen. Sie ist von ihrer Mutter Art und versteht zu lieben; sie wird tief unglücklich sein — und sie ist mein einziges Kind!" Er war unruhig auf und nieder gegangen; plötzlich blieb er vor dem Kaplan stehen. „Der Stolz ist ein eigen Ding; aber Sie von Ihrem Stand= punkte aus sagen ja, man müsse ihn beugen. Ich wiederhole es, sie ist mein einziges Kind, und weiß Gott, wie ich sie sonst glücklich machen kann! Glauben Sie, es sei möglich, daß die Gräfin sich Vermittelungsvorschlägen zugänglich zeige?"

„Ich komme selbst mit solchen," sagte der Kaplan. „Auch die Gräfin hat gedacht, es sei vielleicht nicht thunlich, gegen den Strom zu schwimmen. Ich bin beauftragt zu fragen, ob Sie, ob Ihre Fräulein Tochter die Bedingungen eingehen würden, an welche die Gräfin ihre Einwilligung knüpft."

„Nun!" sagte der Director, sich heftig auf einen Sessel werfend, „reden Sie! Hier waren die meinen," setzte er hinzu, die Hand auf ein eben beschriebenes Blatt legend.

„Die Gräfin will ihre Einwilligung nicht vorenthalten, wenn das junge Paar zwei Jahre die Treue und Beständig= keit seiner Beschlüsse prüft. Sie wünscht aber, daß sie während dieser Zeit sich nicht sehen und in keinerlei Verbindung treten — schriftliche Mittheilungen nur in den äußersten Fällen. Bis zum Ablauf dieser Frist soll die Sache allen Andern gegenüber das tiefste Geheimniß bleiben. Halten die jungen Leute diese Bedingungen streng ein, so will sich die Gräfin auch fest an ihr Wort gebunden erachten, und Fräulein Nora als Tochter dann willkommen heißen. Bei einem Zuwider= handeln gegen diese ihre Wünsche würde sie sich auch nicht für verpflichtet halten."

Der Director hörte schweigend zu; nur drehte er heftig die Spitzen seines Bartes. „Die Gräfin rechnet auf den

Wechsel der Dinge, auf den Lauf der Zeit," sagte er nach einigen Minuten Schweigens. „Vielleicht thue ich es nicht minder, wenn ich diese Bedingungen annehme. So mag es sein! . . . . Die jungen Leute müssen sich der Probe fügen; sie ist nicht zu viel für so ungewöhnliche Wahl. Aber sagen Sie der Gräfin, daß ich ihre Absicht verstände und ihre Hoffnung vollkommen theilte." Plötzlich sprang er auf und ging abermals unruhig auf und nieder. „Aber ich will meinem Kinde auch eine Brücke bauen," fuhr er nach kurzer Pause fort. „Ich will eine Schwierigkeit heben, die existirt, wenn die Frau Gräfin auch mir gegenüber sie nicht erwähnt. Ich weiß, wie die Lage des jungen Grafen ist, welche Vortheile ihm entgehen, wenn er seine Cousine nicht heirathet. Diese Vortheile kann ihm des Kunstreiters Kind wenigstens ersetzen! Sagen Sie also der Frau Gräfin, meine Tochter brauchte nicht auf einen Grafen zu fahnden; es würden vielleicht noch manche sich glücklich dünken, sie zu erringen. Das ist ihre Mitgift am Tage der Hochzeit." Er wies auf das Blatt Papier, das er eben beschrieben.

Erstaunt über die Höhe der Summe fuhr der Kaplan zurück, und der Director sah mit einem befriedigten Lächeln sein fast bestürztes Gesicht.

„Das verachtete Gewerbe war so übel nicht," sagte er etwas satirisch. „Es hat meiner ersten Frau Vermögen ver= vierfacht und die Hälfte ist sofort Nora's Eigenthum. Die Gräfin kann leicht Erkundigungen einziehen, da ich meinen Besitz bei Banquiers hinterlegt habe; auch bin ich zu jeder fernern Auskunft bereit. Aber sagen Sie noch mehr: denn ich weiß, goldene Brücken genügen da nicht allein. Sagen Sie, meine Tochter habe die Berechtigung, einen andern Namen zu führen als den meinigen, der vielleicht etwas zu weltbekannt ist. Sie mag den ihres Großvaters wieder annehmen, der ein guter, alter französischer Name war, und für dessen Nachweis ich die Papiere noch werde vorbringen können. Sie wird dann vollständig von mir losgesagt sein," fuhr er fort, und seine Stimme zitterte etwas. „Aber ihre Mutter sagte sich auch mir zu Liebe von allem los, und ich will bei dem Kinde nicht kargen."

Der Ausdruck des Schmerzes bei den letzten Worten machte ihn wieder zu dem Manne jener Tage. Der Kaplan sprang auf und faßte seine Hände. „Sie thun viel," sagte er, „den Weg zu ebnen, und die Gräfin wie Graf Curt werden es gewiß sehr anerkennenswerth finden."

„Das ist kaum genug!" sagte er, den Kopf schüttelnd, „und bei der Anschauung des Standes auch gerechtfertigt. Was den Einzelnen auch ein Mal hart trifft, hebt kein Princip auf. Besser wäre es gewesen, damals anders zu handeln; dann wäre sie meinen Weg gegangen und nicht in diese Verwickelungen gerathen!"

„Um vielleicht in tiefere und schlimmere zu sinken," sagte der Kaplan ernst. „Die Mutter bangte nicht allein für das Glück, sie bangte für die Seele ihres Kindes."

„Ja, das ist so die fromme Anschauung der Sache," sagte der Director leicht. „Das Leben schleißt die aber ab; wir Weltleute müssen die Dinge nehmen, wie sie sind. An meiner Seite wäre Nora jetzt die gefeierteste Schöne des Tages, der

Gegenstand meines Stolzes, während ich diesen jetzt für sie
beugen muß . . . . und nichts von meinem Kinde habe. . . . .
So geht's in der Welt!"

Der Kaplan antwortete nicht auf seinen Einwurf; er sah,
wie die Zeit den Director allmälig mehr seiner frühern An=
schauungen beraubt, ihn immer tiefer in seinen jetzigen Kreis
herabgedrückt hatte.

„Und werden Sie selbst nie daran denken, sich Ruhe zu
gönnen, sich aus diesem aufregenden Treiben zurückzuziehen,
da Ihnen so reiche Mittel zu Gebote stehen?"

Der Director zuckte die Achseln. „Reiche Mittel! Man
braucht viel, mein Lieber, und wer weiß, für wen ich noch
zu sorgen bekomme. Ich kann ein Mal nicht die Hände in
den Schooß legen, und Sie sehen, ich gedeihe ja dabei," setzte
er lächelnd hinzu. „Doch nun lassen Sie uns sehen, daß
wir unsere jungen Leute zur Ruhe bekommen. Die Geschichte
hat mir schon viel Zeit gekostet, und ich muß in diesen Tagen
zurück."

Der Kaplan stand auf; sie schieden auf die freundlichste
Weise, der Director in der ihm eigenen ritterlichen Art. Und
doch, ungeachtet des durchaus uneigennützigen und edeln Be=
nehmens, das Karsten in der Angelegenheit entwickelt, nahm
der Kaplan einen unangenehmen Eindruck mit fort. Es war
ihm, als sehe er diesen Mann abwärts gehen — noch ein
unmerkliches Sinken, dem aber bald ein rasches folgen konnte,
wenn die Elasticität der Jugend und der Ehrgeiz des Mannes=
alters nicht mehr widerstanden. „Kein Mensch kann sich dem
Einfluß seines Lebenskreises entziehen," dachte er. „Möge

Gott dem armen Mädchen bald den Hafen geben, wo es
Sicherheit findet."

Curt hatte eine unruhige Nacht gehabt, denn das Begegnen
mit seiner Mutter an dem Abende hatte seinen ganzen Trotz
wachgerufen. Nach der Unterredung mit dem Director war er
in der Absicht gekommen, die Mutter zu bitten, sie anzuflehen,
ihr zu beweisen, daß nicht Leichtsinn, nicht Leidenschaft ihn
zu diesem Schritt geführt. Aber — sollte es Kampf sein —
nun wohlan! Tausend Pläne, um seinen Willen durchzusetzen,
hatte er in seinem Kopfe gewälzt; fest entschlossen war er,
jedem Ansinnen entgegen zu treten, das ihn von Nora trennen
würde. Lieber wollte er alles aufgeben, seine ganze Stellung
als Erbe und Aeltester opfern, als seinem Glücke entsagen.

Den aufregenden Gedanken war erst spät ein schwerer
Schlaf gefolgt, der bis tief in den Morgen währte. Jugend
härmt sich selbst in den Schlaf hinein, während im Alter sogar
die Freude ihn verscheucht.

Als Curt erwachte, war die erste Nachricht, die ihn über=
raschte, die, daß seine Mutter und seine Cousine schon abgereist
seien. Die Aufklärung darüber sollte ihm durch den Kaplan
werden. Er hatte aber lange auf denselben zu warten, was
seine Ungeduld und seine Vorsätze nur steigerte.

Endlich kam derselbe mit den überwältigenden Nachrichten.
Wenn es aber etwas Unangenehmes gibt, dann ist es, seine
moralischen oder physischen Kräfte zu einer großen Anstrengung
auf einen Punkt gesammelt zu haben, der plötzlich ohne unser
Zuthun uns unter den Händen nachgibt. Es ist das ein
Rückschlag der widerwärtigsten Art. Curt empfand ihn auf

das peinlichste. Was er sich selbst hatte erringen wollen, wofür er seinen ganzen Muth, seine Thatkraft angespannt, das ward ihm hingebracht wie ein Spielzeug, nach dem das Kind zu heftig verlangt, — mit der durchleuchtenden Ueber= zeugung, daß er so am leichtesten dessen müde werden würde. Doch eben um deshalb konnte und durfte er ja den Vor= schlag nicht zurückweisen; jeder Einwurf wäre ein Mißtrauen in die eigene Festigkeit gewesen.

Zu einer dankbaren Freude konnte er es aber auch nicht bringen, trotz der mild beruhigenden Worte seines Freundes. Ein Stachel blieb ihm in der Brust, der seine ganze Empfind= lichkeit reizte, eine Stimmung, die leicht neue Nahrung sucht und findet.

Als er gegen Abend zum Director ging, dort das bindende Wort mit Nora auszutauschen, traf er es nicht glücklich.

Im Vorzimmer des Directors fand er einige Individuen seltsamer Erscheinung aus jenen Kreisen, die dem berühmten Manne ihre Dienste anboten. Einer derselben, eine schlanke Gestalt mit schwarzer, langer Künstlermähne, verabschiedete sich eben von Herrn Karsten, und Curt hörte noch die Ver= sicherung, die dieser gab: „wie sehr er sich freue, ihn in seine Gesellschaft aufzunehmen".

Die durchdringenden Augen des übrigens sehr schönen Mannes, der nur seine semitische Abstammung nicht verleugnen konnte, streiften herausfordernd den jungen Grafen, in dem er wohl einen Stelle=Suchenden witterte. Curt's kalter, stolzer Blick, wie des Directors mehr feierliches Entgegenkommen schienen ihn darüber zu beruhigen.

Der Director führte Curt sofort in ein anderes Gemach. „Leider unvorhergesehen Geschäftliches," sagte er entschuldigend. „Ich muß selbst hier meine Zeit nützlich ausbeuten, und bin von Anfragen fast erdrückt."

Curt verbeugte sich verbindlich; aber zum ersten Mal trat ihm widerwärtig entgegen, welchen Kreisen er Nora entnehme, und er faßte den Entschluß, daß sie die zwei Jahre nicht dort zubringen sollte.

Gut war es, daß in diesem Augenblicke ihr liebliches Gesicht an der Seite ihres Vaters vor ihm auftauchte und mit seinem ganzen Zauber auf ihn wirkte. Mit ihrem Lächeln schwanden alle Bedenken, und in dem seligen Gefühle des sich Angehörens ging alles Uebrige unter.

Nora war von dem raschen Wechsel der Dinge fast über= wältigt worden; sie hatte dem Vater kaum glauben können, als er ihr die Nachricht gebracht. War es die Wirkung ihres Briefes, der Ausspruch ihrer Festigkeit gewesen, die das bewirkt? Sie hätte das so gern geglaubt! Oder, und das nahm sie noch lieber an, war das Herz der Gräfin wirklich gerührt worden? Ihr kostete es keinen Kampf, das Dargebotene anzunehmen; sie fühlte nur jubelnd das Glück davon, und begriff nicht recht, daß der Vater gleich der Oberin die Wendung der Dinge weniger freudig auffaßte.

Eine Bedingung war ja so natürlich, und zwei Jahre — was waren zwei Jahre der Prüfung? Auf zwanzig war sie gefaßt gewesen, das sagte lachend ihr Mund, sagte strahlend ihr Auge. Zwei Jahre sind ja so unendlich wenig, wenn das ganze Leben noch vor uns liegt.

Sie befaß noch die felige Unerfahrenheit der Jugend, aber auch die Feftigfeit einer alles ausfüllenden Liebe, und das ließ fie die Zeit fo leicht nehmen.

Drei Tage verlebte Curt noch in der Stadt, — drei Tage, die er fich erobern wollte von feiner Prüfungszeit, ehe der ftrenge Bann des völligen Geheimniffes und der vollftändigen Trennung eintrete. Um das erfte ficher bewahrt zu wiffen, wollte er nur auf die kürzefte Frift zur Univerfitätsftadt zurückfehren und dann, Gefchäfte vorfchützend, auf feine Güter gehen, der Mutter dort beizuftehen. Sein an fich weicher Sinn fehnte fich danach, den Platz in ihrem Herzen wieder= zugewinnen und ihn auch für Nora vorzubereiten. Was that es ihm, wenn die Welt für den Augenblick vielleicht andere Schlüffe aus feiner rafchen Abreife ziehen werde, fo lange er felbft feines Glückes fich bewußt war, mit dem er einft öffentlich fich rechtfertigen fonnte?

Was Nora betraf, hätte er gern einen Ausweg gefunden, der fie der Kunftreiter=Gefellfchaft entfremdete; doch fträubte fich ihre kindliche Liebe, jetzt fchon ihren Vater ganz zu ver= laffen. Der Director aber hatte einen Vermittelungsvorfchlag. Schon lange war es feine Abficht gewefen, fich irgendwo eine feftere Heimath zu gründen, befonders jetzt, wo im Laufe des Jahres feine Frau neuen Pflichten entgegenfah. Er wollte daher in der Nähe irgend einer fchön gelegenen Stadt eine Villa zu faufen fuchen, und dort mochte Nora dann diefe Zeit verleben, in Gefellfchaft ihrer Stiefmutter oder einer Gefellfchafterin, wenn jene wieder ihren Mann begleiten follte. Der Vorfchlag wurde allem gerecht, und fo bot felbft die

Trennung eine süße Zuversicht, die sie den Liebenden erträg=
licher machte.

XI.

Das ist der Frauen seine Kriegskunst,
Daß sie, den Kampf ablehnend, dennoch siegen.
Raupach.

Einige Monate nach diesen Ereignissen siedelte die Gräfin
mit ihrer Familie in die Residenz über. Es war das erste
Mal seit ihrer Wittwenschaft, daß sie aus ihrer ländlichen
Zurückgezogenheit heraustrat. Die Anwesenheit ihrer jungen
Nichte, die in der Gesellschaft auftreten sollte, wie der Ent=
schluß ihres Sohnes, zur diplomatischen Carrière überzugehen,
gab vor der Welt die besten Gründe dafür. Und doch wun=
derte sich die Welt gerade darüber. Die Menschen bezeichnen
ja den kleinen Kreis, in dem sie leben, immer großartig mit
dem Namen „Welt".

Nun, diese Welt fand die Nichte noch sehr jung, um schon
ausgeführt zu werden, und war noch erstaunter über Graf
Curt's Absicht, eine staatliche Laufbahn einzuschlagen, da ihm
als ältestem Sohn und Besitzer der ausgedehnten Güter sein
Lebensweg so viel einfacher vorgeschrieben schien. Einige wit=
terten einen klugen Schachzug der Mutter darin, damit sie
die lange geführte Herrschaft nicht abzugeben brauche; Andere
sahen es als einen Ausweg des Sohnes an, sich der Ein=
wirkung der Mutter zu entziehen. Die Welt hatte Recht und
Unrecht — wie immer. Im gewöhnlichen Lauf der Dinge

würde die Gräfin siebenzehn Jahre entschieden zu jung für
Lilly befunden haben; sie hätte ihr mindestens noch einen
Winter ländlicher Ruhe decretirt. Ganz sicher würde sie auch
für ihren Sohn nichts weniger als eine Staats=Carrière ge=
wünscht haben, sondern hätte seine sofortige Einführung in
die Verwaltung der Güter für nöthig erachtet, um ihn an Ort
und Stelle zu fesseln. So aber mußte sie von all' ihren
Grundsätzen abweichen; denn ihre Absicht war es nicht, nun
der Sache ruhig ihren Lauf zu lassen, wie beruhigend auch
die Vorschläge des Directors gewesen waren, die ihr eigentlich
jedes Recht weitern Einwurfes nahmen. Sie sah das ein;
es reizte sie fast, daß es so war. Im schlimmsten Falle
mochte die glänzende Vermögenslage der Kunstreiterstochter
freilich die Sache erleichtern, — aber bis das Verhältniß
unwiderruflich war, hielt die Gräfin für Pflicht, alles dagegen
zu versuchen, was in den Grenzen des Erlaubten lag.

Ein stilles Landleben schien ihr wenig geeignet, des Sohnes
Gedanken abzulenken, besonders, da auch Lilly gar kein Wesen
war, das einen häuslichen Kreis beleben, oder Anziehungskraft
ausüben konnte. So gab sie jeden Gedanken in der Richtung
auf und hoffte auf den Einfluß einer neuen Thätigkeit und
die Zerstreuungen der großen Welt. Curt's Unbekanntschaft
mit der Welt maß sie ja den tiefen Eindruck bei, den er
empfangen, und glaubte dort auch die beste Gegenwirkung zu
finden. Der Vorschlag, die diplomatische Laufbahn zu ver=
suchen, war daher von ihr ausgegangen, um ihn auf diese
Weise zu einem Aufenthalt in der Residenz zu vermögen.
Da sie ihn auch dort nicht aus den Augen verlieren wollte,

schützte sie Lilly's Einführung in die Gesellschaft vor, um selbst dahin überzusiedeln.

Curt war der Gedanke nicht unangenehm, eine Carrière zu betreten, die sich einem jungen Manne von Namen und Vermögen leicht eröffnet und, ohne zu anstrengende Beschäftigung, ganz dazu angethan ist, den Kreis der Anschauungen zu erweitern. Das, was zwischen ihm und der Mutter lag, was sie aber nie berührte, machte ihm das Zusammenleben mit ihr peinlich, und der enge Cirkel einer beobachtenden Nachbarschaft hatte etwas Drückendes. Die Aussicht auf ein Feld geistiger Thätigkeit, der größere Kreis der Geselligkeit, in dem das Einzelne mehr verschwindet, die Möglichkeit vielleicht, auf einige Zeit in eine andere Gegend versetzt zu werden, machten ihm den Vorschlag annehmbar.

Der Salon seiner Mutter nahm in den geselligen Kreisen bald einen namhaften Platz ein. Der Glanz eines alten Namens und der angesehensten Verbindungen übte eine doppelte Anziehungskraft aus bei dem Vorhandensein einer jungen Erbin, wie Lilly eine war, und eines Majoratsherrn, der nach der Welt Ansicht bald auf Freiersfüßen zu gehen hatte. Natürlich nahm man sofort an, daß die Gräfin nichts dringender wünsche und beabsichtige, als die Verbindung dieser Zwei; doch hielt das unternehmende Gemüther nicht ab, ihren eignen Plänen nachzugehen, um so mehr, als die jungen Leute nichts weniger als Gelegenheit gaben, ihre Namen zu verknüpfen. Curt verhielt sich seiner kleinen Cousine gegenüber ganz passiv. Wenn man ihn auch stets im Salon seiner Mutter fand, lebte er doch sonst so zurückgezogen, als es eben mit dem Leben in

der Residenz vereinbar war. Seine Studien schienen ihn
wirklich in Anspruch zu nehmen, und der jungen Damenwelt
setzte er eine so kühle, gleichmäßige Liebenswürdigkeit entgegen,
daß es sie schier verzweifeln machte, da nicht Eine sich auch
nur einer vorübergehenden Auszeichnung rühmen konnte.

Vielleicht sah die Gräfin schon etwas ungeduldig auf sein
Treiben, vielleicht hatte sie mehr von ihrem Mittel erwartet.
Der Carneval war in seinen letzten Tagen, als sie noch ein
größeres Fest gab, wo so ziemlich die beau monde der Ge=
selligkeit sich vereinte. Graf Curt machte die Honneurs an
der Seite seiner Mutter mit jener liebenswürdigen Leichtigkeit,
die ihm eigen war, aber auch mit jener Ruhe, die nur vor=
handen ist, wenn man ganz unberührt und frei der Gesellschaft
gegenübersteht und sie kein einziges persönliches Motiv bietet.

„Was für ein charmanter Cavalier Ihr Sohn ist,“ sagte
ein alter Herr, eine Excellenz und Gesellschaftsautorität, eben,
zur Gräfin sich niederbeugend, die im Kreise einiger der
ersten Damen am Eingang des Tanz=Salons Platz genommen.
„Vollendet guter Ton, geistvoll und schön, recht der Stolz einer
Mutter —“

Die Gräfin neigte leicht das Haupt in Anerkennung der
Schmeichelei über ihren Sohn; aber ein fast unmerkliches
Zucken in den Zügen deutete an, daß sie trotz allem nicht so
ganz damit einverstanden war.

Die alte Excellenz bemerkte dies; es war eine schlaue,
weltkundige Excellenz und eine neugierige obendrein, die gern
den Sachen auf den Grund kam. „Ich habe ihn bewundert,“
fuhr er fort; „denn selten habe ich einen jungen Mann

165

von so festen Grundsätzen gesehen. Er hat sich so wenig von den Vergnügungen unserer Weltstadt hinreißen lassen, daß es besorgt machen könnte für später. Sie wissen ja, meine Gnädige: wir müssen unsere Zeit des Leichtsinnes haben."

„Wenn das eine Nothwendigkeit ist, wird auch mein Sohn schon diesen Zoll zahlen," sagte die Gräfin so herbe, daß man daraus verstehen konnte, wie sie wohl Erfahrungen darin gemacht.

Der alte Herr wurde jedenfalls noch neugieriger. Was konnte sie an ihrem Sohne auszusetzen haben, über den der übelste Leumund schwieg? „Will er sich vielleicht dem Willen der Frau Mama nicht fügen in Bezug auf das kleine Goldvögelchen da?" dachte er, indem sein Blick Curt streifte, der sich eben sehr kaltblütig von Lilly abwandte, die schüchtern mit einer Frage ihm genaht.

„Wir werden Ihren Herrn Sohn bald scheiden sehen, wie mir anvertraut worden ist," eröffnete er nach kurzer Pause eine neue Attaque. „Unsere junge Damenwelt wird Trauer anlegen, wenn er ihr auch ein eisernes Herz entgegensetzt; keine dieser Schönen wird sich rühmen können, ihn gefesselt zu haben."

„Er ist noch zu jung, sich zu binden," sagte die Gräfin anscheinend gleichmüthig. „Aber wenn Sie so eingeweiht sind, mein Bester, dann verrathen Sie mir gütigst: wohin beabsichtigt man, meinen Sohn zu senden?" Eine sichtbare Unruhe sprach dies Mal aus ihrem Blicke.

„Diplomatisches Geheimniß!" lächelte der alte Herr. „Ueberdies fürchte ich, meiner liebenswürdigen Wirthin den Abend zu verderben; die Mamas lieben die weiten Trennungen nicht."

„Ach, reden Sie nur, wenn Sie wissen," sagte die Gräfin sichtlich ungeduldig. „Man schickt ihn doch nicht nach Nord= deutschland?"

„Gerade entgegengesetzter Richtung; aber noch etwas weiter, meine Gnädige: zu Niemand Geringerm als Seiner türkischen Majestät wird er den Weg einschlagen müssen. Doch wenn liebenswürdige Frauen es wünschen, läßt sich immer bei einigem Einfluß noch etwas ändern," setzte er leiser flüsternd hinzu. „Unsere Attachés sind keine so wichtigen Persönlichkeiten, daß der Staaten Gleichgewicht von ihnen abhängt."

„O, warum?" sagte die Gräfin rasch. „Es ist ja recht gut so. Wir Mütter dürfen die Söhne nicht an uns fesseln wollen. Baron X., der Gesandte dort, ist überdies ein alter Bekannter unserer Familie," setzte sie wie erklärend hinzu. „Aber Excellenz sind doch stets der Eingeweihte," fuhr sie dann mit ihrem liebenswürdigsten Lächeln fort. „Wo Sie nicht überall Ihre feinen Fäden haben! — Sie sind ein ganz gefährlicher Mann."

Die alte Excellenz lächelte auch, denn sie liebte es sehr, für einen Mann zu gelten, der sich trotz des a. D. noch eines großen Einflusses erfreute. Als die Gräfin aber jetzt aufstand, eine Neuangekommene zu begrüßen, blickte er ihr doch kopf= schüttelnd nach. „Eine wahre Semiramis! Aber ich möchte wissen, warum die ihren Aeltesten so weit in die Welt ge= schickt haben will. Es scheint wirklich, als ob er ihr zu ge= schwind groß geworden! — O, die Frauen, die Frauen! Sollte man das den niedlichen, schüchternen Dingern ansehen, was aus ihnen werden kann?"

11*

Mit dem „niedlichen, schüchternen Ding" meinte die alte Excellenz dies Mal Lilly, die in seiner Nähe stand, wie immer rosig, schweigsam und mit verlegen ängstlichem Blick. Lilly machte bei den ältern Herren meistens Glück. Ihre Frische, ihre kleine Gestalt, ihr kindliches Wesen gefiel da, indeß die junge Herrenwelt sie durchgehend für langweilig und unbedeutend erklärte. Nur ihr Ruf als Goldtöchterchen und das Anrathen weiser Familienmütter führte ihr Anbeter zu, denen gegenüber sie sich aber sehr passiv verhielt, bei Allen gleich schweigsam blieb, gleichmäßig erröthete und gleichmäßig lächelte.

Feine Beobachter wollten bemerkt haben, daß ihr Blick am meisten ihrem schönen Vetter folge, der ihr jedenfalls am wenigsten Anlaß dazu bot. Er mied sie sichtlich, und auch jetzt eben hatte er sie fast rauh stehen lassen, um mit stürmischer Freude seinen Freund Dahnow zu bewillkommnen, den eine Reise plötzlich in die Residenz gebracht und der durch die dringende Einladung der Gräsin noch zu dem Feste zugezogen war.

„Du bist aber nicht sehr höflich gegen deine Cousine," sagte Baron Dahnow abwehrend, als sein Freund, ihn umschlingend, ihn in ein Nebengemach zog. „Du warst ja im Tanz mit ihr."

„Ach was, — unter Verwandten! Warum holt sie mich auch in der Damen-Tour! Aber nun sage, wie kommst du jetzt gerade am Ende des Carnevals noch her?"

„Eine Reise-Tournée ehe ich mich in alle Sorgen meiner Examen-Arbeiten stürze. Deine Cousine kann übrigens noch recht hübsch werden, wenn sie sich etwas herausarbeitet; sie hat einen allerliebsten Zug um den Mund."

„So?" sagte Curt. „Möglich; sie gehört zu den Wesen, die für mich gar nicht existiren."

„Aber du existirst für sie! Sie that mir ordentlich leid mit ihrem traurigen Gesichtchen, wie du sie so ohne weiteres stehen ließest."

„Dummes Zeug, was man ihr als Kind in den Kopf gesetzt hat, und was sie sich jetzt aus dem Sinn schlagen muß. — Dahnow, ich habe meinen Talisman. Schreiben wollte ich es dir nicht, aber sieh' hier." Curt zog ein ver= steckt gehaltenes Medaillon hervor und öffnete dasselbe; es zeigte den reizendsten Mädchenkopf.

„Ah, wundervoll!" sagte Dahnow. „Also doch! — Als du so schweigsam bliebst, so rasch dich entferntest, dachte ich, es sei alles aus. Also du denkst noch an's Ziel zu kommen?"

„Bin daran, wenn du es so nennen willst; denn es hängt nur von Bedingungen ab. Meine Mutter hat zwei Jahre Frist und zwei Jahre Geheimniß verlangt — und das läßt sich aushalten. Verlautete am Rhein irgend etwas darüber?"

„Wenig; man dachte einfach, deine Mutter habe dich ver= nünftiger Weise heimgerufen, und da der Director mit seiner Familie auch bald abreiste, war die Sache vergessen. Stu= dentenliebe wird nicht hoch taxirt."

„Nous verrons!" sagte Curt trocken, sich den kleinen Bart streichend, und einen Augenblick noch in den Anblick des Medaillons versenkt.

„Wo ist sie jetzt?" frug Dahnow.

„In einer Villa bei D., die er vor kurzem gekauft hat. Sie wird dort die zwei Jahre verleben. Ich hasse es, sie bei der Bande zu wissen," setzte er in etwas gereiztem Tone hinzu, „und habe das verlangt."

Dahnow sah nachdenklich vor sich hin. „Weißt du . . . ." begann er, doch plötzlich abbrechend fing er in verändertem Tone wieder an. „Apropos, was sind deine Pläne? Ich weiß, du hast dich der diplomatischen Carrière gewidmet. Bleibst du hier für's erste?"

„Meine Vorbereitungs-Studien sind beendet. Ich werde dieser Tage irgend einer Gesandtschaft attachirt werden, und denke bald Näheres darüber zu erfahren."

„So," sagte Dahnow wie beruhigt. „Uebrigens, mein Bester, schau' dich um; einer der Silberdiener harrt deiner mit so sehnsüchtigem Gesicht, daß es gut sein wird, wenn du dich ihm widmest."

„Ah!" sagte Degenthal, einen Blick nach dem Lakaien werfend, der wartend in der Thüre stand. „Es wird wegen des Soupers sein, das in Angriff genommen werden soll; ich habe noch eine kleine Anordnung zu treffen. Ganz ungenirt an kleinen Tischen wird gespeist. Alter, sorge für dich. Ich muß leider mich erst den Sternen ersten Ranges widmen in meiner Eigenschaft als Hausherr. Aber ich komme dann zu euerer Gruppe; nimm meine kleine Cousine, da du doch keine der andern Damen kennst."

„Werde mich schon zu finden wissen," brummte Dahnow. Er wußte sich jedenfalls gut zu finden; denn etwas später, als Degenthal ihn aufsuchte, fand er ihn an der Seite der gefeiertesten Schönheit der Saison, inmitten der Koryphäen der Gesellschaft im heitersten, belebtesten Kreis, zu dem sein Humor das Seinige beitrug.

„Ah, Graf Degenthal!" rief jetzt die schöne Comtesse, ihn mit ihren schwarzen Augen kühn anstrahlend, — etwas, das sie vergeblich den ganzen Winter gethan, da sie immer die Hoffnung nicht aufgab, auch ihn noch an ihren Triumphwagen zu fesseln. „Graf Degenthal, verrathen sie uns, warum Ihr norddeutscher Freund erst jetzt unsere Residenz aufsucht, wo wir gerade daran sind, allen weltlichen Freuden zu entsagen und unsere Häupter mit Asche zu bestreuen."

„Weil, wie ich schon die Ehre hatte zu bemerken, meine Gnädige, ich ein Ketzer bin, der von so frommem Brauch nichts weiß. Dafür trifft mich jetzt die schwerste Buße; denn ich lerne kennen, was ich verloren habe, — wenn Sie nicht die Gnade haben, mich wenigstens noch mit einer Tour zu entschädigen heute Abend."

„Heuchler!" sagte Degenthal lachend. „Comtesse Hedwig, strafen Sie ihn mit mehrern Touren; denn er huldigt dem Grundsatz der Türken, die lieber tanzen sehen, als sich dieser anstrengenden Arbeit selbst zu unterziehen."

„Ah, dann errathe ich, was Baron Dahnow hergeführt," rief ein anderer der jungen Herren dazwischen. „Seine Hei= math sendet uns eben die berühmtesten Künstler in diesem Fache. Eigentlich ist es mehr springen zwar als tanzen. Wissen Sie, meine Herrschaften, daß der Circus Karsten hier= her kommt, uns die Fastenzeit zu verkürzen?" Da in diesem

Augenblicke Jeder auf Dahnow sah, bemerkte Niemand Degen=
thal's heftiges Zusammenzucken.

„Baron, Sie erröthen dabei!" rief Comtesse Hedwig
lachend. „Also diese vierfüßigen Schönen sind Ihr Leitstern!"
setzte sie etwas keck hinzu. „Sie können das nicht leugnen."

Es war eigenthümlich, daß Dahnow's sonst so schlagfertige
Zunge stockte.

Degenthal, der ihm gegenüber stand, sah ihn betroffen
an. „Wußtest du, daß Karsten kommen sollte?" fragte er
gedehnt.

Dahnow lachte etwas gezwungen auf. „Bester Curt, ihr
scheint hier die Reize euerer Residenz sehr gering anzuschlagen,
daß ihr so kleine Ereignisse hinzuzählt. Karsten war übrigens
diesen Winter gar nicht in B., sondern weiter im Norden."

„Deshalb suchen Sie ihn jetzt hier auf," rief einer der
Herren. „Chi lo sa — ob der vierfüßigen Schönheiten
wegen! Von Karsten sagt man ja, daß er eine so wunder=
bar schöne Tochter hat, die überall rasendes Aufsehen macht.
Letzten Herbst am Rhein sprach alles davon; ich hoffe jeden=
falls, daß er sie auch uns producirt."

„Nora Karsten producirt sich gar nicht," sagte plötzlich
Lilly's ruhige Stimme dazwischen. „Sie ist noch niemals
öffentlich aufgetreten und wird es auch nie thun."

Alle sahen erstaunt die kleine Sprecherin an.

„Aber was weißt du davon, Lilly?" rief Comtesse Hedwig.
„Wie kommst du zu der Bekanntschaft?"

„Ich kenne Nora Karsten recht gut und habe sie sehr
lieb," sagte Lilly, immer in ihrer gleichen ruhigen Weise.

„Ich war mit ihr faſt ein Jahr noch in der Penſion zuſammen, wo ſie ganz erzogen iſt. Sie war die ſchönſte und liebens= würdigſte von allen Penſionnairinnen, und beſonders gut gegen uns Neulinge."

„Aber, Comteſſe, das iſt ja eine ganz intereſſante Combi= nation — eine ſchöne Reiterin, die aus dem Kloſter kommt..."

„Sie iſt gar keine Reiterin," entgegnete Lilly hartnäckig. „Ihre Mutter hat es' nicht gewollt, daß ſie Reiterin würde, und deshalb hat ihr Vater, der ſehr reich iſt, ſie im Kloſter erziehen laſſen. Wir wußten damals gar nicht, daß ihr Vater Kunſtreiter = Director ſei. Ich habe dies ſpäter erſt gehört durch unſern Kaplan, der ſie auch kennt."

„Wie iſt ſie denn?" frug Comteſſe Hedwig neugierig, „und wo lebt ſie?"

„Sie iſt ſchöner wie alle Damen, die ich kenne," gab Lilly etwas rachſüchtig der Comteſſe zurück. „Wo ſie jetzt lebt, weiß ich nicht; ich glaube aber, bei ihrem Vater, den ſie ſehr lieb hatte. Nur das weiß ich, daß ſie nie etwas thun wird, was wir Alle nicht auch thäten; dazu iſt ſie viel zu fromm und wohlerzogen."

Die kleine Sprecherin war ganz roth geworden bei ihrer Vertheidigung. Aber ein Paar Augen ruhten zum erſten Male mit vollem Intereſſe auf ihr; es war, als wolle Degen= thal ihr jedes Wort von den Lippen nehmen. Zum erſten Male bemerkte auch er jetzt „den lieblichen Zug um den Mund", auf den Dahnow ihn aufmerkſam gemacht.

Ein Weilchen ſpäter ſtand er hinter ihrem Stuhle. „Haſt du den Cotillon noch frei, Couſinchen?" frug er leiſe. „Willſt du ihn mir geben?" Lilly wurde purpurn. Sie konnte nur stumm nicken vor freudiger Ueberraschung; denn das hatten die kühnsten Hoffnungen sie nicht träumen lassen.

Als der berühmte Herzenstanz einige Stunden später im Gange war, wußte die Gräfin nicht, ob sie ihren Augen trauen solle, da sie das junge Paar sich gegenüber sah: so eifrig war Curt mit seiner kleinen Tänzerin beschäftigt, so intensiv glücklich sah diese aus. Es gibt Augenblicke, wo auch die kleinsten Augen strahlen können, und in Lilly's Augen war ein ordentliches Lichtmeer gekommen, wenn ihr Tänzer sich so voll Interesse ihr zuwendete, daß er fast alles darüber zu vergessen schien. Die Gräfin hörte nicht, daß es Pensions= geschichten waren, mit denen Lilly ihn so fesselte; sie sah nur und sie stutzte. Was! War sie vorher blind gewesen, — hatte sie nicht bemerkt, daß in der stillen Intimität des häuslichen Verkehrs sich dieses angesponnen? War sie zu eilig gewesen, eine neue Ablenkung für ihn zu suchen? Und jetzt gerade, wo die Fäden angeknüpft schienen — wie thöricht, sie abzu= brechen!

Der Gräfin Augen suchten die alte Excellenz, und die alte Excellenz war nie fern vom Damencirkel.

„Darf ich von meinem Frauenrecht Gebrauch machen und wankelmüthig sein?" sagte sie mit ihrem freundlichsten Lächeln.

„Etwas Wankelmuth wird Sie nur uns übrigen schwachen Sterblichen ähnlicher machen," sagte der alte Herr galant.

„Die muselmännische Hauptstadt ist doch weit, — das Klima ängstigt mich! Geben Sie den bewußten Wink an

gehöriger Stelle, und bewirken Sie etwas Aufschub, Sie all=
vermögender Mann."

„Toujours au service des dames," ſagte die alte
Excellenz, ſich verbeugend. „Graf X. kann ſich auch mit einem
andern unſerer jungen Herren begnügen."

Der Menſchen Gedanken ergänzen ſich oft eigenthümlich.
Im ſelben Augenblicke, als die alte Excellenz das ſprach,
lehnte Curt nachdenkend auf ſeinem Stuhl zurück. Seine
kleine Tänzerin war ihm zu einer Tour fortgeholt worden.
Ihr Geplauder war ihm ſüß geweſen, denn es hatte ſich nur
um ihr Penſionsleben mit Nora gedreht. Aber jetzt kam ihm
die Erinnerung an das, was er gehört: daß der Director
mit ſeiner Truppe in der Stadt erſcheinen werde. Zum erſten
Male ſegnete er die Klugheit ſeiner Mutter, die ihm eine
Ausſicht auf längere Abweſenheit eröffnet hatte. Auch er
dachte gerade an die alte Excellenz, ob durch ſie die Abreiſe
nicht vielleicht zu beſchleunigen ſei, da es ihm kein angenehmer
Gedanke war, gerade hier mit Karſten zuſammen zu treffen,
ja nicht ein Mal, in dieſer Weiſe von ihm zu hören. Er
beſchloß, gleich am nächſten Morgen Erkundigungen einzu=
ziehen, wann die Eröffnung des Circus zu erwarten ſtehe, um
vorher Schritte thun zu können.

Am Morgen nach dem Feſte war daher ſein erſter Aus=
gang dieſer Abſicht gewidmet. Um Niemanden ſeiner Be=
kannten zu begegnen, entſchloß er ſich ziemlich zeitig dazu.
Ein Ritt in die Anlagen brachte ihn bald dahin, wo der
Circus ſtets ſeinen Platz hatte, und er fand die Arbeiter ſchon
mit der Ausſtattung beſchäftigt. Er ging hinein, denn halb und

halb hoffte er den Director selbst dort zu finden. Anstatt seiner traf Curt aber nur jenen dunkel aussehenden Mann, der ihm bei seinem Besuch in B. bei dem Director aufge= stoßen war. Er schien das Amt eines Oberaufsehers zu vertreten, und drängte sich sofort mit geschwätziger Zudring= lichkeit dem jungen Grafen auf, den er ebenfalls gleich wieder= erkannte, und dessen Beziehungen zum Director ihn mit Neugier zu erfüllen schienen.

Curt fand sich durch den Menschen unangenehm berührt. Auf seine Frage nach Herrn Karsten erhielt er den Bescheid, daß derselbe schon seit einigen Tagen mit dem Vortrab der Gesellschaft angelangt, aber plötzlich erkrankt sei und im Hôtel liege. Der Mensch bot sich sofort an, Curt dorthin zu be= gleiten, falls er ihn zu besuchen wünsche. Als Curt das Anerbieten kühl ablehnte, streifte ihn lauernd das Auge des Fremden.

Curt kämpfte einen eigenen Kampf, als er sein Roß zurück= lenkte. Den Mann, dem er so nahe treten sollte durch die Tochter und dessen Gast er so oft gewesen, jetzt in seiner Nähe und krank zu wissen, ohne ihn aufzusuchen, erschien ihm doch unedel. Lilly's Geplauder hatte überdies die Erinnerung an Nora so lebhaft werden lassen, daß er eine ungemeine Sehnsucht empfand, wenigstens etwas von ihr zu hören. Er entschied sich also dafür, sofort den Weg nach dem genannten Hôtel einzuschlagen. Daß ihm der Geschäftsführer in einiger Entfernung gefolgt war, hatte er nicht bemerkt.

An dem Hôtel angekommen, fand er bald Jemand, der ihn beim Director anmelden konnte. Zum Warten wurde

er in ein Zimmer gewiesen, dessen Thüre nur leicht angelehnt
stand. Eine weibliche Gestalt lehnte dort in einer der Fenster=
nischen, und Curt, die Directorin wähnend, trat rasch heran.
Sie wandte sich um, ein leiser Jubellaut kam über ihre Lippen.

„Curt, Curt —!" rief sie, und zwei Arme umfingen ihn,
ein kleiner Kopf preßte sich fest an seine Schulter.

Sein „Nora, du hier?" klang hingegen mehr erstaunt als
erfreut; in seinen Zügen malte sich tiefes Mißvergnügen.

Sein Kuß mußte wohl etwas kalt sein — denn erstaunt
hob sie den Kopf empor. „Grollst du, daß wir uns wieder=
sehen? Ach, das ist ja nicht gegen die Verpflichtung! Wir
haben es ja nicht verabredet, der Zufall hat es gewollt —
und ich bin so selig darüber."

„Warum bist du aber hier?" frug er gereizt. „Du weißt,
ich hasse es, dich bei der Bande zu sehen, und wünsche, daß
du in der Villa bleibst."

Die Arme sanken ihr nieder bei dem Tone des Vorwurfes.
„Mein Vater ward plötzlich sehr krank," sagte sie, „und man
meldete es uns telegraphisch."

„Genügte denn da seine Frau nicht?" frug er noch gereizter.

„O Curt, du denkst gewiß nicht, was du da sagst!" rief
sie traurig. „Ist es dir so unangenehm, mich hier zu finden?"

„Unangenehm — nein," sagte er, etwas besänftigt von
dem schmerzlichen Tone in ihrer Stimme. „Aber ich finde
es so unverzeihlich unvorsichtig. Hier gerade in unserer Hei=
math ist es so wenig wünschenswerth, dich in diesen Bezie=
hungen zu sehen. Du weißt, welchen Werth meine Mutter auf

ihre Bedingungen legt — wie soll ich die aber halten, wenn ich dich so nahe weiß!"

Die letzten Worte söhnten mit dem Anfang der Rede etwas aus, besonders da er sie dabei liebevoll an sich zog.

„Ich werde, sobald ich kann, wieder abreisen," sagte sie sanft.

„Ich werde selbst reisen in diesen Tagen," sagte er. „Es ist in so weit glücklich, als ich dir jetzt mittheilen kann, daß ich auf längere Zeit in die Ferne gehe."

„Du willst reisen?" fragte sie, und ihre blauen Augen hefteten sich ängstlich auf ihn. „O Curt, sei nicht so entsetz= lich vernünftig!"

„Es ist besser, es ist nothwendig," gab er mit der Hart= näckigkeit zurück, die sehr junge Männer gern zeigen den Frauen gegenüber, von denen sie sich geliebt wissen, vielleicht um ihre männliche Oberherrschaft zu bethätigen. „Es ist besser, wenn ich die zwei Jahre unserer Prüfung nicht hier verweile. Ich gehe in diesen Tagen als Attaché zu unserer Gesandtschaft nach Constantinopel. Es war das ein guter Rath meiner Mutter, wie ich immer mehr einsehe."

Nora blieb einen Augenblick sprachlos, als suche sie den Sinn seiner Worte zu verstehen; aber plötzlich, ihn von neuem umschlingend, rief sie: „Curt, sie wollen dich trennen von mir, sie wollen dich losreißen von aller Verbindung! Nicht genug, daß wir uns nicht sehen dürfen, sie wollen die Ferne zwischen uns legen."

Curt zog sie fester an sich. „Als ob das Herz Entfernungen kännte!" sagte er zärtlich, die Lippen auf ihre Stirne pressend.

„Ja, es kennt Entfernungen!" rief sie leidenschaftlich. „So lange wir noch gleiche Luft einathmen, theilen wir noch etwas mit dem Geliebten; so lange gleiche Menschen, gleiche Verhältnisse uns umgeben, umschlingt uns noch ein Band. Aber je ferner er uns gerückt wird, je mehr Fremde uns umgibt, je schwerer fliegen auch die Gedanken herüber. Curt, selbst der Baum ändert sein Laub in fremdem Boden, und die Herzen ändern sich auch — darauf rechnet man!"

„Es war mein eigener freier Wille," sagte er etwas gekränkt über den Zweifel an seiner Selbständigkeit. „Ich habe alles wohl erwogen, und gefunden, wie viel besser es auch für unsere spätere Zukunft ist, daß ich mir jetzt diese Laufbahn eröffne. Fürchtest du so für deine eigene Liebe?"

„Für meine? O nein! Uns Frauen ist sie ja die Hauptsache, euch aber nur die Zuthat des Lebens. O, sag' deiner Mutter, wie treu wir die Bedingungen innehalten wollen; nur geh' nicht in die Ferne!"

Curt beugte sich zu ihr und strich die dunkeln Haare von den heißen Schläfen. Er küßte die Augen, unter deren langen Wimpern eine Thräne hervorquoll. „Sei nicht kindisch, Nora; ein paar Meilen mehr oder weniger, was thun die! Hat dein armer verachteter Toggenburger denn vergessen im Orient?" setzte er scherzweise hinzu.

Nora wollte antworten; im selben Augenblicke aber richtete Curt sich plötzlich hoch auf, und sie loslassend, sah er stolz in die Höhe. Auch Nora blickte auf und jähe Gluth schoß ihr über Stirne und Wangen. In der gegenüber liegenden Thüre stand der schwarze Herr aus dem Circus, ein sarkastisches Lächeln auf den Lippen. „Der Herr Director läßt Fräulein Nora bitten, sogleich zu ihm zu kommen," sagte er, und war im selben Augenblick verschwunden.

Curt biß sich auf die Lippen. „Wer ist dieser unausstehliche Mensch?" sagte er geärgert. „Ein wahres Spionen-Gesicht! Ich wußte ja die ganze Unvorsichtigkeit deines Kommens."

„Es ist Herr Landolfo, Vaters erster Geschäftsführer," sagte sie gepreßt. „Er ist auch mir widerwärtig, weil er sich an uns herandrängt, sich für mehr hält als die Andern. Aber mein Vater rühmt seinen fähigen Kopf, und in Bezug auf die nöthigen Kräfte können wir nicht sehr wählerisch sein."

„Wir?" sagte Curt noch gereizter. „Identificire du dich wenigstens nicht mit der Bande."

„O Curt, du willst heute auch alles mißverstehen!" sagte sie traurig. „Du wußtest ja, woher ich stamme." Dies Mal trat sie ihm dabei keinen Schritt näher, sondern der schöne Kopf hob sich stolzer empor. „Ich muß zum Vater," fuhr sie dann fort. „Willst du ihn auch sehen? Er war sehr krank, ist erst seit gestern besser."

„Es wird besser sein, ich sehe ihn jetzt nicht," sagte Curt. „Ich fühle mich nicht in der Stimmung, mag auch dem widerwärtigen Menschen dort nicht begegnen. Aber ich komme wieder, ihn zu sehen . . . . dieser Tage. Es ist nicht unsere Schuld, wenn der Zufall die Bedingungen bricht. Ich werde dann schon Näheres wissen über meine Abreise. Grüße deinen Vater bis dahin."

Er wollte sie umfangen; aber mit einer leichten, stolzen Geberde machte sie sich los, und nur ihre Hand blieb einen Augenblick in der seinen — dann wandte sie sich ab und ging.

Auch Curt ging. Er war unzufrieden mit sich, mit ihr, mit diesem ganzen Zusammentreffen. Die Gewißheit, daß ein Dritter nun doch Mitwisser geworden, und der ungenügende Abschied, wo er Nora so gekränkt gesehen, machte ihm die Sache ganz unheimlich. Er würde es noch tiefer empfunden haben, hätte er die heißen Thränen gesehen, die über Nora's Wangen liefen, als sie am Krankenbett des Vaters saß und ebenfalls die kleine Scene überdachte; und noch unheimlicher wäre ihm der Ausdruck der schwarzen Augen gewesen, die ihm nachschauten, als er die Treppe hinabstieg.

„He, Schätzchen," sagte Signor Landolfo zu dem Zimmer= mädchen, welches eben des Weges kam, „wie hieß der Herr, den ich dich vorhin beim Director anmelden sah?"

„Da haben's seine Karte," sagte das Mädel. „Die Frau Directorin sagt', ich sollt's dem Fräulein 'nein reichen; aber der Herr war schon drinnen."

„Ah so," sagte er zwischen den Zähnen. „Also deshalb ist die Donna so stolz, weil ihr nur ein Conte gut genug ist zum Hofmachen. Warte, Freund, wollen dir doch 'mal ein Stöckchen dazwischen stecken. Hast mir grad' den Namen danach, deiner hochnasigen Familie so etwas bieten zu dürfen."

Am selben Abend noch fand die Gräfin Degenthal unter ihren Briefen einen mit unkenntlichem Postzeichen, doch auf feinem Papier mit eleganter Hand geschrieben: „Ein guter Freund warnt Sie. Ihr Sohn ist heute Morgen mit

einer Dame, Fräulein Nora Karsten, Tochter des Kunstreiter-
Directors, hier in einem Hôtel zusammengekommen. Wollen
Sie einer Intrigue vorbeugen, so ist es hohe Zeit. Man
wagt das Aeußerste, um ihn zu fesseln und die Sache an die
Oeffentlichkeit zu bringen. Ich kann nur auf diesem Wege
warnen."

Die Gräfin war erstarrt, als sie dies las; es war ein zu
heftiger Rückschlag nach ihren eben aufkeimenden Hoffnungen.
Sie in eine falsche Sicherheit zu wiegen, ihr Sand in die
Augen zu streuen, darauf war sein Benehmen also berechnet
gewesen? — das Ganze eine abgekartete Geschichte? Sie war
empört über ihren Sohn, empörter noch über die Intrigue, in
der er gefangen worden, obgleich sie sich immer wiederholte,
daß sie nichts anderes von diesen Menschen erwartet hätte.

Ihrem offenen Sinne widerstand im Grunde die anonyme
Anzeige, aber in diesem Falle — Intrigue für Intrigue —
jetzt wollte sie ihren Sohn aus diesen unwürdigen Banden
reißen, koste es, was es wolle.

Ihr Entschluß war bald gefaßt. Ein Brief an die alte
Excellenz ging noch in derselben Stunde ab; und wenn er
gestern ihren Wankelmuth gepriesen, mußte er sich jetzt jeden-
falls gestehen, daß sie in dieser Tugend Fortschritte gemacht.
Sie flehte ihn in diesem Briefe an, ihres Sohnes baldige
Abreise zu betreiben: jede Stunde Beschleunigung sei kostbar.
Sie nannte nichts, aber sie gab genug zu verstehen, daß der
weltkundige Herr ahnen konnte, um was es sich handele.

„Aha! pfeift's Liedlein aus dem Loch!" sagte die alte
Excellenz, mit spitzen Fingern ein Prieschen nehmend. „Schau,

schau, wer hätte das dem soliden jungen Herrn angesehen!
Stille Wasser gründen tief! — da wird es ihm freilich recht
gesund sein, wenn ihm etwas andere Luft um die Nase weht.
Deshalb wünschten die Frau Mama so seine Entfernung, und
sahen so unzufrieden aus . . . . scheint eben heute ihm etwas
auf die Fährte gekommen zu sein. Ist eine kluge Frau, —
wollen sehen, was sich thun läßt."

Und der alte Herr zeigte gern, daß er viel thun konnte.
Trotz der späten Stunde rollte sein Wagen noch vor die
Thüre einiger seiner bedeutenden Freunde. So viel war
gewiß, die Gräfin konnte zufrieden sein. Schon am folgenden
Morgen in der Frühe erhielt Graf Curt eine Aufforderung,
sich auf das auswärtige Amt zu begeben, wo ihm alsbald die
nöthigen Papiere mitgetheilt wurden mit dem Auftrag soforti=
ger Abreise zur k. k. Gesandtschaft nach Pera.

Curt, der den Auftrag schon einige Zeit vorausgesehen,
ward nicht überrascht davon, sondern nahm ihn als durch
ein Geschäfts=Ereigniß beschleunigt an. Wäre er die letzten
Stunden weniger beschäftigt gewesen, so hätte ihm vielleicht
auffallen können, daß seine Mutter so wenig berührt davon
schien, obgleich eine lange Trennung bevorstand. Lilly's
Gesicht war vielleicht das überraschteste und traurigste. An ein
Wiedersehen mit Nora, an ein erklärendes Wort war natür=
lich nicht mehr zu denken, so drängte sich alles in den letzten
Stunden. Ehe noch der kurze Wintertag zur Neige ging, ehe
er selbst sich dessen noch recht bewußt war, saß Curt schon
im brausenden Eilzug, der ihn mit jeder Minute mehr und
mehr von Nora trennte.

12*

XII.

Oh, if we took for heaven above,
But half the pain, that we
Take day and night for women's love,
What angels we should he.

                                    Byron.

Curt war seit einem Monat in seiner neuen Stellung, und seine Gedanken waren nur flüchtig zu den verlassenen Erinnerungen zurückgekehrt, beschäftigt von allem Neuen, was ihn umgab. In Wahrheit empfand er es als eine Erquickung, ein Mal wieder nur von äußern Gegenständen berührt zu werden nach all' der innern Unruhe, die er in dem letzten Jahre durchgemacht. Auch bei der größten Liebe ist dem Manne solch' andauernde Erregung auf die Länge abspannend. Ueberdies war er unzufrieden mit sich und mit Nora seit dem letzten Wiedersehen; es knüpften sich unklare, unangenehme Gedanken an dasselbe, die er gern eine Weile ruhen ließ.

Ein Monat ist kurz, wenn wir in einem Strudel neuer Menschen, neuer Verhältnisse wie neuer Beschäftigungen uns befinden; ein Monat ist aber sehr lang, wenn wir all' die Tage eine Nachricht erharren, einen Liebesbeweis ersehnen. Der Gegensatz sollte Curt grell vor die Augen geführt werden, als ein Brief Dahnow's ihn endlich aus der Art von Be= schwichtigung und Beruhigung aufweckte, in die er sich hinein= gelebt.

„Denke über meine Einmischung, wie du willst," schrieb der Dicke etwas unwirsch und kategorisch; „aber ich sehe nicht ein, welche Befugniß du hast, ein junges Wesen unglücklich

zu machen, welches du deiner Liebe und Treue versichert hast.
Welche Gründe dich zu der weiten und schleunigen Entfernung
veranlaßten, vermag ich natürlich nicht zu ermessen; aber mich
dünkt, sie hätten Jemanden, dem du ein Anrecht auf dich
gegeben, nicht vorenthalten werden dürfen. Ich brauche dir
die nicht zu nennen, welche umsonst diese langen Wochen
hindurch auf ein Wort der Erklärung von dir geharrt. Du
solltest besser wissen als ich, wie ein so zartes Gemüth das
trägt. Ob es ihr ein Trost war, durch mich, der ich zufällig
ihre Gegenwart hier erfuhr, zu hören, daß du wohlbehalten
an dem Ort deiner Bestimmung angelangt, ist mir sehr frag=
lich. Vielleicht wäre es tröstlicher gewesen, zu denken, daß
Krankheit dich verhindert, als so unentschuldbare Handlungs=
weise. Verzeih' mir das Wort — ihrem Kummer gegenüber
finde ich kein anderes. Du scheinst die Bedingungen deiner
Frau Mutter trotz aller ungewöhnlichen Begebenheiten, die
dazwischen getreten, sehr streng inne zu halten. Mich dünkt,
Liebe hätte andere Logik. Karsten's Frau und Tochter ver=
lassen morgen diese Stadt; bis jetzt fesselte die Krankheit des
Directors sie hier. Auch ich reise morgen. Solltest du Lust
zu brieflichen Mittheilungen empfinden, sende sie in meine
nordische Heimath."

Der Brief ließ an Deutlichkeit nichts zu wünschen
übrig. Curt brauchte keine Gewissenserforschung: klar trat
ihm seine Schuld vor Augen. Was hatte er gethan! Das
gereizte Wiedersehen, der kalte Abschied, und jetzt diese vier
Wochen, die ihm so kurz gedünkt! Wie Centnerlast fiel ihm
das alles auf's Herz. Wieder hörte er die Bitte: „O, geh'

nicht in die Fremde; sie wollen dich von mir trennen."
Statt aller Antwort war er gegangen, sofort gegangen, ohne
ein versöhnendes oder erklärendes Wort. Und warum war
er gegangen, — was hatte diese schleunige Abreise, die ihn
kaum zur Besinnung kommen ließ, hervorgerufen? Plötzlich
fiel es ihm wie Schuppen von den Augen: das mußte sich
auf eine ungewöhnliche Weise zugetragen haben. Diese Aufforderung noch an demselben Tage, seiner Mutter befriedigte
Miene bei der Nachricht, ihre gefaßte Ruhe beim Abschied,
das flüchtige Erstaunen seines Chefs hier, als er sich bei ihm
gemeldet. Alles wurde ihm klar! Nora hatte Recht gehabt
— sie wollten ihn von ihr trennen, und es war ihnen ge=
lungen. Seine Mutter hatte alles in Bewegung gesetzt, seine
Absendung zu beschleunigen, ohne daß er etwas ahnte, um
ihn seiner Liebe zu entfremden, ihn davon abzulenken. Er
verstand ihre Absicht, und das kränkte ihn um so tiefer, weil
er fühlte, daß sie einen gewissen Erfolg gehabt.

Um so intensiver erwachte aber zugleich das Gefühl des
Selbstbewußtseins wie der Liebe. Glaubten sie so über ihn
siegen zu können? Glaubten sie seinen Widerstand schlau zu
beugen, wo sie ihn nicht hatten brechen können?

Und Nora, Nora, die er so vernachlässigt, wie hatte sie
gelitten! Das malte er sich fast noch schwärzer aus, als es
war; denn er ersann keine der Entschuldigungen, die in einem
Frauenherzen doch immer beschwichtigend auftreten, wenn es
liebt. Jetzt schien ihm jeder Tag ein Monat. Und Dahnow
war ihr Tröster gewesen, Dahnow hatte bei ihr ausgeharrt,
ihm hatte sie wohl ihr Leid geklagt; denn Dahnow sprach

von ihrem zarten Gemüth. Mit eifersüchtigem Groll blieb er
bei dem Worte stehen! Was hatte Dahnow nothwendig
gehabt, so lange zu bleiben, — was hatte ihn veranlaßt,
mit ihnen abzureisen? Er vergaß ganz den übrigen Inhalt
des Briefes über diesem Gedanken.

Wollte sich denn alles gegen ihn verschwören? Aber, was
die ganze Welt auch dagegen ersann, er wollte sich nicht über=
winden lassen, wenn ihm nur Nora's Herz nicht abwendig
gemacht wurde. Was sollte er thun? Er mußte ihr eine
glänzende Genugthuung geben, beweisen, daß alle Versuche,
ihn zu trennen von ihr, machtlos seien.

Einen Brief! Geschriebenes Wort war so kalt, und ein
Brief konnte nicht anlangen, wenn Intrigue es verhinderte.
Er witterte jetzt überall Intrigue. Ein Wort würde alles
versöhnen, ein Blick alles auslöschen! Und er stampfte mit
dem Fuße vor Zorn über die Entfernung.

Was war es aber, was ihn plötzlich so jubelnd aufspringen
ließ, als sei der Sieg schon errungen? Er war jung, er
liebte — das hat schon manchen tollen Entschluß gezeitigt; er
war eifersüchtig auf seine Liebe wie auf seine Selbständigkeit:
das ist ein doppeltes Feuer, das zu raschen Thaten treibt.
An die Seite flog Dahnow's Brief, um Karten und Eisenbahn=
büchern Platz zu machen. Es gibt ja kaum Entfernungen
mehr in unserm Zeitalter, und im Krieg wie in der Liebe
ist viel erlaubt und vieles möglich: das war wohl die Logik,
die Dahnow meinte.

Am andern Morgen brachte der Diener Degenthal's dem
Chef der Gesandtschaft ein Billet mit der Nachricht, daß der

Graf von einem Unwohlsein befallen sei, welches ihn für einige Tage zwinge, das Bett zu hüten, da der Arzt ihm vollkommene Ruhe befohlen.

„Sieh', sieh'," sagte der alte Herr, als er das las, „immer wieder die Dummheit von uns Deutschen, uns nicht vor der Hitze hier zu hüten. Der junge Mann ist mir empfohlen worden: ich werde doch nach ihm sehen müssen."

Einige Tage später.

Die Frühlingssonne spiegelte sich hell in den glitzernden Scheiben eines Schlößchens, das stolz zwischen den Villen hervorsah, die in der Nähe einer mitteldeutschen Residenz lagen. Fremde wurden meist darauf aufmerksam gemacht, denn seit einiger Zeit war es in den Besitz einer europäischen Celebrität gekommen: Kunstreiter=Director Karsten hatte es angekauft, das Schloß nebst dem einige Morgen großen Park, wie diensteifrig die Ciceroni berichteten, indem sie die enorme Summe nannten, die der Mann des lockern Gewerbes dafür hatte anwenden können.

Die Sonne, die den stattlichen Bau im sprossenden Grün jetzt hell hervortreten ließ, beleuchtete auch das junge Mädchen, das auf der Altane des Hauses Platz genommen hatte: eine anmuthige Blume inmitten des Lenzes Pracht. Aber der helle Sonnenblick fand keinen Widerstrahl in ihrem Auge, das sich wie müde senkte und bläuliche Schatten unter den langen Wimpern zeigte. Etwas Trauriges lag in ihrer Haltung, und lässig ruhten die Hände im Schooß, als habe sie genug mit ihren Gedanken zu thun. Sie hatte keinen

Blick für die reizende Anlage, die sie umgab, und keinen Genuß von der duftigen, würzigen Luft, die zu ihr aufstieg aus den blühenden Beeten, die sich vor der Altane herzogen. Ein Nebel schien ihr auf allem zu liegen, und doch gedachte sie eines Lenzes, der erst ein Jahr fern lag, wo alles ihr so zauberisch vorgekommen. Wehte nur am Rhein so berauschende Luft, oder fehlte ihr jetzt der Zauber, der uns nur aus einem andern Auge leuchten kann, der uns die Welt magischer verschönt, als es allem Sonnenschein möglich?

Nora verstand sich selbst nicht recht. Sie wollte sich nicht eingestehen, daß sie sich gekränkt fühle durch Curt's Schweigen, und doch nagte es an ihrem Innern; sie wollte kein Miß= trauen hegen, und doch schlich es sich ein; sie wollte ihrer Liebe denken und empfand eine brennende, unruhige Sehnsucht. Zwei Jahre Entfernung und Entfremdung: so hatte das Edict von Anfang an gelautet; sie war darauf eingegangen, — und wie leicht hatte ihr damals die Probe gedünkt! Mit so viel Liebe im Herzen zwei Jahre nur zu warten, schien so kleine Aufgabe. Jetzt waren erst sechs Monate verflossen, und schon dehnte sich die Zeit wie eine Kluft zwischen ihnen, die immer breiter zu werden drohte, bis sie nicht mehr zu überschreiten war. Und das Wiedersehen, welches dazwischen lag! Wie hatte sie oft heimlich gewünscht, daß allen Edicten zum Trotz der Zufall ein Wiedersehen vermitteln möge — es war geschehen — aber welche Enttäuschung! Wenn sie sich auch sagte, daß der Augenblick ungünstig gewesen, vielleicht gefährlich bei der Lage der Dinge, daß seine Ent= fernung jetzt gut sei, um ähnlichen Verwickelungen vorzu=

beugen — eine heiße Thräne trat doch in's Auge. O, er hätte nicht so entsetzlich vernünftig sein sollen!

Und der warme Frühlingswind stieg auf und strich ihr um die brennenden Wangen, spielte leicht mit den losen Haaren, als striche eine weiche Hand kosend darüber hin. Aber sie thut mehr wehe als gut, diese laue, spielende Luft, die wie Liebe athmet und Liebe aushaucht, wenn das Herz sich öde und verlassen fühlt. Die Thräne rann daher um so haftiger die Wange herab, der Kopf senkte sich um so tiefer, und wie es so oft in dieser Zeit schon geschehen, es schien Nora, als müsse ihr das Herz brechen vor Sehnsucht und Weh.

Hörte sie den Wagen nicht, der während ihres Träumens rasselnd vor das Gitterthor fuhr, das die Anlage von der Fahrstraße trennte? Hörte sie nicht, wie er mit jähem Ruck dort anhielt, und sah sie den Mann nicht, der eilends sich hinausschwang und kaum auf des Kutschers Weisung hörte, der ihm den Weg zu dem Hause noch beschrieb. „Hat's der eilig!" brummte der Alte, mit Wohlgefallen auf das reiche Trinkgeld schauend, das ihm in die Hand gedrückt worden. „Wenn der nicht zu seinem Schatz will, laß' ich mich hängen! Dann sind sie immer so eilig und so freigebig."

Während der Kutscher diese Betrachtung machte, hatte der Reisende schon die künstlich gewundenen Wege der Anlage durchschritten. Seine Züge sahen übernachtet aus, sein Haar war verwirrt, sein Anzug etwas ungeordnet, wie von langer nächtlicher Fahrt. Das Auge aber hatte etwas Strahlendes, Triumphirendes, und suchte spähend umher, bis es plötzlich die Gestalt auf der Altane entdeckte. Ein leiser Freudenruf glitt über seine Lippen — in einigen raschen Sätzen war er die kurze steinerne Treppe hinan. Hörte sie die hastigen Schritte, daß sie sich jetzt so betroffen erhob und fremd den Eindringling anschaute?

„Nora, Nora!" rief er, und sein Arm umfaßte sie schon. Einen Moment noch des starren Staunens, als wage sie nicht, ihren Augen zu trauen — und dann brach ein Strahl der Seligkeit aus ihren Augen, ein Jubelruf drang aus dem Herzen .... sie hielten sich umschlungen, wie Liebe und Sehnsucht umschlingen, wenn eine lange Trennung auszu= löschen ist.

War das ein Fragen, Staunen und Erzählen, als endlich das Wort wieder sein Recht gewann!

War er unvernünftig genug gewesen, drei Tage und zwei Nächte zu reisen vom fernen Bosporus her, um vielleicht sechs Stunden lang in ihrer Nähe zu weilen? Wie ihr Auge strahlte, wie sie schalt und doch ihn pries in einem Athem, wie sie sorgte und pflegte nach Frauen=Art; wie er spottete aller Angst und Sorge, und jede Minute so süß und kostbar schien! Der Nebel war verschwunden, alles war jetzt wieder getaucht in Lenzes Herrlichkeit und Lenzes Glück.

„O Liebe, Liebe, vor Gottes Thron giltst du wenig," sagte die ernste Klosterfrau; aber die reizendste Blüthe des irdischen Daseins, der süßeste Zauber, den Gott seiner Welt gegeben, ja, das bist du auch . . .

Während die Liebenden in ihrem Glücke schwelgten, während alles, was an Mißtrauen aufgedämmert, dahin=

schwand wie Dunst, dachte keiner von Beiden an den, welcher der eigentliche Urheber ihres Glückes war: Dahnow. Nora lachte so herzlich, als Degenthal der Eifersucht erwähnte, die er einen Augenblick gefühlt. Ja, Baron Dahnow war so freundlich gewesen; aber sie wußte gar nicht ein Mal, wohin er gereist.

Beide ahnten nicht, welch' heroischer Entschluß den dicken Baron zu dem Brief getrieben.

„So, jetzt sind wir quitt," sagte er, sich das runde Gesicht streichend, als der Brief zur Post war, „und das Gewissen ist Einem frei. Wenn er nach dem Briefe nicht kommt, ist seine Liebe keinen Pfifferling werth. Der Brief war für die zwei Briefe damals; ich will nicht schuld sein an den traurigen Augen. Einmischung ein Mal, dafür Einmischung auch jetzt; nun ist's abgetragen."

Aber wenn dem guten Mecklenburger nach seiner Ansicht das Gewissen jetzt auch frei war, mußte er sich doch innerlich noch nicht frei fühlen; denn nach dem Briefe ward er ernster und sinnender als zuvor.

„Muß es auch 'mal mit der Ferne probiren," sagte er endlich. „Wozu ist man denn ein freier Mann, den keine Verhältnisse binden? Hol' mich der Kuckuck, wenn ich nicht ganz sauertöpfisch werde von all' dem Studiren." — Bald darauf setzte Baron Dahnow seine zahlreichen Verwandtschaften in Staunen durch seinen Entschluß, sein Studium nicht mehr aus trockenen Acten, sondern aus selbsteigener Weltanschauung fortzusetzen.

„Was, Dicker, du wirst mobil?" sagten seine Brüder lachend. „Du bekommst weltweite Pläne: Africa=Reisender am Ende!"

„Ich esse lieber selbst, als daß ich gegessen werde," meinte der Dicke, „deshalb gehe ich nicht dorthin, — aber jedenfalls aus dem Bereich der Eisenbahnen und Hôtels. Mache Cultur=studien nur in culturunbeleckten Landen; hier ist mir alles zu nivellirt."

„Du, die faulste Seele des Erdenrundes, willst dich auf Wildniß=Reisen einlassen und Chimborassos oder Himalayas erklettern!"

„Nein, die lasse ich mich hinauftragen," sagte der Dicke lakonisch. „Ich finde meine Bequemlichkeit schon überall." Jedenfalls nahm er es ernst mit seinen Reisebequemlichkeiten bei den Vorbereitungen dazu.

Curt war indessen längst von seiner tollkühnen Fahrt zurück. Graf X., der Gesandte der k. k. Majestät, hatte eines Morgens zu Pera noch in seinem Privatsalon gesessen, als sein jüngster Attaché sich als wieder genesen bei ihm meldete und für die Güte seiner vielen Erkundigungen dankte. „Es geht Ihnen also wieder ganz gut?" frug der alte Herr, ihn eigenthümlich scharf firirend.

„O, vortrefflich! viel besser als vorher," sagte der junge Mann strahlenden Blickes.

„Mich dünkt, Sie sehen etwas ermüdet aus," fuhr der Chef langsam redend fort. „Ihr Diener war ein sehr strenger Wächter; man konnte nicht zu Ihnen gelangen, wie oft ich mich auch persönlich darum bemühte, — der Arzt war sehr stumm."

„Excellenz waren zu gütig!" stammelte der junge Mann verwirrt. „Der Arzt hatte . . ."

Die Excellenz aber war aufgestanden; ihre Hand legte sich auf die Schulter des Sprechenden. „Sie sind noch ein schlechter Diplomat, mein Lieber," sagte der Gesandte mit satirischem Lächeln. „Ihre Intriguen sind etwas grob gespon= nene Gewebe, und Ihre Züge verrathen, was Sie verschweigen wollen. Zu welchem Curorte führte Sie der Triester Dampfer?"

Der Ueberführte stand stumm und verlegen vor seinem Vorgesetzten.

Der alte Herr durchschritt einige Mal das Zimmer. „Junger Mann," sagte er endlich, vor ihm stehen bleibend, „junger Mann, verschwenden Sie Ihre Jugend nicht in unwür= digen Banden."

Curt hob das Auge frei empor. „Excellenz," sagte er, „das Glück von Jemand, den ich eben so hochachte als liebe, stand auf dem Spiele."

Graf X. sah ihn noch ernster an. „Ich glaube viel Gutes von Ihnen," sagte er; „man hat mir aber mitgetheilt, daß Sie in großer Gefahr seien, Ihr Lebensglück zu verscherzen. Ihr Blick bürgt mir dafür, daß es nichts Unwürdiges ist: aber hüten Sie . . . . was Sie Ihr Lebensglück nennen. Irre ich nicht, so sind Sie nicht der Mann, ein Glück sich Allem zum Trotz zu erobern; eher gehen Sie selbst dabei zu Grunde."

XIII.

Das ist im Leben häßlich eingerichtet,
Daß bei den Rosen gleich die Dornen steh'n.

Nora erschien seit jenem Tage die Welt wieder schön, obgleich der Himmel sich mit Wolken bedeckt hatte und kalte Regenschauer die Lenzherrlichkeit fortzuschwemmen drohten, obgleich auch an ihrem Horizont Wolken aufstiegen, die all= mälig ihren verdüsternden Einfluß geltend machten. Mit der vollen Befriedigung und Beruhigung, die Curt's Besuch ihr gelassen, achtete sie kaum darauf und lebte nur in ihrem seligen Traum. Die Wolken, die für sie sich sammelten, lagen auf des Vaters Stirne, dessen Stimmung seit seiner Krankheit gänzlich verändert war. Es hatte sich eine Unruhe, eine Gereiztheit seiner bemächtigt, die man früher nie an ihm gekannt. Selbst das freudige Ereigniß der Geburt eines Sohnes, die bald nach der Rückkehr der Directorin zur Villa stattgefunden, hatte ihn nur auf wenige Tage erheitert, so viel Freude er auch erst über den kleinen Ankömmling gezeigt.

Nora hatte den kleinen Bruder freudig aufgenommen. Es war ihr gewissermaßen ein Trost, dem Vater einen Ersatz zu wissen, wenn ihre künftigen Verhältnisse sie ganz von ihm trennen würden. Seine Mißstimmung, die sie anfänglich auf die Folgen der Krankheit, dann auf die Unruhe der Erwartung des Ereignisses geschoben, wußte sie sich nicht anders als durch körperliches Leiden zu erklären. Sie bat ihn daher

wiederholt, sich mehr Ruhe zu gönnen. Er war jedoch rast=
loser als seit Jahren, immer wieder zur Truppe zurückkehrend,
oft, aber meist nur auf Stunden, zur Villa kommend, und
dann stets in Begleitung jenes Landolfo, der ihm ganz
unentbehrlich schien und mit dem er häufig lange, geheimniß=
volle Berathungen hatte.

„Signor Landolfo,“ wie er sich mit großer Vorliebe
nannte, und wie sein Name stets auf den Anzeigen in fetten
Lettern prangte, war unbedingt eine in das Auge fallende
Erscheinung. Die geschmeidige Gestalt, das kühne Profil,
die Fülle glänzend schwarzen Haares verfehlten nie ihre günstige
Wirkung auf die Menge. Nur der schärfer Beobachtende
fühlte sich unangenehm berührt durch den kecken, schlauen
Blick der dunkeln Augen, durch den sinnlichen Ausdruck der
aufgeworfenen Lippen, die der wohlgepflegte Bart bestens zu
verdecken suchte. Sein stolz klingender Name hätte sich viel=
leicht auf ein bescheidenes „Levi“ zurückführen lassen, wenn
es überhaupt möglich gewesen wäre, irgendwie auf seine
Vergangenheit zurückzukommen. Gleichwie von Schiller’s
poetischer Figur konnte man von ihm sagen: „Man wußte
nicht, woher er kam“; und auch das Weitere, das „schnell
war seine Spur verloren, sobald er wieder Abschied nahm,“
durfte er von sich rühmen. Denn unter den verschiedensten
Gestalten war er schon aufgetaucht und immer wieder spurlos
untergegangen. Halb verdorbenes Genie, hatte er sich auf
dem Theater, als Künstler, als Schriftsteller und in ähnlichen
Fächern versucht. Eines Tages ganz auf dem Trockenen,
war er bei einer kleinen Reiterbande aufgetreten. Einige

Gewandtheit und fein gefälliges Aeußere brachte ihn dort zur
Geltung, und mit dem Selbstbewußtsein, das ihn zierte, hatte
er bald dem Director Karsten seine Dienste angeboten. Lan=
dolfo's equestrische Talente waren nur schwach; aber Karsten
wußte seine künstlerische Begabung zu verwerthen. Die Fer=
tigkeit im Entwerfen neuer Scenen, in der Behandlung des
theatralischen Theiles der Productionen, welche er besaß, machte
ihn sehr schätzbar bei der Truppe, wie auch seine gewandte
Feder die Aufmerksamkeit des Directors auf sich zog. Landolfo
war aber ganz der Mann, ein Mal gewonnenes Terrain aus=
zubeuten. Mit der Gewandtheit, die vielleicht ein Erbtheil
semitischer Abstammung war, wußte er seinem Chef so zur
Hand zu gehen, daß die Leitung der Geschäfte allmälig auf
ihn überging. Der Director hatte nie viel Sinn für das
Geschäftliche gehabt, hatte es stets gern auf andere Schultern
gelegt, und der rasche, schlaue Blick, die sichere Berechnung
Landolfo's imponirte ihm um so stärker, als er in dieser Zeit
immer mehr des Rathes bedurfte.

Es waren in den letzten Monaten bedeutende Geschäfts=
Verwickelungen eingetreten. Bisher war Karsten unbestritten
der Einzige und Größte in seinem Fach gewesen. Er hatte
goldene Ernten gehalten, so daß er sich durchaus nicht zu
scheuen brauchte, große Summen für seinen Luxus zu verwenden.

Im vorigen Winter war ihm aber zum ersten Mal ein
Concurrent erstanden, der rastlos versuchte, des Directors
Glanz zu verdunkeln und die Gunst des Publicums für sich
zu gewinnen. Es mußten ihm enorme Mittel zu Gebote
stehen, und er war erfinderisch in der Wahl seltsamer

Tochter d. Kunstreiters. 13

Leistungen, in der Einführung neuer Elemente, welche die Schaulust reizten.

Das Neue lockt stets, und der Director bemerkte bald einen sichtlichen Abfall seiner frühern Gönner und einen noch fühlbarern Ausfall in der Kasse. Auch er sah sich daher zu größerm Aufwand, zu neuen Anstrengungen gezwungen, um mit dem Nebenbuhler rivalisiren zu können. Einige seiner besten Kräfte waren ihm bereits durch dessen enorme Anerbietungen abwendig gemacht, so daß er in Bezug auf das Personal jetzt wirklich hinter Jenem zurückstand. Das kränkte ihn tief und rief seinen ganzen Ehrgeiz wach. Er mußte jetzt suchen, neue Reizmittel zu schaffen, um seinen Namen wieder zu der alten Höhe zu heben. Aber diese rasch herbeigezwungenen Mittel kosteten große Summen, und bei dem Capital, welches allein schon der tägliche Unterhalt so vieler Menschen und Thiere erfordert, ist ein Schritt abwärts wie der Anstoß zur Lawine.

Um seinen Credit zu erhalten, durfte Karsten nichts an dem Luxus seines Lebens ändern, wie schwer ihm auch die Bezahlung des Schlößchens ward, das er mit der ganzen Rücksichtslosigkeit des überreichen Mannes erworben.

Schon den Winter hindurch hatte ihn dies beunruhigt und allmälig den Grund zu seiner Krankheit gelegt. In den letzten Wochen aber war ein neues Moment hinzugetreten, das ihn schwer traf. Der Banquier, bei dem er diejenigen Summen hinterlegt hatte, die er stets flüssig haben mußte, hatte unglückliche Speculationen gemacht, und der Concurs war ausgebrochen. Das hatte den Director in der letzten

Zeit so oft zu der Villa geführt, da er in der nahe liegenden Stadt die Geschäftsleute zu Rathe zog.

Heute war er plötzlich eingetroffen, mühsam seine Aufregung verbergend, indeß er Landolfo zur Stadt sandte, Erkundigungen einzuziehen. Der Anblick seines kleinen Neugeborenen wie das Wohlbefinden seiner Frau erheiterte ihn etwas, indeß er Nora oft mit finsterm Blick betrachtete. Ihr Verhältniß zum Grafen wurde ihm in seiner jetzigen Lage immer drückender.

Er war am Abend mit den Seinen vereint im Salon seiner Frau, als Landolfo wieder eintraf. Der Director ging ihm eifrig entgegen. Mit krankhafter Ueberreizung sah er in ihm jetzt seine einzige Stütze, da einige schlaue Rathschläge, die nicht übel gewirkt hatten, ihn blendeten. Er suchte daher Landolfo immer mehr heranzuziehen, und empfing ihn auch heute mit demonstrativer Freundlichkeit. Der Directorin sagte Landolfo sehr zu. Er war der Mann ihrer frühern Kreise, und seine piquante Persönlichkeit bestach sie. Sie widmete ihm stets die größte Liebenswürdigkeit, indeß Nora, der sein zudringliches Wesen ungemein zuwider war, ihn nur mit abweisender Kälte behandelte, besonders seit jenem Tage, wo er ihr Zusammentreffen mit Curt belauscht hatte.

Der Director, der ihm immer mehr Beweise der Vertraulichkeit gab, bot ihm an, sich im Familienkreise niederzulassen, ein Augenblick, den Nora wie unwillkürlich benutzte, um sich zu erheben und aus dem Zimmer zu entfernen. Landolfo sah es und biß sich auf die Lippen. Er war sich

13*

der stummen Fehde zwischen ihm und der Tochter seines
Herrn bewußt, — sie hatte mehr wie seinen Stolz verletzt.

Er war nicht kalt geblieben solcher Schönheit gegenüber,
und seitdem er dem Director so nahe getreten, hatten seine
Gedanken einen sehr kühnen Flug genommen. Seine Fähig=
keiten und seine Persönlichkeit schienen ihm genügend in die
Wagschale zu fallen, um die Hand der Tochter seines Herrn
zu erstreben. Kein anderer Schwiegersohn konnte demselben
so nützlich sein, so gut die Oberleitung des Ganzen künftig
mit ihm theilen.

Was die Eroberung der Persönlichkeit selbst anging,
schmeichelte er sich mit den schönsten Hoffnungen. In den
Kreisen, wo er gelebt, war er eines leichten Sieges stets sicher
gewesen. Nora's Kälte hatte er anfangs mit der stolzen
Ausnahmestellung, die sie in dem Kreise einnahm, erklärt.
Seit dem Tage in W., als er den Grafen Degenthal antraf,
glaubte er den richtigen Schlüssel dazu zu haben, und zur
beleidigten Eitelkeit trat die Wuth der Eifersucht.

Die erste Rache war, seinem gemeinen Sinne gemäß, der
anonyme Brief an die Gräfin gewesen. Er hatte das Ver=
hältniß damals für eine gewöhnliche Liebes=Intrigue gehalten.
Einige Worte des Directors ließen ihn zwar bald andere
Schlüsse ziehen; da aber Nora's Benehmen seit jenem Tage
nur noch schroffer gegen ihn wurde, steigerte sich auch seine
Rachsucht. Er wollte sie demüthigen, er wollte ihr diesen
hochfliegenden Gedanken rauben, — sie sollte gestürzt werden.
Die Berechnung, daß er dann vielleicht seinen ersten Plan
erreichen könnte, stachelte ihn um so mehr an, als die Ver=

legenheiten des Vaters ihm die Mittel dazu plötzlich in die Hand legten.

Bleich vor Zorn war er zurückgetreten, als sie sich zum Gehen wandte, und hatte ihr den Weg zur Thüre frei gemacht; seine dunkeln Augen aber ruhten wie verzehrend auf ihr, die sich seines Zornes gar nicht einmal bewußt wurde, so wenig Blick hatte sie für ihn. Stumm blieb er stehen, aber sein Entschluß war in dem Augenblick reif geworden.

Der Director hatte ebenfalls seiner Tochter unmuthig nachgeblickt. In der Absicht, ihr Benehmen zu verdecken, erhob er sich selbst wieder. „Nein, kommen Sie in mein Zimmer, Landolfo; Geschäftssachen werden am besten gleich abgemacht, und Damen taugen doch nicht dabei."

„Sie haben freilich keine Vorliebe für einfache Geschäfts= männer, wie vielfachen Vortheil sie auch von ihnen ziehen," sagte Landolfo scharf und so laut, daß es Nora's Ohr noch treffen sollte.

„Aber ich weiß solche zu würdigen," lächelte die Directorin von ihrer Chaiselongue herüber, wo sie möglichst graciös hingestreckt lag. „Karsten, du bringst doch Signor Landolfo zurück und entziehst ihn uns nicht den ganzen Abend?" fügte sie hinzu, huldvoll die Hand ausstreckend, die Landolfo galant küßte.

„Kommen Sie," mahnte der Director ungeduldig, ihn in sein Schreibzimmer mitnehmend, welches im untern Geschoß lag.

„Was haben Sie für Nachrichten?" war die Frage, noch ehe die Thüre geschlossen.

Landolfo's Gesicht nahm, sobald er mit dem Director allein war, einen andern Ausdruck an. Alle Unterwürfigkeit schwand daraus; er wußte, daß man ihn nöthig hatte. Gleichgültig nahm er daher eine Cigarre von dem Director an, zündete sie umständlich an und warf sich nachlässig in einen der Sessel, indeß Karsten unruhig auf und nieder schritt.

„Hier sind Briefe," sagte Landolfo, ein kleines Packet auf den Tisch werfend.

„Und der Banquier?" frug erregt der Director.

„Im besten Falle großer Verlust; zwei Drittel werden wahrscheinlich eingebüßt, wenn nicht mehr."

„Aber das ist ja ein unerträglicher Schlag," rief der Director aus; „ein unersetzlicher Verlust! Ich werde ihn unter den jetzigen Verhältnissen gar nicht tragen können. Es sieht nichts weniger als gut aus bei der Truppe. Den ganzen Winter die riesenhaften Kosten und der enorme Ausfall in der Einnahme."

Landolfo schwieg und wirbelte die Rauchwolken in zier= lichen Ringen in die Luft.

„Zwei Drittel Verlust," murmelte der Director, immer wieder auf und ab gehend, „das ist der Ruin."

„Eine einzige glückliche Saison könnte Ihnen wieder auf= helfen," sagte Landolfo ruhig.

„Aber kann ich eine glückliche Saison aus der Erde stampfen?" rief der Director zornig. „Der Kerl da will mich zu Grunde richten, er bietet ja tolle Mittel auf! Es muß ein Unternehmen Vieler sein. Ein Einziger allein könnte über solche Summen nicht verfügen. Es ist eine Intrigue, mir meinen langjährigen Ruhm zu rauben; aber ich lasse mich nicht aus dem Felde schlagen."

„Was für Nachrichten von der Truppe?" frug Landolfo in seltsam ruhigem Tone wieder.

Der Director zuckte die Achseln. „Die neuen Clowns bewähren sich; aber das nächste Vierteljahr wieder Steigerung der Gagen! Es ist nicht zu zahlen. Der Cassirer verlangt Geld; der Besuch ist schwach. Die neue Gesellschaft hat natürlich sofort auch einen Zug durch alle mitteldeutschen Städte unternommen, vor uns her, uns überall das Paroli zu bieten. Ist das noch edele Pferdedressur, mit Löwenbestien einherzuziehen für die Gaffer?" setzte er grollend hinzu.

„Engagiren Sie sich eine Löwin, das zieht am besten," sagte Landolfo mit einem häßlichen Lachen um die breiten Lippen.

Der Director schien nicht gehört zu haben; er war mit den Briefen beschäftigt, die Landolfo auf den Tisch gelegt hatte. Ein leiser Fluch ging plötzlich über seine Lippen. „Auch das noch!" sagte er, zornig das Papier fortschleudernd. „Was ist denn in das Frauenzimmer gefahren? Da kündigt mir Fräulein Elisa, meine erste und beste Schulreiterin! Hab' ich nicht eben noch ihre unsinnigsten Forderungen bewilligt? Die hat mir der Herr auch abspenstig gemacht!"

„Was schreibt sie denn?" frug Landolfo gleichgültig.

„Lesen Sie selbst. Dumme Phrasen — ich verstehe nichts davon. Das fehlte noch!"

Landolfo las den Brief und legte ihn ruhig nieder. „Ich dachte es mir," sagte er, sich zurücklehnend.

„Was dachten Sie? Was will sie?" frug der Director gereizt.

„Beleidigte Künstlerehre. Fräulein Nora hat ihr keinen Gegenbesuch gemacht — das duldet unsere Schöne nicht. Nicht alle sind so zahm wie unsereins."

„Dummes Zeug," brummte der Director. „Das Mädchen verdirbt mir noch alles mit ihrem unsinnigen Hochmuth." Aufgeregt ging er wieder auf und nieder. „Was sollen wir thun, Landolfo?"

„Engagiren Sie eine neue; Fräulein Elisa war keine Nouveauté mehr."

„Eine neue engagiren!" rief der Director wieder. „Wo sogleich eine finden? Und die wahnsinnigen Forderungen, die diese Geschöpfe stellen, — und bald keinen Heller mehr in der Tasche. Wechsel, die mir die Haare auf dem Kopfe weiß machen, wenn ich an die Deckung denke — es ist der Ruin! sage ich, . . . ich ertrage es nicht."

„Ich wüßte Niemand, der ihn leichter abwenden könnte, als Sie," bemerkte Landolfo, sich erhebend und die Cigarren= asche abklopfend.

„Ich?" frug der Director erstaunt und suchte vergebens einen Blick in das von ihm abgewandte Gesicht zu erhaschen. „Wie meinen Sie das, Landolfo? Sie sind klug; haben Sie irgend einen Plan? Reden Sie!"

„Fräulein Nora," sagte Landolfo, noch immer mit abge= wandtem Gesichte, wie mit seiner Cigarre beschäftigt, „Fräu= lein Nora ist die beste Reiterin, die ich kenne; Demoiselle Elisa war nicht in einem Tag mit ihr zu nennen. Und sie ist überdies eine Schönheit, die Ihnen die halbe Welt wieder zuführen würde — lassen Sie Fräulein Nora auftreten, und der Sieg gehört Ihnen."

Der Director zuckte wie gestochen zurück. „Meine Tochter reitet nicht öffentlich," sagte er nach einer Pause mit heiserer Stimme.

Landolfo schwieg.

„Ihre Mutter hat es nicht gewünscht," fuhr er wie sich selbst überredend fort.

„Verhältnisse ändern die Sache," sagte Landolfo kurz.

„Sie wird es niemals thun!" rief der Director.

„Fräulein Nora ist sehr fromm, sagt man; sie wird ihre Kindespflicht kennen, den Vater vor sicherm Ruin zu be= wahren."

Dem Director war es, als fühle er Angstschweiß auf der Stirne. „Sie hat andere Pflichten — sie ist verlobt, und der Graf hat mein Wort."

Landolfo lachte leise auf. „Ah! verlobt — mit dem jungen österreichischen Grafen vielleicht? Wenigstens war es nicht sehr officiell bis jetzt."

„Es sollte noch zwei Jahre Geheimniß bleiben," lautete die etwas zaghafte Antwort des Directors.

„Solche Verlobung," sagte Landolfo, die Achseln zuckend, „Verlobung entre nous, damit man freie Hand behält — man kennt das! Deshalb hat sich der junge Herr so schleu= nigst nach dem Orient begeben. Die Frau Mama scheint die Sache zu begünstigen."

„Wohin?" frug der Director, dem Nora nichts von Curt's Verſetzung geſagt, aus einer gewiſſen Scheu, die Entfernung zu erwähnen.

„Attaché bei der Geſandtſchaft zu Pera," ſagte Landolfo. „Etwas Luftveränderung für den jungen Herrn. Der orien= taliſche Liebhaber wird Ihre Pläne ſehr wenig ſtören, mein Beſter," ſetzte er hinzu, vertraulich die Hand auf des Direc= tors Schulter legend. „Laſſen Sie uns offen ſein. Man kennt ſo Geſchichten: das liebt ſich wohl, heirathet ſich aber nicht."

„Ich halte den Grafen durchaus für einen Ehrenmann," ſagte der Director, und ein dunkeler Fleck zeigte ſich auf ſeiner Wange. Wie unwillig wandte er ſich von der Berührung ſeines Untergebenen ab und ſtand ihm einen Augenblick mit der frühern Würde gegenüber.

„Ich auch," gab Landolfo mit unverſchämter Ruhe zurück; „aber jung, ſehr jung! Seien Sie gerecht, Director: von ſeinem Standpunkte aus eine große Thorheit — und Thor= heit hat keine Dauer. Der zäheſte Carnevalsmenſch hält ſie nicht drei volle Tage aus. Eh bien, ſo geht's ſtets im Leben, und iſt die Thorheit auch noch ſo ſüß — ſie ſcheitert ſtets an ſich ſelbſt — le jeune couple hat ſchon ſeine démêlées."

„Was wiſſen Sie davon?" herrſchte der Director.

„Ein glücklicher oder unglücklicher Zufall, wie man es nimmt, machte mich zum Zeugen einer kleinen Liebesſcene: Fräulein Nora in Thränen, weil der Herr Graf ihr Vor= würfe machte, daß ſie mit »der Bande« herübergekommen — Fräulein Nora empört — dann flehend, er möge die türkiſche

Reise unterlaffen. Als Antwort darauf reiste der Herr
Graf in derselben Nacht ab — ohne weitern Abschied."

„Ich habe von dem allem nichts erfahren."

„Es war nicht angenehm für Fräulein Nora, das zu erzäh=
len," gab Landolfo zurück. „Habe ihre stille Irritation wohl
bemerkt. Aber Fräulein Nora ist eine bedeutende, — eine kluge
junge Dame; sobald sie klar sieht in allem, wird sie zu
handeln wissen. Sie wird verstehen," fuhr er langsamer
betonend fort, „daß ein Bankerott die Lage nicht verbessern
wird, und daß die Tochter des ruinirten Kunstreiters der
Familie noch weniger zusagen wird als die des reichen
Mannes."

Der Director stand wie erstarrt da. Diese Worte brachten
ihm ein neues Bild vor Augen — die Unterredung mit dem
Kaplan, die Mitgift, die er damals verheißen, und daß er
als Lügner da stehen würde.

Von neuem traf ihn der Gedanke, es sei Unnatur, in so
schwerem Augenblicke sich nicht auf seine Tochter verlassen zu
können — eine Tochter, die nur die Finger zu seiner Rettung
auszustrecken brauche, und es nicht thun werde. „Sie wird
es niemals thun!" rief er laut.

„Seltsame Kindespflicht," meinte Landolfo kaltblütig.
„Unsereins taugt nicht viel, würde das aber anders verstehen.
Warten Sie übrigens bis morgen ab. Morgen wird es sich
entscheiden, was aus der Sache wird. Das Haus brennt
noch nicht über dem Kopf. Drei Monate halten wir den
Credit noch, und im schlimmsten Falle . . . . ich wiederhole

es, Fräulein Nora wird kein unnatürliches Kind sein. Versuchen Sie es nur."

Damit zündete er sich eine neue Cigarre an und blieb, wie auf ein Wort des Directors wartend, noch einen Augenblick stehen.

Der Director antwortete aber nicht. Dunkler brannten die Flecken auf seinen Wangen, seine Gedanken arbeiteten unruhig; aber er schwieg.

Landolfo frug, ob er sich zurückziehen könne; nur ein stummes Nicken war die Antwort, und der Director war allein.

„Wäre es nicht natürlich, daß das Kind den Vater rette!" Der Gedanke bohrte sich ordentlich in sein Hirn.

Der Graf, der Graf! Eine dumme Liebelei, die schon ihr Ende erreicht. Sie würde ihren richtigen Verhältnissen wiedergegeben. Er hatte der Mutter sein Wort gehalten, ihr die Erziehung gegeben, die sie gewünscht. Aber Verhältnisse ändern die Sache, hatte Landolfo mit Recht behauptet. Einen Augenblick fiel ihm ein, das ganze Inventar zu verkaufen und sich zurückzuziehen. Jedoch das ging nur mit schwerem Schaden. Nur wenig wäre zu retten, und — geschlagen vor seinem Gegner zu weichen! „Das würde ihr nicht dienen und mir nicht helfen," dachte er düster. . . . „Doch soll es ihr freier Wille bleiben," murmelte er. „Ich werde ihr alles klar machen; mag sie dann wählen und thun, was ihr Recht scheint."

„Ich sage ihr nichts, nein, ich sage ihr nichts," wiederholte er sich immer wieder, und doch klang es eine lange, schlaflose Nacht in seinen Ohren: „Wäre es nicht natürlich, daß das Kind den Vater rette?"

XIV.

Es kann ja nicht immer möglich sein,
Daß alles sich glücklich ende —
Und wenn die Sonne am höchsten steht,
Kommt immer die Sonnenwende.

Am nächsten Morgen hatte Nora ihr Pferd zeitig satteln lassen, einen Ritt in den frischen Morgen zu thun, wie sie es besonders liebte. Das Pferd tanzte unter ihr, ihr Herz tanzte mit; es war gerade der Tag, wo vor einem Monat Curt sie überrascht, und das war ein Tag seliger Erinnerung.

Als sie auf dem Schloßplatz hielt, den eine niedrige Mauer vom Parke trennte, sah sie ihren Vater schon in seinem Schreibzimmer am Fenster stehen. Sie grüßte ihn, und um ihm eine Freude zu bereiten, ließ sie ihr Pferd zierlich aufsteigen, um es dann mit kunstgerechter Wendung herumzuwerfen und in den verschiedensten Gangarten vorzuführen, bis sie endlich, noch ein Mal grüßend, mit mächtigem Satz über die Mauer wegsprengte und den Weg durch den Park einschlug.

Sah er sie? Ja, er sah mit brennendem Blicke ihre vollendete Kunst, ihre seltene Gabe, das Thier zu beherrschen. Es war ein junges, feuriges Pferd, das sie erst vor kurzem sich aus seinem reich assortirten Stalle gewählt hatte, ihre Geschicklichkeit daran zu prüfen, wie sie das öfter gethan. Fast unzugeritten hatte sie es bekommen, jetzt fügte es sich schon gehorsam ihrem Willen. Wie sie so stolz dahinflog, mußte er von neuem die Anmuth ihrer Erscheinung bewundern. „Er

hat Recht, sie würde die Welt zu ihren Füßen sehen," mur=
melte er; „sie würde die Größte in ihrem Fache werden.
Und es wird auch ihre Freude sein: sie ist meine echte Tochter,"
setzte er hinzu.

Das unbefangene Mädchen ahnte nicht, was sie herauf=
beschworen; sie hatte ihn zerstreuen wollen, den armen Vater,
der in der letzten Zeit so düster vor sich hinblickte, daß es
anfing, sie zu beunruhigen. Was mochte ihn bedrücken? . . .
Aber sie konnte heute nicht bei sorgenden Gedanken weilen, die
rosige Zukunft lockte zu sehr. Monat auf Monat ging vorüber,
— dann war sie sein. Wie süß das klang! Wie vertiefte
sie sich in die Erinnerung an jedes seiner Worte, wie edel
und rein stieg sein Bild vor ihr auf, und wie — welchem
Frauenherzen ist das nicht Hauptsache? — wie liebeglühend
war er! Purpurn stieg das Blut dabei in ihre Wangen,
mächtig schlug das Herz auf, daß die Hand zuckte und das
feurige Thier erschreckt sich hob.

Aber ihre Gedanken spannen sich fort, fort in weite
künftige Jahre hinaus. Ja, wenn sie sein war, schön war
es dann auch, seinen Namen zu tragen, durch ihn den festen
Standpunkt zu gewinnen, die sichere Stellung zu erreichen,
die ihrem jetzigen Leben so mangelte. Und schön mußte es
sein, an seiner Seite zu leben und zu wirken im großen
Kreise, wie ein thätiger Geist es liebt. Sie war nicht un=
empfindlich für die Höhen des Lebens, und gestand es sich ein.
Jedes Glück hat seinen Hauptquell im Herzen; aber es rinnen
auch viele kleine Nebenquellen hinzu, und je mehr deren sind,
um so kräftiger wird der Strom.

Die Stunden vergehen rasch, wenn man träumt von Liebe und Leben am sonnigen Morgen unter schattigem Grün. Die Sonne stand schon hoch, als Nora sich dessen erinnerte und den kürzesten Weg zur Heimkehr einschlug.

Um etwas abzuschneiden, setzte sie über den kleinen Bach, der die Grenze des Parkes bildete. Dort führte ein Steg auf den Weg zur Stadt. Das Ufer war schlüpferig, ihr Pferd rutschte aus und nur ihre feste Hand bewahrte es vor dem Falle. „Wie gefährlich ist die Stelle," dachte sie zurückblickend, und das geknickte Gesträuch, der glitscherige Pfad wie die kleine Brücke prägten sich ihr ein.

Heimgekehrt, fand sie die Ihrigen nicht im gemeinsamen Zimmer, wie meist zu dieser Stunde. Die Stiefmutter mit dem Kinde im Garten wähnend, suchte sie den Vater in seinem Schreibzimmer auf, ihren Morgengruß zu wiederholen. Betroffen blieb sie aber am Eingange stehen. Der Vater saß dort, das Haupt auf die Hand gestützt, ein Bild schwerer Sorge. Ein geöffnetes Papier lag vor ihm, indeß ein grünes Couvert am Boden flatterte, als Zeichen einer telegraphischen Botschaft.

Mit dem Instinct der Liebe ahnte sie, daß da etwas vorgefallen, was mit seinem frühern sorgenvollen Aussehen zusammenhing.

Im selben Augenblick war sie an seiner Seite, ihn zärtlich umfassend, mit den weichsten Worten nach seinem Kummer fragend. Sie liebte ihren Vater sehr, und jetzt empfand sie dies mit einem kleinen Zusatz von Reue; denn sie fühlte, daß sie in der letzten Zeit ihrer neuen Liebe unendlich den Vorrang eingeräumt hatte. Um so zärtlicher war sie, und der Director ließ sich die Liebkosungen seines Kindes gefallen; aber ver= geblich frug sie nach der Ursache seines Kummers, ver= geblich bat sie um Aufklärung. O, wie leicht gehen in solchen Augenblicken die Worte über die Lippen, alles thun, alles leiden zu wollen, um den Kummer zu erleichtern, Worte, die doch eine so furchtbare Gestalt annehmen können. Der Director hob den Kopf und sah in seiner Tochter bittende Augen, auf ihr bewegtes Gesicht. Vielleicht war es die bessere Regung in ihm, die ihn fast rauh sich abwenden ließ. „Geh'," sagte er, „du gehörst einem Andern; du gehörst deinem Vater nicht mehr und kannst nicht helfen."

Der Tochter traten Thränen in das Auge: ihr Vater hatte Recht, aber um so mehr drängte es sie, ihm ihre An= hänglichkeit und Liebe zu beweisen. So wurden ihre Worte immer inniger; sie suchte das Telegramm zu erhaschen, um den Quell des Uebels zu erkennen. Die kurz notificirten Zahlen waren räthselhaft für sie; doch errieth sie, daß eine Geldfrage im Spiele sei. Von neuem bat sie, flehte sie, mit dem Versprechen, stark genug zu sein, alles zu ertragen.

Nach dem Telegramm, das der Director eben erhalten, waren die Verwickelungen bis auf's Aeußerste gestiegen. Lan= dolfo meldete einen noch bedeutend geringern Procentsatz, der zu erwarten stehe, als er gestern genannt, so daß der Director mit Recht fast sein ganzes Vermögen für verloren halten konnte. In solcher Lage greift der Mensch leicht nach jedem Mittel, das Hülfe zu versprechen scheint.

Er fah sein Kind fest an. „Wenn Jemand zu helfen vermag, bist du es," sagte er langsam und gepreßt.

„Ich?" wiederholte Nora erstaunt. Aber sofort durchzuckte sie die Erinnerung an der Mutter Eigenthum, welches das ihre war. „Vater," sagte sie innig, „ist es wegen der Mutter Vermögen? O, wie kannst du nur zweifeln! Nimm doch alles, was dir helfen kann; was mir gehört, gehört auch dir."

„Das kann mir nicht mehr helfen — es ist schon ver= loren!" sagte der Director dumpf.

Sie sah ihn erschrocken an. Hatte er wirklich das ange= griffen, das schon verloren, was rechtlich ihr gehörte, und lastete das schwer auf ihm? Aber Jugend ist großmüthig, und Nora war es mehr als Andere. Sie umschlang ihn noch inniger: „Laß dich das nicht kümmern, Väterchen; du konntest damit schalten nach deinem Willen. Sag' mir, wie kann ich dir helfen?"

Der Director erhob sich, als liege eine schwere Last auf ihm. „Du kannst nun doch nicht sein werden, und es ist gut," sagte er.

Nora zuckte zusammen. „Was meinst du, Vater?" rief sie ängstlich. „Meinst du Curt? — ich nicht' sein werden, weil ich arm geworden . . . . das vielleicht? O, daran hat er ja nie gedacht!"

„Ich habe dir eine goldene Brücke bauen wollen zu den Menschen hin, an die dein thörichtes Herz sich gehängt hat; ich habe dich ganz von mir loslösen wollen, dir das Glück zu geben, das du ersehntest — wider meine bessere Einsicht und fast wider Willen. Aber die Brücke ist zusammengebrochen,

Tochter d. Kunstreiters.   14

die Kluft ist unübersteiglich geworden. Du bist nicht allein die Tochter des Kunstreiters, auch die eines Lügners und Schwindlers in ihren Augen."

„Vater!" rief Nora immer ängstlicher, „was sprichst du? Du bist erregt von dem Schrecken. Curt ist gerecht und wird auch dich gerecht beurtheilen. Glaube mir, er liebte mich genug, um ganz andere Rücksichten zu überwinden, und dies ist doch nur Geld."

„Nur Geld!" wiederholte der Director höhnisch. „Aber er wird es nicht entbehren können, das weiß ich gewiß. Außer dem Zorn seiner Familie und den Unannehmlichkeiten, die du in seine ganze Lebensstellung bringst, wirst du ihn auch noch seine Güter kosten. Eine schöne Liebe, die so viele Opfer fordert!"

Nora war aufgestanden — todtenbleich. Sie preßte die Hand auf's Herz, als empfinde sie dort einen heftigen Schmerz.

Auch der Director stand; je mehr er ihren Widerstand fühlte, desto mehr sprach er sich in die Aufregung hinein. „Und worauf wartest du?" rief er fast laut. „Worauf wartest du in deiner tollen Leidenschaft? Muß er dir erst selbst das Wort zurückgeben, muß er selbst das Joch abwerfen, das du ihm aufgebürdet? Ist es nicht genug, daß er dir deutlich zeigt, wie keine Entfernung ihm zu groß ist, die ihn trennen kann von dir? Genügt es dir nicht, zu sehen, daß seine Familie dich meidet wie eine Verpestete? Willst du den Ruin deines Vaters auch noch als Schild vornehmen und um ihre Gnade, um seine Liebe betteln!"

Der heftige Ausbruch schien Nora nicht zu erschüttern. Ruhig hob sie den Blick zum Vater auf: „Curt war noch vor vier Wochen hier; er kam aus der weitesten Entfernung, nur um mich seiner unerschütterlichen Liebe zu versichern, und ich glaube ihm."

„So! schleicht er heimlich zu dir, weil er öffentlich dich nicht anerkennen will? Und das nennst du Liebe, das genügt dir! Ist das der ganze Stolz, den deine Erziehung dir gegeben? Nicht die Gewöhnlichste unserer Truppe würde solche Behandlung dulden. Aber du hörst nur auf deine Leidenschaft — alles Uebrige ist dir gleichgültig."

„O Vater, Vater!" rief das gequälte Mädchen, „warum bist du so hart? Sage mir doch lieber, wie ich dir helfen kann, und du wirst mich nicht gleichgültig finden. Ich werde Curt nie zu fesseln suchen, wenn es sein Glück hindert. Doch was hilft das dir! Sage, was ich für dich thun kann."

Der Director ging einige Mal im Zimmer auf und nieder. „Ich werde sehen, was von deinen schönen Worten zu halten ist," sagte er hart, und dann plötzlich vor ihr stehen bleibend, setzte er hinzu: „Sei die Tochter deines Vaters."

Nora starrte ihn verständnißlos an.

„Rette ihn vom Ruin," fuhr der Director fort. „Dein Auftreten allein kann es. Du hast das Talent, hast das, was die Welt bezaubern wird, — in wenigen Monaten wird ersetzt sein, was ich jetzt verloren."

Nora sah noch immer zu ihm auf, als spräche er eine fremde Sprache, als fasse sie nichts von dem, was in ihr Ohr klang.

14*

„Du bist die erste Meisterin in unserer Kunst," begann
er bei ihrem Schweigen wieder. „Du bist ein neues, frisches
Element, wie die Welt seit Jahren keins bewundert. Du hast
es von mir ererbt," sagte er, ordentlich enthusiastisch werdend
bei dem Gedanken. „Die Natur hat dich dafür bestimmt,
dir diese Kühnheit und Schönheit in die Wiege gelegt! Du
wirst Alle überstrahlen, wie dir schon als Kind prophezeit
wurde."

Plötzlich schien ihr ein Licht aufzugehen. „Nie! nie!"
schrie sie mit gellendem Ton, beide Hände vor das Antlitz
schlagend. „Nie, nie kann das sein!"

„Ich wußte es," sagte er, kalt sich abwendend. „Deine
Liebe hat nur Worte, für Keinen bringst du Opfer."

„Vater!" rief Nora, „ich will alles thun für dich, —
nur das nicht! Ich will für dich arbeiten, wenn es dir
helfen kann, mit dir darben, wenn du in Armuth gerathen,
will dir allein angehören, ... kein Gedanke an Jemand
anders soll mich dir untreu machen, — nur das nicht, das
Entsetzliche nicht!"

„Nur das kann helfen," sagte der Vater, sie rauh zurück-
stoßend. „Alles andere sind leere Worte. Wohlan, bleib'
bei deinem Stolz und überlaß deinen Vater seinem Schicksal."

„Vater, ich kann ja mehr, ich kann ja Besseres," flehte
sie wieder. „Ich habe viel gelernt, habe andere Talente, ich
will mir eine Stellung suchen, und alles soll dir gehören."

„Die paar Thaler solcher Stellungen werden mir viel
helfen!" sagte er fast höhnisch auflachend. „Verschone mich
mit deinen Redensarten."

„O, denke an Mutter, die es nie gewollt," wimmerte Nora.

„Deine Mutter würde mir in jeder Noth beigestanden haben, sie hätte mir jedes Opfer gebracht," sagte er ausweichend. „Auch sie brach mit Vielem, um mir anzugehören, meinem Stande, den du so hochmüthig verachtest. Mag dir ihr Wort, unter ganz andern Verhältnissen gesprochen, denn höher gelten, als die Schmach deines Vaters."

Nora lag am Boden, — ihr Herz wand sich wie in Todesangst, und doch sagte ihr eine innere Stimme, fest zu bleiben. „O, lieber sterben, lieber sterben!" murmelte sie.

„Und wenn ich dich darum bäte?" sagte der Vater plötzlich, ihr die Hand auf das Haupt legend. „Wisse es klar: ich bin verloren, wenn ich diese Hülfe nicht habe." Er sprach mit seltsam erstickter Stimme.

„Lieber sterben, lieber sterben!" wiederholte sie fast außer sich vor Angst.

„Ja, lieber sterben als seinen Stolz beugen .... du kannst Recht haben," sagte er in demselben eigenthümlichen Tone, und ohne ein Wort weiter wandte er sich und verließ das Zimmer.

XV.

Wen das Unglück recht anbraust, den reibt's nicht hin und her, — es versteinert ihn wie Niobe.

Bettina.

Nora wußte kaum, daß sie allein zurückgeblieben. Die Hände vor das Antlitz geschlagen, blieb sie regungslos sitzen, niedergeschmettert von dem, was sie gehört, — wie lange, sie wußte es nicht. Sie versuchte sich zurückzurufen, was der Vater gesagt; aber alles war ihr unklar, unverständlich, unbegreiflich. Nur eins nahm bei ihr allmälig wieder Form und Gestalt an, daß sie fest, fest sein und bleiben müsse gegen alles Bitten, gegen alles Drängen; daß keine Macht der Erde, daß nichts auf der Welt sie bewegen dürfe, sich so zu erniedrigen.

Tiefer, bitterer Groll stieg in ihr auf gegen den Vater, der ihr solches zumuthete. Wie konnte der Gedanke in ihm aufgestiegen sein? Wer hatte ihm so unseligen Rath zugeflüstert? Ein innerer Instinct sagte ihr, daß Landolfo dabei im Spiele sei. Aber nicht daran wollte sie ihre Gedanken verschwenden; nur daran denken, wie das Elend abzuwenden, wie das Unglück zu beschwören sei. Eine unendliche Sehnsucht nach Rath und Mittheilung beschlich sie, und jedes Weib denkt dann zuerst an den Mann, den sie liebt.

Das war gewiß ein Ereigniß, wo die Schranke des Verbotes durfte überschritten werden, wo ein Aussprechen mit Curt unumgänglich nothwendig war. Der Gedanke, ihm zu schreiben, beruhigte sie schon. Sie erhob sich, ihr Zimmer aufzusuchen; denn sie hörte jetzt Schritte im Hause, selbst das Rufen ihres Namens, als werde sie gesucht. Leise entschlüpfte sie durch eine Nebenthüre, — es war ihr unmöglich, jetzt vor anderer Leute Augen zu treten. Sie gelangte ungesehen auf ihr Zimmer.

Sie ließ sich zum Schreiben nieder; aber die ersten Worte riefen die ganze Scene so überwältigend wieder zurück, daß die zitternde Hand die Feder niederlegen mußte. Im selben

Augenblicke ward heftig an ihre Thüre gepocht, und ehe sie sich noch erheben konnte, sah sie in Landolfo's erregtes Gesicht.

„Fräulein Nora — Sie hier?" frug er hastig. „Und Ihr Vater, wo ist er?"

Nora erhob sich stolz, dem Eindringling möglichst kalt zu begegnen. Aber er beharrte in seiner Stellung, und etwas in seiner Stimme ließ auf Außergewöhnliches schließen.

„Wo ist Ihr Herr Vater?" rief er wieder. „Ich weiß, er war bei Ihnen, er hatte wichtige Sachen mit Ihnen zu bereden. Haben Sie ihn beruhigt? Wie hat er Sie verlassen?"

Nora sah ihn wie im Traume an; sie schüttelte nur still den Kopf.

„Ah, steht es so!" sagte Landolfo fast höhnisch. „Sie haben Ihren Vater auf diese Weise fortgeschickt? Sehr kind= lich das! Sie scheinen nicht zu wissen, was Menschen, die am Rande des Ruins stehen, alles thun können! Noch ein Mal, Fräulein Nora, wo ist der Director?" frug er, vor Ungeduld mit dem Fuße aufstampfend, als sie immer noch schwieg und ihn wie träumend anstarrte.

Nora wurde todtenbleich; sie legte die Hand an die Stirne, als müsse sie die Gedanken erst sammeln. „Ich weiß es nicht, ich weiß es nicht!" brach sie stammelnd aus. „Was meinen Sie, was denken Sie?" Doch plötzlich, als sei ihre Denk= fähigkeit wiedergekommen, setzte sie hinzu: „Wir müssen ihn gleich suchen. Er ging in den Garten hinaus nach unserer Unterredung."

„In den Garten? Wohin? Was wollte er da — doch nicht allein?" inquirirte Landolfo in barschem Tone weiter.

„Die Directorin und ich wähnten Sie natürlich zusammen und wollten nicht stören. Wir konnten nicht denken, daß die Tochter den Vater in solcher Stunde des Unglücks sich selbst überlassen würde. Alle Folgen davon kommen auf Sie!" fuhr Landolfo mitleidslos fort.

„Ihren Vater sich selbst überlassen" — das Wort traf Nora bis in's Innerste. Ja, sie hatte nur an ihr Unglück gedacht, hatte ihn stumm und rücksichtslos von sich gewiesen.

„O, wir müssen ihn gleich aufsuchen!" rief sie bestürzt, und in der Angst ihren Groll vergessend, streckte sie die Hände wie flehend gegen Landolfo aus. „Kommen Sie mit, ihn zu suchen!" bat sie noch ein Mal.

„Alle Folgen kommen auf Ihr Haupt!" wiederholte Landolfo.

Aber sie hörte es schon nicht mehr; sie flog die Treppen hinab dem Garten zu. Ihre Stiefmutter stand geängstigt am Eingange desselben und wollte sie aufhalten, indem sie fragte, wo nur der Director geblieben seit dem Morgen. Es ging schon spät in den Nachmittag hinein.

Aber Nora hatte nicht Zeit, ihr Rede zu stehen. „Er muß im Park sein, er ist vielleicht zur Stadt gegangen!" rief sie und eilte davon, daß Landolfo ihr kaum folgen konnte. Es schien ihr, als sei jetzt jede Minute kostbar. In ihren Ohren hallte es wie mit dröhnendem Glockenschalle: „Sie wissen wohl nicht, was Menschen thun können, wenn sie am Rande des Ruines stehen — die Folgen kommen über Sie!"

„Mein Gott, mein Gott!" Ja, sie wußte es jetzt. Vor ihren flimmernden Augen glitten jene Schatten-Gestalten vorüber, von denen sie gehört und gelesen, daß sie den Ruin nicht ertragen. . . . Waren ihres Vaters letzte Worte nicht die gewesen, die sie selbst gesagt: „Lieber sterben!" . . . . „O Gott, auch das noch!"

Wie ein gehetztes Reh flog sie durch all' die verschlungenen Pfade, den Vater rufend; aber unwillkürlich drängte es sie zu einem Platze, der ihr wie eingebrannt im Sinne stand. Das schlüpfrige Ufer, der morsche Steg, die geknickten Gebüsche, das tiefe Bett des Baches, — sie wollte dem Anblick entgehen, und doch zog es sie dorthin.

„Glauben Sie denn ernstlich, daß Ihr Vater zur Stadt gewollt?" frug Landolfo athemlos, als sie plötzlich, den kürzesten Weg durch das Gehölz einschlagend, dahin lenkte. „Er mußte mich ja dort."

„Es ist aber doch möglich, es könnte sein . . . . da führt ein Steg auf die Straße," sagte Nora wie sich selbst beschwich= tigend. Aber plötzlich war ihr, als habe sie Blei in den Füßen, so schwer waren sie zu heben, — alle Kraft war auf ihre Augen concentrirt, so erweiterten diese sich, als sie der Stelle sich näherte.

„Bleiben Sie zurück, Fräulein Nora; bleiben Sie zurück!" rief jetzt Landolfo aus, und faßte sie fast krampfhaft am Arme. „Das ist kein Platz für Sie!"

Aber Nora riß sich los und stürzte mit lautem Wehruf voran, verzweiflungsvoll niedersinkend. Das Schlimmste schien sich dort zu bewahrheiten: ihre Ahnung hatte sie recht geführt. Halb im Wasser versunken, lag eine dunkele Gestalt ausge= streckt, nur der Kopf ruhte noch hart am äußersten Rande des Ufers; eine einzige Bewegung, und das nicht tiefe, aber mit ziemlich starkem Fall forteilende Wasser riß ihn mit fort. Hatte er hinüber gewollt und war ausgeglitten? Hatte ein Schwindel ihn vom schlüpfrigen Steg gestürzt? Hatte der eigene Wille seine Schritte so gelenkt und nur eine Fügung des Himmels den letzten Schritt gehemmt?

Nora, fast ohne Besinnung, zerrte machtlos an der wuchtigen Gestalt, die kein Zeichen von Bewußtsein gab. Aber auch Landolfo war schon zur Stelle. „Fassung und Ruhe!" herrschte er; doch sein eigenes Antlitz zeigte, wie weit er davon entfernt war. Kalter Schweiß stand auf seiner Stirne, und die Zähne schlugen fast hörbar auf einander. Mit festem Griff, mit großer Kraft und Geschicklichkeit zog er den schweren Körper auf das Ufer, den Kopf vorsichtig auf Nora's Knie niederlegend.

„Er ist nicht todt," sagte er, nachdem er prüfend die Hand an das Herz des Bewußtlosen gelegt; „er ist nur ohnmächtig." Der tiefe Athemzug, der sich dabei aus seiner Brust rang, galt nicht bloß der Kraftanstrengung, die es gekostet. „Lösen Sie ihm das Tuch vom Halse; reiben Sie ihm, so stark Sie können, die Pulse," fuhr er zu Nora gewandt fort. „Indeß gehe ich heim, Hülfe zu holen. . . . Auf dem Wege nach der Stadt ist der Steg unter ihm gebrochen," setzte er bedeutungsvoll hinzu, mit einigen Fußtritten die morschen Bretter zertrümmernd, ehe er ging.

Aber Nora hörte kaum, was er sagte, sah nicht, was er that. Mechanisch führte sie aus, was er sie geheißen — in ihrer Seele nur den einen furchtbaren Gedanken: Hatte sie

ihren Vater zu diesem Entschluß getrieben? Hatte sie in der
Stunde des Unglückes ihn so zurückgestoßen, daß er nur diesen
Ausweg gefunden? Wie grauenhaft kam ihr jetzt ihre Härte
vor. „Durch meine Schuld, durch meine Schuld!" wieder=
holte sie immer wieder mit bebenden Lippen. „Vater, Vater,
leb' nur: ich thue alles, alles um deinetwillen. Vater, ich
schwöre dir, ich thue, was du willst." Sie flüsterte dem
Bewußtlosen immer eindringlicher zu, als müsse er es hören,
als müsse er dadurch zum Leben erwachen.

War es nun die veränderte Lage, war es das hastige
Reiben oder die Stimme des Kindes, ihr heißer Athem, der
zu ihm drang: ein leises Zucken durchfuhr den Körper, ein
Seufzer stieg leise aus dem zusammengepreßten Mund.

Nora rang wie im Dankgebet die Hände. „Laß ihn nicht
sterben, mein Gott, laß ihn nicht sterben durch meine Schuld!"
flehte sie. „Mein ganzes Leben soll diesen Augenblick sühnen,"
und sie preßte ein kleines Kreuz, das sie trug, auf seine Lippen,
auf ihre Lippen. „Nichts, nichts soll mir zu viel sein, um
dich zu retten, Vater!" Ihre Hingabe allein schien das
theure Leben erkaufen zu können.

Landolfo kam jetzt mit Hülfe zurück. Der Directorin hatte
er nur zugestanden, daß ihr Mann sich im Walde den Fuß
verstaucht habe, und eine Tragbahre nöthig sei, ihn zu holen.
Den Männern, die mitgekommen, schien der zerbrochene Steg
Erklärung genug.

Man lud den Director vorsichtig auf. Nora ließ seine
Hand nicht aus der ihren. Sobald sie eine Bewegung in seinem
Antlitz sah, flüsterte sie ihm wieder ihre Einwilligung zu, als

fürchte sie immer noch, sein Leben könne entfliehen, ehe er ihr kindliches Opfer verstanden. Ein Mal schien es, als leuchteten seine Augen verständnißvoll dabei auf; ein Mal war es ihr, als empfinde sie einen leichten Druck seiner Hand.

Unruhvolle Stunden folgten dem Ereigniß. Frau Karsten war in ihrer Aufregung ganz nutzlos. Nora's Kraft und Energie schienen sich aber zu verdoppeln. Mit fast erschreckender Ruhe kam sie allen Anforderungen nach, ließ nicht die kleinste Sorge aus dem Auge. Der Arzt erklärte den Zustand des Directors für einen leichten Schlaganfall, verschlimmert durch den Umstand, daß er mehrere Stunden im Wasser zugebracht.

Während mehrerer Tage schwebte er in Lebensgefahr. Nora wich weder Tag noch Nacht von seiner Seite. Sie sprach nicht, sie klagte nicht, sie weinte nicht; sie that alles, als hinge von jeder Handlung seine Lebensrettung ab, und als sei sie versteint gegen alles Uebrige.

Als das Bewußtsein dem Kranken vollständig zurückgekehrt, kam kein Wort über das Vergangene noch über das Ereigniß selbst über seine Lippen. Ein allmäliges Entsinnen schien ihn zu beunruhigen und zu quälen, und sein Auge suchte Nora mit bangem, scheuem Blick. Nora war nicht bloß halb heroisch: sie wollte dem müden Gehirn gleich Ruhe geben. An seinem Bette kniend, ihn zärtlich umschlingend, erneute sie das Versprechen, das sie gleich im ersten Augenblick gegeben, das sie seitdem rückhaltlos sich innerlich stets wiederholt hatte.

Es war eigenthümlich, welche Wirkung es auf den Kranken übte. Erst sah er sie ungläubig, dann fragend an; end-

lich glitt fast kindische Freude über die matten Züge; er
umschlang seine Tochter. „Ich habe das also nicht geträumt,
es war also keine Phantasie, daß du mir helfen willst.....
Nora, Nora, du rettest deinen Vater! Ich wußte ja, du
würdest mein gutes Kind sein, mich nicht verlassen in der
Noth. Nora, mein Herzchen, dann braucht dein alter Vater
all' seine schönen Thiere nicht aufzugeben, die sein Stolz und
sein Ruhm sind, ohne die er nicht mehr leben kann. Nora,
dann schlagen wir den Andern aus dem Felde! Dann wird
es wieder sein wie damals, wo du ein kleines Mädchen
warst, und keine größere Freude kanntest, als wenn Papa
dich auf's Pferd hob! Weißt du das noch, Nora?.... Es
war eine Kluft zwischen uns; sie haben mein Töchterchen
von mir trennen wollen; aber du wirst, wie deine Mutter,
alles um meinetwillen lassen." Und er küßte sie zärtlich.

„Alles!" hauchte Nora, und es mochte wohl ein tiefer
Schmerz in dem einen Worte liegen, denn der Kranke selbst
wurde aus seinem Freudenrausch geweckt.

„Du wärest doch nie glücklich mit ihm geworden, mein
Mädchen," sagte er, wie mitleidsvoll das gebeugte Haupt
streichelnd. „Du wärest unsäglich elend geworden! Ich kenne
die Welt. Sie würden dich stets als Eindringling betrachtet
haben; er hätte es bereut und dich vernachlässigt. Tausend=
fach bitterer würde das für dich gewesen sein, als dieser
Augenblick. Glaube mir, mein Kind, es ist dein Glück; ich
rette dich vor großem Unglück." Als der Director, abge=
spannt vom vielen Reden, in die Kissen sich zurücklehnte, glaubte

er selbst, was er sagte. Es gibt keinen überzeugendern Redner
für uns, als der eigene Egoismus.

Nora lehnte matt den Kopf an die Kissen des Vaters,
der ihre Hand festhielt, als fürchte er, sie könne ihm ent=
weichen.

„Alles," flüsterte sie wieder vor sich hin, und die ganze
Größe des Opfers stieg vor ihr auf. Ihre Liebe hin, ihre
Stellung vernichtet, jedes Glück aufgegeben, jede Hoffnung
verloren — mit Centnerschwere senkte diese Erkenntniß sich
auf ihr Herz, daß es hätte aufschreien mögen unter der
Riesenlast.

Fühlte der Vater in seinem Halbschlaf, was sein Kind
litt? Unruhig warf er sich hin und her. „Sie thut's nicht,
Landolfo, sie thut's nicht!" murmelte er wie im Traume.

„Ja, sie thut es," wiederholte Nora fest. Dann aber
erhob sie sich, machte sich leise los, rief einen Wärter herbei
und schritt zum ersten Male seit all' den Tagen und Nächten
ihrem Zimmer wieder zu. Sie kam sich wie ausgewechselt,
wie eine ganz Andere vor; alles um sie her schien ihr fremd.

Auf ihrem Schreibtische lagen noch die angefangenen
Zeilen an Curt; wie Gespenster starrten die Worte sie an,
sie riefen ihr zurück alles das, was sie da hatte versprechen
und geloben wollen. Vorbei war das alles — vorbei! Mit
jähem Ruck zerriß sie das Blatt. „Das muß auch geschehen,
das muß jetzt gleich geschehen," sagte sie. Trotzdem ihre
Augen brannten vom langen Wachen, trotzdem ihre Glieder
wie gebannt waren von der Müdigkeit, setzte sie sich nieder
und schrieb — wie im Traume.

Was schrieb sie? Sie wußte es später nie mehr — aber es war mit fast seltener Klarheit die Darstellung all' der Tage, der Stunden des furchtbaren Entschlusses, den sie gefaßt! Es war ihr, als schriebe sie über eine Andere; das Leid war zu groß, es für sich selbst zu begreifen. Nur am Schluß überkam sie das unendliche Weh — da rang es sich los bei den Abschiedsworten, welche ihr die Kluft zeigten, die nun für immer sie trennen sollte. Nicht eine Secunde kam es ihr in den Sinn, sein Wort auch jetzt noch als bindend anzusehen.

„Wie eine Sterbende scheide ich von Dir, wie eine Sterbende, die nicht ein Mal mehr fragen darf, ob es noch Rettung gibt. Curt, ich dürfte die Hand nicht annehmen, die Du mir Hülfe bringend reichen könntest. O, wärest Du in der Nähe gewesen, vielleicht hättest Du einen Ausweg gewußt aus diesem entsetzlichen Abgrunde! So erkannte ich nur dies als Pflicht. Möge das Opfer, das ich bringe, den Irrthum sühnen, wenn ich unrecht handelte. Ich konnte nicht anders. Curt, leb' wohl!!"

Die Feder sank aus der Hand und der Kopf sank nieder wie in dumpfer, schwerer Betäubung. Aber der Geist arbeitete weiter, er konnte noch keine Ruhe finden nach dem Sturm. Spiegelte ihr die heiße Sehnsucht vor, sie sei wieder das Kind, das seinen ersten bittern Schmerz ausweinte in den Armen jenes Knaben? Sah sie die bleiche Mutter wieder vor sich liegen, zu der der Knabe sie hintrug? Fühlte sie, wie die fieberheißen Hände sie aus den Armen des Knaben in die des Vaters drängten?

„Mutter, Mutter! Haft du es so gewollt?" schrie sie auf, und ein Strom von Thränen brach sich Bahn. „Haft du es trotzdem doch so gewollt? Sollte ich dem Vater ganz angehören — o, mit meinem Herzblut habe ich mich ja für ihn verschrieben! Nun komme auch und segne dein Kind!"

Ein Tropfen Balsam, ein Hauch von Segen zog ihr bei dieser Erinnerung in's Herz: der Segen, der auf jedem uneigennützigen Opfer ruht, der Friede, der auf jeden Act reinen, guten Willens zuletzt sich legt.

Nora verharrte noch still so, als schon die Morgendämmerung sich grau hereinstahl, und man sie endlich zum Vater rief.

Vor ihr lag noch der Brief. Wohin ihn senden? Es war ihr wüst im Kopfe; sie konnte sich über nichts genau besinnen. Bei dem neulichen Besuche Curt's hatten Beide sich fest vorgenommen, das Verbot nicht weiter zu überschreiten, und die Prüfungszeit nun gelassen zu überstehen. Sie hatten daher keine Adressen ausgetauscht; und den Brief in fremden Händen zu wissen, war ihr schrecklich.

„Ich werde ihn der Mutter senden, daß diese ihn weiter besorgt — sie mag ihn sehen. Es ist ja der einzige, den sie von mir gewollt," setzte sie bitter hinzu.

XVI.

Gewiß ist es fast noch wichtiger, wie der Mensch das Schicksal nimmt, als wie es ist.

W. v. Humboldt.

Landolfo hatte sein Ziel schneller erreicht, als er gehofft. Es war nur sein Geheimniß, daß er die Verwickelungen des

Directors im letzten Telegramm schlimmer dargestellt hatte,
um ihn in seinem Entschluß Nora gegenüber zu bestärken.
Seine Aufregung, als er sah, welch' tragische Wendung die
Sache zu nehmen drohte, war daher nichts weniger als
angenommen. Doch war sein Gewissen nicht so zart, nicht
gleich wieder beruhigt zu sein, als sein Kunstgriff so günstig
zum Ziele geführt hatte.

Daß Nora's Auftreten das Einzige sei, was dem Director
aufhelfen könne, war seine aufrichtige Ueberzeugung, und daß
es für seinen Privatplan auch das günstigste sei, nicht minder.

„Nach einigen Jahren wird sich das stolze Schätzchen
darein finden," dachte er, und sah sich schon als Schwieger=
sohn des berühmten Karsten an der Tête der hervorragend=
sten Gesellschaft.

Die augenblickliche Lage möglichst glücklich auszubeuten,
war jetzt sein Hauptbestreben, und er handelte prompt und
schnell, sowohl um Nora einen etwaigen Rücktritt unmöglich
zu machen, als auch, um das Publicum in dem nöthigen
Grade für sie zu interessiren. Ihm waren all' die geheimen
Fäden und kleinen Intriguen bekannt, die nothwendig sind,
eine solche Künstlerlaufbahn vorzubereiten.

Nora saß noch am Krankenbett des Vaters, als schon
kleine pikante Artikel über sie die Runde durch die gelesensten
Zeitungen machten; besonders die Klatschpresse der Residenz,
wo sie auftreten sollte, beschäftigte sich eifrigst mit ihr. Bald
war es ihre Schönheit und Erziehung, bald ihre Liebesge=
schichte, die in den seltsamsten Variationen aufgetischt wurde,
hier und da der Wahrheit so nahe kommend, daß man Na=

Tochter d. Kunstreiters.   15

men und Persönlichkeiten zu erkennen glaubte, bald in den
gewagtesten Vermuthungen sich ergehend. Auch die Schwan=
kungen in dem Vermögen des Directors blieben nicht unbe=
rührt; dunkele Ereignisse wurden angedeutet, und Nora
wurde bald als verlassene Geliebte, bald als heroische Tochter
oder leidenschaftliche Künstlerin dem Publicum vorgeführt.
Gelesen und debattirt und geglaubt wurden all' die Geschich=
ten. Karsten war immerhin eine europäische Berühmtheit,
aus deren Privatleben man stets gern liest, je dunkeler oder
je greller die Geschichte, um so lieber. Ein Drittel der Zei=
tungsleser wirft allen Weltereignissen zum Trotz zuerst den
Blick in die Vermischten Nachrichten, diese Chronik des Welt==
klatsches. Der Weltereignisse gab es aber gerade wenige,
und so bemächtigte man sich doppelt gern solch' pikanten
Stoffes, und ward begierig, die Schöne kennen zu lernen,
die so viel von sich reden machte, nicht ahnend, daß alles
aus Einer Feder floß.

Zur größern Vorsicht sandte Landolfo die Artikel der
Gräfin zu, sie auf diese Weise auf das empfindlichste treffend.
Die Gräfin hatte längst den Brief Nora's an ihren Sohn
empfangen; sie war empört gewesen, daß ihr Verbot in dieser
Weise überschritten wurde, und sie fühlte sich nicht verpflichtet,
den Brief gleich weiter zu senden. Als bald darauf Lan=
dolfo's Sendungen ankamen, fand sie wohl heraus, daß der
Brief mit den Ereignissen in Verbindung stehen müsse, wußte
aber kaum, ob sie erfreut oder entrüstet sein sollte, daß Die=
jenige, die ihr Sohn seiner Liebe gewürdigt, in so gemeiner
Weise an die Oeffentlichkeit gezogen wurde. Eine Entschul=

digung dafür, daß Nora solche Wege einschlug, war gar nicht anzunehmen; selbst ein Beweis, daß alles Lüge, würde in den Augen der Gräfin nicht mehr genützt haben, nachdem der Name gemißbraucht worden. Der Name konnte nun und nimmermehr neben dem ihres Sohnes genannt werden. Sie fand es nun ganz gerechtfertigt, den Brief noch so lange zurückzuhalten, bis sich herausstellen würde, was Wahres an dieser Zeitungsschreiberei sei. Bald genug sollte sie das erfahren.

Die Tage vergingen; der Director genas rascher, als man geglaubt, und drängte nun, auf dem größten und bewährtesten Schauplatz seiner Thaten seine Tochter auftreten zu sehen. Darauf setzte er all' seine Hoffnung, damit beschwichtigte er all' seine Sorgen.

Nora sollte möglichst rasch und mit dem größten Glanze auftreten; Karsten wollte Herr der Position sein, ehe sein Nebenbuhler mit seiner Gesellschaft eintreffen konnte. So waren kaum drei Wochen nach dem Ereigniß verflossen, als große Affichen in fetten Lettern und mit prangender Schrift der ersten norddeutschen Hauptstadt das Zurückkehren des berühmten Circus Karsten meldeten, und das erste Auftreten der neuen Schulreiterin, Fräulein Nora Karsten, verkündeten, mit allen nöthigen Zuthaten des Festprogramms.

Selbst die Gräfin, vorbereitet wie sie war, erbleichte, als auch dieser Zettel sie erreichte, den Landolfo nicht versäumte, ihr einzuschicken. Etwas wie Mitleid mit dem armen Mädchen stieg ahnend in ihr auf. Noch ein Mal sah sie diese edeln, reinen Züge vor sich mit allem Gepräge äußerer Vornehmheit und Bildung, die so keine Spur von Leichtsinn ver-

15*

riethen. Sie fragte sich, was sie zu so etwas Widernatür=
lichem in ihrer Lage vermögen konnte? — Aber was es
auch gewesen sein mochte, — es war geschehen. Damit schien
eine große Last von ihr genommen. Jetzt hatte sie ihrem
Sohne gegenüber alle Beweise in der Hand; sie konnte sich
das Zeugniß geben, nicht auf Nachrichten hin gehandelt zu
haben.

Sie war zu redlich, den Brief Nora's zu unterschlagen;
aber sie sandte ihn nicht allein. Alle jene Artikel legte sie
bei, das Ganze schloß der groß gedruckte Anschlagzettel.

„Mein armer Sohn," schrieb sie, „ich kann dir nicht
vorenthalten, was die ganze Welt schon weiß. Es wird dich
aus einem Traume reißen, den deiner Mutter erfahrener
Blick schon früher als unwürdig erkannte. Gräme dich nicht,
daß du enttäuscht wurdest; zu irren in dem Glauben an die
Menschen ist das Privilegium reiner, edeler Seelen. Ich
preise Gott, daß es für dein Lebensglück früh genug geschah.
Komm in die Arme deiner Mutter, komm an ihr Herz, dich
zu trösten; ein Mutterherz trägt stets das Leid mit ihrem
Kind."

Es war ein kleiner Umstand, daß die Gräfin in dem
Packetchen alles so ordnete, daß der Brief ihrem Sohne nur
zuletzt in die Augen fallen konnte. Aber das Leben ist aus subtilen
Kleinigkeiten zusammengesetzt, und in den kleinsten Theilen
liegt oft die größte Wirkung. Dachte die Gräfin noch ein
Mal darüber nach, als sie das Päckchen prüfend in der Hand
wägte, ehe sie es absandte? Vielleicht gehörte es mit zu
ihrem Inbegriff von Pflicht . . .

Zu der nämlichen Stunde, als das Packet aus der Gräfin Hand ging, stand Nora in dem kleinen Garderobezimmer des Circus, schon ganz angekleidet zur Vorstellung. Die Stiefmutter kniete neben ihr mit einigem Dienstpersonal und ordnete die Falten des reichen dunkeln Tuchkleides, das in seiner vollkommenen Einfachheit ihre schönen Formen vortheilhaft zeichnete. Mehrere Kerzen brannten vor dem Spiegel, der ihr Bild strahlend zurückwarf. Die strenge Schönheit desselben wurde nur durch ein Goldnetz gehoben, das die reiche Fülle der schwarzen Haare barg. Nora verschmähte jedes andere als das einfache Reitcostume; sie sah auch nicht in das leuchtende Glas, sie achtete nicht auf die eifrigen Hände, die sie umgaben.

Wie im Traum verloren stand sie da, die kalten Hände fest in einander gepreßt. Wie im Traum hatte sie diese Zeit verlebt, wo Tag auf Tag ihr wie im Nebel vorüberglitt. Ihr Vater hatte den Takt gehabt, sie mit allen überflüssigen Details zu verschonen; still und ernst hatte sie nur ihre Reitübungen aufgenommen, und die physische Ermüdung dabei war das Einzige, was ihr wohlgethan.

Aber worauf hatte sie gehofft, woran hatte sie gedacht, daß ihr dennoch jeder Tag wie eine neue Enttäuschung erschien, daß ihr jetzt zu Muthe war, als sei ihr der letzte Boden unter den Füßen entschwunden? Selbst in dieser Minute noch stand sie zögernd, als müsse jetzt noch irgend etwas geschehen, den letzten Schritt aufzuhalten. Junge Herzen haben solche Hoffnungsfähigkeit! Wohl hatte sie Abschied genommen von Curt, wohl hatte sie selbst die Mög-

lichkeit einer Rettung zurückgewiesen — und doch und doch
— hätte nicht vielleicht doch eine Hülfe erscheinen können,
ehe es unwiderruflich zu spät war?! O, er hatte ja so viel
gewagt für eine Stunde Liebesglück. . . . .

Täglich hatte ihr Herz ihr heimlich zugeraunt: „heute"
— und täglich hatte sie am Abend eine Entschuldigung ge=
wußt, weshalb es vielleicht noch nicht möglich geworden.

Jetzt erklang ein Tusch. Er schloß die Scene, die ihrem
Auftreten voranging. Der Director trat ein, sie abzuholen.
Da ward an die Thüre der Garderobe geklopft, ein Diener
reichte einen Brief herein.

Nora zuckte zusammen; der Director erbleichte. Aber im
selben Augenblick ließ Nora den Brief gleichgültig fallen; es
waren die Schriftzüge der Oberin, die in treuer Freundschaft
ihre Mittheilung sofort beantwortete; — aber was ist Freund=
schaft, wenn die Liebe hofft?

„Es ist Zeit," sagte der Director fast zaghaft.

Die neue Enttäuschung hatte Nora aber so ergriffen, daß
ein nervöses Zittern ihren ganzen Körper schüttelte.

Der Director glaubte alle seine Hoffnungen schwinden
zu sehen. „Geht es nicht?" fragte er dumpf.

„Ja, es geht," sagte Nora, hoch sich aufrichtend bei dem
Klange seiner Stimme, die sie nur ein Mal so heiser gehört.
„Ja, es geht, mein Vater!" Festen Schrittes folgte sie ihm.

Landolfo's Manipulationen hatten sich als sehr zweckent=
sprechend bewährt. Der große Raum war bis auf den letzten
Platz ausverkauft; man hatte sich dazu gedrängt, man war
gespannt darauf, die neue, vielbesprochene Schönheit zu sehen.

Der Director hatte heute alles mit dem größten Glanze her-
gerichtet; er wollte seine Tochter mit einem gewissen Nimbus
umgeben. Die sämmtlichen Stallmeister in ihren elegantesten
Livréen waren gegenwärtig, Knaben in den reizendsten Pagen-
Costumes standen um den Eingang der Bahn, als wollten sie
die Herrin erwarten.

Jetzt wirbelte ein Tusch, dem ein verhaltener Bewunde-
rungsruf der Menge folgte — denn mit einem Satz war die
schöne Reiterin mitten in der Bahn, und wie aus Erz gegossen hielt das Pferd im selben Augenblick dort mit seiner
schönen Bürde, die ebenfalls aus Erz gegossen schien, so
regungslos war das Gesicht.

An dem Platze, wo die junge Herrenwelt vorwiegend war,
entstand Bewegung; unwillkürlich erhob sich Jeder, um besser
zu schauen, und drängte näher heran. Solche Anmuth der
Gestalt, solche edele Haltung, solche jugendfrische, schöne Züge
waren hier noch nie bewundert worden.

Hoch stieg jetzt das feurige Thier in die Höhe, daß es
fast unglaublich schien, wie ruhig die Reiterin ihren Sitz
wahrte — und nun fiel die Musik in die leichten engagean-
ten Töne, die das Schulreiten begleiten. Zierlich flog das
Pferd herum, und Evolution folgte auf Evolution, von so
sicherer, fester Hand geleitet, von so unnachahmlicher Anmuth
ausgeführt, daß Bravo auf Bravo die graciöse Scene begleitete. Die Kenner fanden nicht Worte genug, die Vollendung
ihrer Kunst zu rühmen.

Die Musik ward indeß immer rascher und wilder, das
Tempo aufregender, das Pferd, wie angefeuert durch den

Erfolg, brauſte durch die Bahn, die vorgeſchobenen Hinder=
niſſe im Fluge nehmend. Unwillkürlich theilte ſich die Auf=
regung den Zuſchauern mit, Aller Blicke folgten geſpannt dem
kühnen Ritt. Nur das Auge der Reiterin ſelbſt blieb ruhig;
kein Funke freudigen Stolzes oder befriedigter Eitelkeit leuch=
tete darin auf, keine Miene veränderte ſich, nicht ein Blick
flog zu den gefüllten Zuſchauerreihen hinüber: nur für ihr
Roß ſchien ſie zu exiſtiren, ... jetzt ein mächtiger Satz hoch
über die ſchließende Barrière hinweg, und plötzlich wie ſie
gekommen, war ſie auch verſchwunden.

In einem einzigen lauten Beifallsſturm löſte ſich die
Spannung des Publicums; es brach ein Applaus aus, wie
er ſeit Jahren kaum hier gekannt. Bezaubert hatte Alle die
ſchöne, räthſelhafte Geſtalt, und nicht umſonſt rieb Landolfo
ſich wohlgefällig die Hände. Tauſend Stimmen riefen wie=
derholt der Reiterin Namen, ſie nochmals zum Erſcheinen
zu bewegen — aber nur ihr Vater erſchien. Seine Stimme
zitterte, als er für die der Tochter dargebrachte Huldigung
dankte und erklärte, daß ſie von ihrem erſten öffentlichen
Auftreten zu ergriffen ſei, um ſich dem Publicum zu zeigen.

Die Rede war in ſo fern ſehr glücklich, als ſie erneutes
Intereſſe wachrief, da ſie die Beſtätigung all' der myſtiſchen,
romantiſchen Gerüchte war, die Nora mit erhöhtem Reiz
umgaben.

Dieſes erſte Debut hatte ihren Erfolg geſichert. Aber
während ihr Name auf allen Lippen war, während bei man=
chem ſchäumenden Glaſe die junge Herrenwelt ſie als „neu
aufgehenden Stern" feierte und manch' leichtfertiges Wort

daran knüpfte, lag Nora still und bleich auf ihrem Lager. Die körperliche und geistige Anstrengung wollte ihr Recht; sie war selbst zum Schmerz zu ermattet.

Nur Eines stand ihr vor Augen, Eines: daß es nun ge= schehen sei — daß unwiderruflich, unverwischbar dieser Abend sich als ein Flecken ihr aufgeprägt habe, daß sie damit aus= geschieden sei aus dem Kreise, dem sie bis jetzt geistig ange= hört. Das nervöse Schütteln faßte ihren Körper wieder, und die gerötheten Lider wollten sich nicht schließen.

Mechanisch griff sie nach dem Briefe der treuen Freundin und las ihre rührenden Trostesworte. „Mein Kind,“ schrieb die fromme Frau, „der Herr führt dich seltsame Bahnen; eine reine Absicht heiligt viel, ein großes Opfer erklärt alles, und so auch deinen Entschluß, der mir sonst so unerklärbar. Vielleicht ist diese unserm Auge so gefährlich dünkende Bahn dir heilsamer als das, was wir für dich erhofft, was uns so sicherer Hafen schien. Kind meines Herzens, was du auch sein magst, mir theuer, theuerer jetzt als jemals, laß das Band der Liebe noch enger uns umschlingen; in Gedanken folge ich allen deinen Pfaden, und bitte Gott, daß Er dich hüten und schützen möge.“

Ja, die Freundschaft folgte über die Grenze, vor der die Liebe zurückwich. Und doch las Nora nur den einen Satz immer wieder: „Eine reine Absicht heiligt, ein großes Opfer erklärt alles.“ Ihr letzter Gedanke, ehe der Schlaf ihre Augen schloß, war: „Wird Curt auch so denken und mich nicht verachten? O, er soll sehen, ich werde nicht sinken,

nicht finken felbft auf diefem Pfade, ... auch da foll feine
Liebe mich halten."

Während diefes alles in der Heimath fich zutrug, war
Curt noch ahnungslos in der Ferne und genoß, was fie ihm
bot, mit der jugendlichen Elafticität, die ihm innewohnte.
Er hatte die ganze Spannkraft feines Geiftes wieder erlangt,
feitdem fein Herz beruhigt und fein Entfchluß im Reinen war.
Er war jung genug, um die Prüfungszeit ertragen zu kön=
nen; er war fich bewußt, daß weder in feiner noch in
Nora's Liebe eine Schwankung eintreten könne: wenn die
kurzen anderthalb Jahre noch verlaufen, würde fie die feinige
fein; um allen Schwierigkeiten der Heimath zu entgehen,
wollte er noch einige Jahre einen ausländifchen Poften inne=
halten und dann, an Erinnerungen und Erfahrungen um fo
reicher, in feine Heimath zurückkehren, dort auf der heimifchen
Scholle zu wirken. So war alles einfach und klar, was erft
verworren gefchienen, und es bot fich ihm ein Lebensbild, fo
vielgeftaltig nach außen, fo füß befriedigend nach innen, daß
er oft mit Entzücken bei dem Gedanken weilte. Er war or=
ganifirt für ein geiftiges Streben und Schaffen, für ein wei=
teres Feld, als der enge Horizont eigenen Nutzens und eigener
Verhältniffe ihm bot. Ungeahnt hatte feine Liebe zu Nora
ihm nun auch dazu den Weg gebahnt, ihm eine geiftige
Freiheit verfchafft, in der er auflebte. Für den Augenblick
fpannte es fein ganzes Intereffe an, Land und Leute im
Orient kennen zu lernen, alle die Stätten zu fehen, die der
Wiffenfchaft oder frommer Erinnerung heilig find. So ver=
wandte er einen großen Theil feiner Zeit zu Ausflügen in

die Umgegend, die ihn oft Wochen und Tage abwesend
hielten.

Von einem solchen eben heimgekehrt, meldete er sich bei
seinem Chef, und dieser überreichte ihm die indeß für ihn
angekommenen Postsachen. „Ein ganzes Volumen," sagte
der alte Herr, gutmüthig lächelnd, indem er ihm das Packet=
chen mit der Mutter Handschrift überreichte. „Ja, ja, die
jungen Leute freuen sich noch dessen; wir Alten bangen schon
eher davor, so selten bringt das Leben Gutes. . . . . Aber
gehen Sie jetzt und studiren Sie Ihre Heimaths=Chronik."

Curt ging und stieß beim Hinausgehen auf einen seiner
Collegen, einen jungen Attaché der französischen Gesandtschaft,
der ihn zu seiner Wohnung begleitete, da er ihm eben einen
Besuch zugedacht hatte. Mit echt französischer Lebendigkeit
plauderte er so, daß er gar nicht bemerkte, wie sehr Curt
préoccupirt war; das außergewöhnlich starke Briefpacket lag
ihm im Sinne: so viele verschlossene Seiten können beängstigen.

In seiner Wohnung angelangt, warf Curt das Päckchen
etwas ungeduldig auf den Tisch, so daß der Franzose es be=
merkte.

„Ah, Briefe aus der Heimath!" sagte er sogleich mit
dem liebenswürdigen Takt, der seine Landsleute kennzeichnet.
„Pardon, da hätte ich nicht stören sollen, lieber Graf. Bitte,
befriedigen Sie Ihre Neugier erst, indeß ich hier Ihre herr=
liche Blüthenwelt bewundere; ich bin etwas Botaniker." Er
trat sofort in den kleinen Binnenhof, auf den die Wohnge=
mächer fast jeden Hauses in Pera münden, und wo frisches
Grün, Blüthenduft und kühlende Springbrunnen entschädigen

für die abscheulichen Dünste und den Schmutz, der auf den Straßen herrscht.

„Meine Mama scheint mich zum Redacteur ausbilden zu wollen," rief jetzt Curt's Stimme heiter ihm nach. „Bleiben Sie, lieber Vicomte; nichts als Zeitungsschnippel und An= noncen enthält das Packet. Was will sie nur damit — kommen Sie, Freund, und nehmen sie erst eine Cigarre."

Der Vicomte kam nicht sogleich; er war wirklich in Be= wunderung einer der Pflanzen versunken, die ihm neu war. Aber ein eigenthümlich ächzender Laut ließ ihn jetzt den Kopf wenden. Er sah durch die geöffnete Glasthüre Curt über den Tisch, an dem er sich niedergelassen, hingesunken, den Kopf wie besinnungslos auf dem vorgestreckten Arme — der geöffnete Brief lag ihm zu Füßen, die Hand aber hielt krampf= haft ein Zeitungsblatt.

„Graf, um Gotteswillen, was ist Ihnen?" rief der Fran= zose bestürzt, und sprang auf ihn zu.

Ein zweiter ächzender Laut stieg gepreßt aus Curt's Brust, — der Kopf lag schwer auf dem Tische, so daß man die Züge nicht sehen konnte.

„Graf, ich bitte Sie, fassen Sie sich," sagte der Franzose theilnahmvoll drängend. „Hat eine schlimme Nachricht Sie ereilt? Ist Ihnen unwohl? Soll ich Ihren Diener rufen?"

Curt streckte wie abwehrend die Hand aus. „Nur Kopf= schmerz — ein Schwindel," hauchte er tonlos. „Wasser . . . . etwas Wasser!"

Der Vicomte eilte hinaus und tauchte sein Schnupftuch in den Brunnen, es auf den Kopf des Leidenden zu legen.

Er hatte nur einén Moment dazu gebraucht; als er aber wieder kam, waren die verschiedenen Zeitungsschnippel verschwunden.

„Es war ein furchtbarer Schmerz, der mich packte," sagte Curt, den Kopf auf die Hand stützend, indeß der Vicomte das feuchte Tuch ihm an die Schläfen preßte. „Die Anstrengung dieser Tour muß zu groß für mich gewesen sein."

Der höfliche Franzose widersprach nicht. Curt hatte etwas ermüdet, doch durchaus nicht überangestrengt ausgesehen, als er heimgekehrt war; es mußte eine Nachricht sein, die ihn niedergeschmettert, — doch war es ein Schmerz, der verborgen bleiben wollte, und der Franzose war zu discret, weiter zu fragen.

„Ihre Stirne brennt so heftig," sagte er nach einigen Augenblicken des Schweigens, da Curt wie bewußtlos vor sich hinstarrte. „Ich möchte Ihnen rathen, sich zur Ruhe zu begeben und den Arzt rufen zu lassen. In diesem Klima ist mit solchen Erscheinungen nicht zu spaßen."

„O, ich denke, es wird schon besser," sagte Curt, sich mühsam aufrichtend. „Phantasirt man bei den klimatischen Fiebern hier?"

„Je nachdem," sagte der Franzose lächelnd. „Aber ich hoffe, es kommt nicht dazu, wenn Sie gleich vernünftig sind."

„Ah! vielleicht thut ein ordentliches Fieber gut," meinte Curt, wie zu sich selbst redend. „Es kommt Einem oft vor, als habe man das ganze Leben hindurch phantasirt.... Verzeihen Sie, Vicomte, daß ich ein so schlechter Gesellschafter. ... Also einen Arzt, meinen Sie! Ich denke nicht; aber

Besucher . . . . hören Sie, Bester, die halten Sie mir fern. Ich hasse Besuche, wenn ich krank bin."

„Wie Sie wollen, Sie starrköpfiger Deutscher! Aber jetzt erlauben Sie, daß ich Ihnen sofort den Arzt schicke. Auf mich dehne ich Ihr Besuchs-Interdict doch nicht aus, mon ami?"

Der Franzose hatte mit gewohnter Zungengeläufigkeit ge= sprochen; doch war er nicht sicher, daß Curt ihn verstanden, denn seine Augen waren wieder starr, und er schien abwesend mit seinen Gedanken.

Der Vicomte nahm seinen Hut, um den Arzt zu holen. Kaum hatte er jedoch einige Schritte auf der Straße gemacht, als er seinen Namen rufen hörte. Er wandte sich um und sah Curt, der ihm mit eigenthümlich schwankenden Schritten baarhäuptig folgte; er hielt einen Brief in der Hand.

„Lieber Freund," sagte er hastig — „einen Freundschafts= dienst. Dieser Brief muß sofort wieder auf die Post . . . . er ist — er ist" — sagte er stockend — „für meinen Vetter . . . . wahrscheinlich aus Irrthum hierhergesandt. Er muß zurückgehen," setzte er wie ungeduldig hinzu, retour an die Absende=Station." Er überreichte ihm dabei den Brief. Die Worte „Deutschland retour" standen in sehr erregten Zügen darauf.

Der Vicomte versprach die Besorgung. „Sie müssen sich aber zur Ruhe begeben," warnte er noch ein Mal ängstlich, denn die sichtlich steigende Aufregung Curt's fing an, ihm bedenklich zu werden. „Lassen Sie mich Sie zurückbegleiten."

Aber Curt lehnte es ab und eilte nach seinem Hause zurück.

Der Franzose sah ihm nach, sah auf das Schreiben und schüttelte den Kopf. Unverkennbar waren die Schriftzüge von einer Damenhand. „Wenn da nicht wieder eine belle dame die Schuld ist, soll mich alles täuschen," dachte er für sich. „Ihre Botschaft ist aber nicht freundlich aufgenommen, nicht ein Mal eröffnet worden! Eigentlich sollte man so etwas nie in der Aufregung thun. Vielleicht würde der Graf später viel darum geben, den Brief gelesen zu haben. Aber die Deutschen sind starrköpfig: thun wir ihm den Willen. Ah, les femmes, les femmes! Ob nicht immer eine bei jedem Unglück im Spiele ist?" Der kleine Vicomte seufzte dabei so melancholisch, als habe auch er schon Erfahrungen gemacht.

Hatte Nora mit heißer Sehnsucht die Wochen hindurch auf ein Wort Curt's geharrt, indeß ihr Brief ruhig in der Mutter Händen blieb, so trat für die Gräfin jetzt die bittere Vergeltung ein. Auch sie harrte umsonst nun Tag für Tag. In ängstlicher Sorge hatte sie berechnet, wann der Brief ihrem Sohne zukommen würde, wann irgend eine Antwort sie erreichen könnte — aber die Zeit verstrich, kein Lebens= zeichen kam.

Sie schrieb wieder und wieder, sie erging sich in den abenteuerlichsten Vermuthungen. Hätte sie vielleicht doch es ihm schonender mittheilen sollen, ihn langsamer vorbereiten? Hatte sie seine Liebe zu gering angeschlagen? Sie hielt das Unmögliche fast für möglich, daß er sich direct mit Nora in Verbindung gesetzt, und trotz allem eines Tages erscheinen werde, sie ihr als Tochter zu bringen. Aber alles schien ihr bald leichter zu tragen, als dies unheimliche Schweigen.

Endlich erschien ein Brief: zwar keiner ihres Sohnes, sondern von seinem Chef. Der alte Herr unterzog sich selbst der Mühe, der Mutter auf die schonendste Weise die Krankheit des Sohnes mitzutheilen. Er suchte den Grund derselben in den Ausflügen, die der junge Mann in das Innere des Landes unternommen, und bei denen er sich wahrscheinlich allzuviel zugemuthet habe. Die Mutter aber durchzuckte es doch seltsam, als sie das Datum seiner Erkrankung las, das mit der möglichen Ankunft jener Nachricht auffallend übereinstimmte.

Sie war energische Frau genug, um sofort selbst hinzureisen; aber der Schreiber der Zeilen erwähnte den ausdrücklichen Wunsch des Sohnes, sie von solchem Entschlusse abzuhalten, und fügte bei, der Rath der Aerzte gehe dahin, vor allen Dingen die Aufregung eines Wiedersehens zu vermeiden. Und ihrem Charakter so gar nicht gemäß, fügte sich die Gräfin in alles und blieb. War sie doch sich selbst bewußt, welche Aufregung das Wiedersehen zur Folge haben könnte.

Wochen auf Wochen vergingen; der liebenswürdige Vicomte, der sich mit großer Freundschaft dem Kranken widmete, stattete der Mutter allwöchentlich genauen Bericht ab; aber die Krankheit schien stets in demselben Stadium zu verharren.

Wie ein Nebel lag es auf dem Geiste des Kranken; eine völlige Apathie war dem heftigen Gehirnfieber gefolgt. Er räumte keinen Schmerz ein, er erwähnte nie, daß ihm irgend ein Leid zugestoßen, nannte keine Namen, schien keine Unruhe zu empfinden; nur ein Gefühl sprach sich deutlich aus: ein entschiedener, unsäglicher Widerwille, irgend eine Nachricht aus der Heimath zu empfangen.

Die besten Aerzte waren zu Rathe gezogen worden; sie hatten andere Luft nöthig befunden. Aber die Körperschwäche machte lange Zeit eine Uebersiedelung unmöglich. Es war, als sei jegliche Spannkraft des Körpers und Geistes gebrochen.

„Das Klima hat er nicht ertragen können," sagten die Menschen, welche kamen, der Gräfin ihre Theilnahme aus= zusprechen, als Curt's Krankheit in den Kreisen daheim be= kannt wurde. Die Gräfin aber las deutlich auf jedem Ge= sichte die Frage, warum sie ihn solcher Gefahr so unnütz aus= gesetzt habe. Sie nahm die laute Theilnahme wie die stummen Vorwürfe mit gleicher äußerer Ruhe hin; Niemand ahnte die Qualen, die sie dabei durchmachte. Aber ihre stattliche Ge= stalt verlor in den Monaten ihre Rundung, und ihr glänzend schwarzes Haar ward grau.

Alles blühte schon wieder sommerlich in Deutschland, als endlich die Nachricht kam, Curt habe sich so weit wieder er= holt, daß eine Luftveränderung angezeigt sei. Das Mutter= herz rief natürlich voll Sehnsucht nach dem Kinde. Aber wieder kam keine Zeile von ihm selbst.

Sein französischer Freund war es abermals, der in der liebenswürdigsten und schonendsten Weise der Mutter mittheilte, daß der Sohn die Anstrengung des Schreibens noch nicht wagen dürfe, daß er sich aber zu einer längern Reise ent= schlossen habe, die angerathenen Gegenden besuchen wolle und durch den Wechsel der Bilder seinen Geist zu erfrischen hoffe.

Nach Griechenland erst, dann nach Sicilien wolle er sich wenden, den Winter denke er im südlichen Frankreich zu verleben: „se rapprochant pourtant toujours de sa patrie et du coeur de sa mère," so schloß der Franzose mit graciöser Wendung. Eine Liste einiger Städte mit Banquiers= Adressen, wohin ihm Geld zu senden, lag bei.

Die Gräfin las dies, und eine heiße Thräne stahl sich ihre Wange entlang — ein tiefer Stich ging in das Mutter= herz, das ein Leben hindurch all' seine Zärtlichkeit auf dies eine Haupt gelegt. Leise wie ein Echo zog ihr das Wort der Nonne dabei durch die Seele: „Du könntest einen Sohn verlieren, anstatt eine Tochter zu gewinnen."

Aber die Gräfin war keine Natur, die sich solchen Ge= danken hingab. Sie hatte nach bestem Ermessen gehandelt; sie sah dies alles als eine nothwendige Consequenz an, die durchlebt werden müsse. „Er wird es überwinden," sagte sie zu sich selbst. „Seine Gesundheit bedarf es so," sagte sie eben so fest zu Andern, und schnitt damit jegliches Bedauern und jegliches Staunen ab.

Eingehend sprach sie mit Niemand darüber, nicht ein Mal mit ihrem treuen Hausgenossen, dem Kaplan. Sie hatte ihm mit wenigen Worten die Thatsachen über Nora mitge= theilt, und da dieselben zu seinem schmerzlichen Staunen sich als wahr ergaben, hatte er sich still fügen müssen, ohne das Räthsel lösen zu können, das für ihn darin lag.

In diese Zeit fiel ein Brief der Oberin an die Gräfin. „Ich habe dir ein Wort der Aufklärung zu geben," schrieb sie, „über die Handlungsweise derjenigen, die dir so nahe hätte treten sollen, wenn nicht ein unglückliches Verhängniß das arme Kind auf so traurige Bahn gelenkt. Sie hat der kindlichen Liebe ein unerhörtes Opfer gebracht, und um des

Opfers willen mag Gott sie gnädig in seinen Schutz nehmen. Verurtheile sie nicht! Zur Steuer der Wahrheit theile ich dir dies mit und bitte dich: sage es auch deinem Sohne. Der Beweis, daß er seine Liebe nicht an eine Unwürdige ver= schwendet, daß sein Herz nicht verrathen ist, wird ihm den Stachel aus der Wunde nehmen, welche diese traurige Wen= dung ihm geschlagen haben wird. Gottes Weisheit hat es so gefügt; aber die beiden jungen Herzen werden einen bittern Kelch zu trinken haben."

Die Gräfin warf fast zornig den Brief zur Seite.

„Die gute Sibylle muß den Kopf verloren haben in ihrer blinden Vorliebe für das Mädchen. Eben jetzt, wo er nahe daran ist, zu genesen, ihm all' diese Gedanken zurückzurufen, ihn wieder auf diesen Weg zu drängen — es wäre Wahn= sinn! Merkwürdig wirklich, wie unpraktisch auch gescheidte Menschen werden, wenn sie zurückgezogen von der Welt nur in ihren eigenen Gefühlen leben — die arme Sibylle mit ihren romantischen Gedanken!"

Und die Gräfin war so praktisch, daß der Brief sofort in's Feuer wanderte — der einzige Brief, der ihren heißesten Wunsch hätte erfüllen können: den Weg zum Sohnesherzen wiederzufinden.

16*

XVII.

. . . . . . Müssen so wir scheiden?
Hast du nicht einen Blick für die Gespielin
Der Kindheit übrig! Keine Hand zu bieten
Der Unglückjel'gen, die du sonst geliebt?
Glaubst du, ich steh' auf Rosen?

Tegnér.

Jahre waren vergangen. Lilly, die kleine Lilly mit dem
runden, rosigen Gesicht, hatte es auch empfunden; sie hatte
das Recht dieser Jahre, die sie mündig machten und in den
Besitz ihres Vermögens setzten, in Anspruch genommen.

Bis dahin war sie unter dem Schutze der Gräfin Degen=
thal geblieben, und diese hatte nicht anders gewähnt, als daß
es so bleiben würde, bis Lilly sich einen andern Schutz für
das Leben gewählt habe. Noch aber hatte die Erbin alle
Anerbietungen dieser Art ausgeschlagen — zur stillen Befrie=
digung ihrer Tante, die ihre frühere Hoffnung noch nicht ganz
aufgegeben, ja, sie heimlich um so mehr genährt hatte, seitdem
Nora's Schicksal eine solche Wendung genommen. Sie brachte
Lilly's Abneigung gegen jede Heirath damit in Verbindung.
Um so mehr überraschte und verstimmte sie daher Lilly's
plötzlicher Entschluß, jetzt selbständig unter dem Schutze einer
alten Verwandten auf ihren eigenen Gütern zu leben —
Güter, welche etwa eine Tagreise von den Degenthal'schen
entfernt, in ziemlich unmittelbarer Nähe der österreichischen
Hauptstadt lagen.

Was Lilly dazu bewog, vermochte die Gräfin sich nicht klar zu machen. Wie ungern sie das Mädchen aber auch aus ihrem Familienkreise scheiden sah, konnte sie ihr doch kein Hinderniß in den Weg legen. Lilly besaß übrigens jene stille Zähigkeit, die keine Einwürfe beachtet. Ruhig hatte sie abgewartet, bis sie ein Recht zu einem Willen hatte, war aber dann auch demselben fest gefolgt.

Seit der plötzlichen Abreise ihres Vetters war in ihr eine gewisse Abneigung gegen die Tante erwacht. Nicht, daß sie ihr Schuld gab, ihn um ihretwillen entfernt zu haben, denn sie kannte deren Wünsche in dieser Hinsicht zu gut. Aber Lilly hatte eine Ahnung davon, ein Gefühl dafür, daß die Mutter eigenmächtig in das Schicksal des Sohnes eingegriffen habe, daß er seitdem weniger glücklich sei, und daß sie die Schuld an seiner Entfernung von der Heimath trage. Wie und warum es geschehen, wußte Lilly nicht; denn die Gräfin hatte sie in nichts eingeweiht. Viel oder tief denken war ihre Sache überhaupt nicht; aber wie man es oft bei engen Gesichtskreisen findet, ein Mal erfaßte Gedanken hielt sie unveränderlich fest. Ihre Neigung gehörte seit frühester Kindheit Curt an; sie betrachtete ihn gewissermaßen als ihr Eigenthum. Wenn seine Kälte und Gleichgültigkeit ihr auch wehe gethan, so lag doch der versöhnende Schimmer jenes letzten Abends darüber, und dabei das stille Bewußtsein, wie viel sie ihm werth sein mußte von jedem vernünftigen Standpunkte betrachtet. Damit konnte sie warten, und sie hatte Liebe genug, warten zu wollen.

Daß der Aufenthalt bei Curt's Mutter den Geliebten ihr

nur mehr entfremden würde, fühlte Lilly instinctmäßig heraus. Sie gehörte überdies zu den Naturen, die nur auf eigenem Boden sich wohl fühlen. So schüchtern, so lenksam sie aus= sah, kannte sie doch nur den eigenen Gedanken; es gehört eine gewisse Denkkraft dazu, sich auch in einen fremden Ge= dankengang einzuleben, ihn zu verstehen und seine guten Seiten aufzufassen; kleines Verständniß stößt sich stets nur an fremden Willen, weil es ihm ganz unmöglich ist, ihn zu begreifen.

In diesem stummen Kampfe hatte Lilly all' die Jahre bei der Tante gelebt; sie benutzte daher den ersten Augenblick, wo sie ihre Freiheit erlangen konnte.

Trotz ihrer Jugend war sie für die Selbständigkeit wie geschaffen. In keiner Beziehung über das Gewöhnliche hinaus= gehend, war auch keine Ueberschreitung irgend einer Schranke zu befürchten. Was ihre Fassungskraft überstieg, überließ sie verständig vertrauten Händen. Sie hatte ihren Cirkel eigener Beschäftigungen. Ihre Häuslichkeit, ihr Garten, ihr Geflügel, ihre Armen — das waren die Aufgaben, die sie sich gestellt. Da sie alles wohl organisirt vorfand, bewegte sie sich mit Sicherheit auf dem gebahnten Pfade. Ein wenig engherzig in jeder Auffassung, aber Allen viel Ruhe und ein gewisses Wohlwollen entgegen tragend, führte sie das Scepter ihres Reiches nicht ohne Anmuth; etwa Mangelndes schrieb man ihrer Jugend zu.

Junge Herren fanden sie nach wie vor etwas langweilig; ältere Herren nannten sie ein Prachtmädel, das eine tüchtige Frau abgeben würde. Junge Damen machten sich im Ganzen wenig aus ihr; aber alle Mamas ersehnten das blonde, stille Gesichtchen als das Ideal aller Schwiegertöchter, — ein kleiner Irrthum, in den sie öfter verfallen; denn diese kleinen, festen Köpfe können am wenigsten gut mit Schwiegermamas aus= kommen.

Heute zeigte aber das stille, blonde Gesicht den Anflug von Erregung, den es zu zeigen vermochte, und der das Blut rosig bis unter den Scheitel trieb. Ein Brief ihrer Tante hatte ihr den möglichen Besuch ihres Vetters Curt in Aussicht gestellt, der endlich von seinen Reisen heim zu kommen denke; er habe die Absicht ausgesprochen, da die Bahn an den Gütern seiner Cousine fast unmittelbar vorüberführe, erst bei ihr einzukehren.

Lilly's blaues Auge gewann Leben und Glanz bei Lesung dieser Zeilen. Der Ansicht der Tante zufolge konnte sein Besuch schon in den nächsten Tagen erfolgen, und die kleine Hausfrau war zum ersten Male eifrig besorgt, alles auf möglichst guten Empfang vorzubereiten, etwas, das sie andern Gästen gegenüber stets dem gewohnten Geleise überließ.

Allen Einwendungen ihrer Ehrendame zum Trotz — es war eine umständliche alte Verwandte — entschied sie, daß ihre Pony=Equipage täglich zu den bestimmten Zügen Curt am Bahnhof erwarten solle. Auch bei allen übrigen Anord= nungen ging das „weil vielleicht mein Vetter Curt kommt," häufiger über ihre Lippen, als ihr schweigsamer Mund sonst etwas zu äußern pflegte.

Vetter Curt — was war mit ihm vorgegangen seit jenem Tage, wo die Sendung seiner Mutter ihm so plötzlich jeden

Glauben an Liebe und Treue aus dem Herzen gerissen und sein Liebesleben mit einem heftigen Schlage getödtet hatte?

Er konnte sich nimmer besinnen, was er gefühlt, als er jenen groß gedruckten Zettel zu Gesicht bekam, auf dem der Name Nora's so unheilvoll verzeichnet stand. Es war ein Wirbel, ein Sturm der Gefühle gewesen, der ihm den Verstand zu rauben drohte, der, weil er so jäh und so unanfechtbar wahr ihm vor die Augen trat, ihn niederwarf von der höchsten Höhe zur unseligsten Tiefe. Alles, was der Mensch an Wuth, Verachtung, gekränktem Stolz und brechender Liebe zu empfinden vermag, hatte sich in dem einen Augenblicke zusammengedrängt. Ein einziger möglicher Zweifel wäre Rettung gewesen. Aber sie starrten ihn an diese Buchstaben, so deutlich, so klar, daß er aufschrie in wilder Verzweiflung sobald er allein war; denn mit Riesenstärke hatte er sich aufrecht gehalten, damit diesen Schmerz kein fremdes Auge sehe.

Sobald der Freund ihn verlassen, hatte er mit fiebernder Angst noch ein Mal nach Aufklärung gesucht, — der Brief seiner Mutter aber hatte ihm alles bestätigt.

Der erste Gedanke, der dann folgte, war, alle diese Zeichen seiner Schmach und Enttäuschung zu vernichten — dieser furchtbaren Enttäuschung, die Niemand ahnen durfte, an welcher der Hohn der Welt ihm zu kleben schien. Er fand den Brief Nora's dabei, er erkannte ihre Schriftzüge — und in namenloser Wuth wollte er auch ihn zerstören. Aber unheimlich durchzuckte ihn der Gedanke, daß die größere Rache sei, ihn ungelesen zurückzusenden.

Es war seine letzte bewußte That. Als der Arzt kam, fand er ihn besinnungslos am Boden hingestreckt — eine Besinnungslosigkeit, die sich auf Wochen und Monate aus= dehnte. Die Wissenschaft mochte Recht haben, die Erkrankung auf Ueberreizung der Nerven durch das Klima zurückzuführen, welches bei körperlichen Anstrengungen dem Ausländer so leicht schädlich wird — aber sein Organismus war auf Em= pfindung gegründet, und die war es, die den Schlag. em= pfangen. Beides hatte zusammen gewirkt. Als das Fieber wich, hielt fast vollständige Lähmung ihn gefangen.

In den langen Stunden peinlicher Ruhe, welche folgten, kehrte die Erinnerung an das Erlebte zurück. Oft schien es ihm, als sei es nur ein schwerer Traum gewesen, aus dem er sich herausarbeiten würde, als sei es nur ein Spiel der Phantasie, eine Ausgeburt des Fiebers, die jetzt wieder weichen müßte. Aber keine Frage kam über seine Lippen; nur in seinem Innern verarbeitete er seine Zweifel, seine Sehnsucht nach Aufklärung. Und doch empfand er auch wieder solche Furcht vor Bestätigung, daß er geflissentlich jeder Nachricht aus der Heimath auswich. Vor dem rastlosen Grübeln wich bei ihm aber jedes andere Interesse, so daß die Aerzte ver= geblich diese innere Unruhe zu erklären suchten, die alle Kräfte aufzuzehren schien. Kein Wort verrieth deren Ursache.

Wenige Monate nach dem Ereigniß hatte sein Freund ihn eines Tages durch einige illustrirte Neuigkeiten zu erheitern gesucht. Jene englischen Zeitungen brachte er ihm, die sich in bescheidener Großartigkeit bemühen, uns alles vorzuführen, was die Welt Sehenswürdiges enthält, die vom gekrönten

Haupte bis zum gekrönten Preisochsen uns keine Berühmtheit vorenthalten. Hier und da hatte die eine oder die andere der Darstellungen dem Kranken ein mattes Lächeln abgenöthigt. Heute brachte die Nummer eine neue Celebrität, eine junge Dame in etwas gewagter Stellung, „Fräulein Nora Karsten," die gefeiertste Schulreiterin des Tages.

Der Vicomte war so stolz gewesen, wenn sein Freund die Hand nach seinen Figaros und Illustrationen ausstreckte; er sollte ja nur mit dem Harmlosesten unterhalten werden, und dies war gewiß harmlos genug. Curt sah das Bild lange starr an, als wolle er es sich einprägen; doch plötzlich verzerrte sich sein Gesicht, sein Haupt sank zurück, seine Hand schleuderte das Blatt von sich, als sei es ein giftiges Reptil, und sein Auge ward wieder so starr, wie sein Freund es damals gesehen.

„Uebermüdung," stöhnte Curt — aber in derselben Nacht trat ein Rückfall ein, der ihn in den frühern Zustand ver= setzte, welchen die Aerzte sich nicht hatten erklären können. Schlimmer als bei dem ersten Anfall wurden die Folgen; denn als auch jetzt die Jugend wieder siegte, und die Kräfte verhältnißmäßig rasch zurückkamen, war es, als sei jede geistige· Regsamkeit von ihm gewichen. Völlige Lethargie war einge= treten. Kein Zweifel mehr, der in der Seele arbeitete, keine Unruhe, keine Sehnsucht mehr nach Aufklärung: alles erstorben, begraben, vergessen. Für die er alles hatte opfern wollen, sie hatte alles in den Staub getreten — sie war todt für ihn. Aber kein neuer Gedanke trat an die Stelle der frühern — es war leer und öde in seinem Innern.

Die Aerzte, welche gegen diese völlige Abspannung aller geistigen Thätigkeit nichts mehr zu thun vermochten, riethen Luft= und Ortsveränderung an.

„Ueberall hin, nur nicht in die Heimath," äußerte Curt bestimmt. Dort schien ihm die unerträglichste Luft zu sein. Seine Mutter konnte er keiner Schuld an dem Unglück zeihen; aber die Hand, die uns die Unglücksbotschaft gereicht, erfüllt uns mit Grauen. Er witterte bei ihr eine gewisse Befriedigung — sie hatte es prophezeit. Wir lieben ja die Propheten noch weniger, wenn ihr Wort in Erfüllung gegangen, als vorher. Curt reiste. Er besuchte alle Gegenden, die man ihm zur Genesung anrieth. Eine rohere Natur hätte sich andern Genüssen hingegeben. Auch er, wäre er gesund gewesen, hätte sich vielleicht in den Strudel der Welt gestürzt, die innere Leere in etwa auszufüllen. So aber blieb alles, wie es war. Ein Gefühl war stets der Mittelpunkt seines Seins gewesen: erst die kindliche Liebe, dann die andere Liebe, die ihm Lebensziel und Zweck geworden. Beide hatten ihn gewissermaßen verlassen — nun reizte ihn nichts mehr.

Aus solchem Zustande rettet nur die zwingende Gewalt, mit dem Leben ringen zu müssen. Sie trat an Curt nicht heran; so blieb der Zustand der gleiche.

Endlich nach mehr als drei Jahren kehrte er in die Heimath zurück, nachgebend den Bitten und dem Drängen der Mutter, welche hoffte, die heimischen Verhältnisse würden ihm Interesse abgewinnen.

Es war Abend. Von einer Grenzstation im Westen Deutschlands sollte eben einer jener Züge abgehen, die jetzt

die Hauptpole der Civilisation verbinden, und wie mit athem=
loser Eile von dem Centralpunkte des einen Landes zu dem
des andern fliegen, als sei alles dazwischen Liegende nur
untergeordnete, kaum zu beachtende Zuthat.

Aus der französischen Hauptstadt kommend, der österreichi=
schen Metropole zueilend, war der Aufenthalt des Zuges der
flüchtigste. Ein junger Mann trat trotzdem mit der lässigen
Ruhe des gewohnten Reisenden an den Schaffner heran, ein
Coupé erster Klasse fordernd. Dienstfertig öffnete der Beamte
ein Coupé.

Der junge Mann warf einen Blick hinein und zögerte.
„Kein leeres Coupé vorhanden?" Trotz der in die Hand
gedrückten Unterstützung des Wunsches zuckte der Mann die
Achseln.

„Nicht möglich. Courrierzug führt nur Einen Wagen
erster Klasse; die andern Coupés sind noch besetzter."

Der junge Mann ergibt sich in sein Schicksal und steigt
ein. Zwei Damen theilten mit ihm das Coupé. Die eine,
ihm fast gegenübersitzende, war ein älteres Frauenzimmer mit
auffallenden Gesichtszügen, deren anspruchlose Kleidung sie
sofort als Dienerin erkennen ließ. Den dicken Kopf mit dem
braunen, runzeligen Gesicht fest gegen die Kissen gepreßt,
schnarchte sie hörbar. Die andere Reisende in der entfern=
tern Ecke konnte er im grauen Dämmerlicht der angehen=
den Sommernacht kaum unterscheiden. Er sah sie nur um=
geben von allem Comfort, welcher die elegante Dame kenn=
zeichnet. Zwei wohl behandschuhte Hände ruhten graciös
auf dem dunkeln Seidenkleide, und von Zeit zu Zeit bog sich

der kleine Kopf mit seiner schwarzen Spitzenumhüllung leicht vor, einen Blick in das Freie zu werfen.

Der Reisende war anscheinend müde und ein etwas blasirter junger Mann. Doch konnte er nicht umhin, sich zuweilen nach seiner Reisebegleiterin umzuwenden.

Der schrille Pfiff der Abfertigung war längst verhallt. Die Locomotive sauste und brauste, schnob und keuchte, der Zug rasselte und flog dahin, von dem Dampfe umwallt, welcher gespenstige Gestalten in der lauen Nachtluft bildete — vorbei, vorbei an Strauch und Wald, an Dorf und Stadt, über den Hügel, durch den Felsen, rasselnd über des Stromes Brücke, keuchend über den hohen Damm; vorbei, vorbei, als wolle er die Secunden überholen, als habe er keine Zeit weder für die Schönheit der Gegenwart noch den Zauber der Erinnerung, nicht ein Mal für den Gedanken, der nicht Stand halten will in der fliegenden Eile.

Endlich ein Nachlassen der Geschwindigkeit, wieder der schneidende Laut, der die Luft durchzittert, ein Halt — ein unwillkürliches Aufathmen bei der Erlösung aus dem Bann der ewigen Beweglichkeit. „Station B." ruft der Schaffner, den Namen einer rheinischen Universitätsstadt, in das Coupé herein. Die Alte schläft ruhig weiter; aber wie von Einem Gedanken berührt, schrecken die zwei Andern bei Nennung dieses Namens aus ihrer träumerischen Ruhe auf. Wie unwillkürlich erheben sich Beide und stehen sich jetzt gegenüber im engen Raum. Das helle Lampenlicht fällt auf Beider Züge und die Augen sehen sich wie gebannt an in tödtlichem Schrecken ... Dann aber ist es, als ob ein Laut auf die Lippen dringen sollte — ein Moment ist es, als würden die Hände sich suchend entgegenstrecken, als würde heller, sonniger Glücksschein sich auf Beider Antlitz legen. — Doch da steigt tiefe, brennende Röthe auf ihre Stirnen — — wie eine finstere Wolke über= zieht es die seine. Die Lippen schließen sich wieder, ja, sie pressen sich auf einander, der Strahl erlischt wie in eisiger Kälte .... Beide sinken wortlos auf ihre Plätze zurück, still und stumm, unbekannt wie vorher.

Der Zug ist wieder im flüchtigen Lauf. Eine Gruppe Studenten, die die Sommernacht dort noch verjubelt, jauchzt ihm nach; aber das heitere Jugendreich liegt schon wieder in der Ferne. Die Beiden im Coupé sind noch immer un= beweglich; ihre Augen suchen sich nicht mehr, im Gegentheil, sie starren zu den Fenstern hinaus, als sähen sie in ein Reich der Träume.

Vorbei, vorbei! Ist ihnen das Glück auch so vorbeige= saust, so vorbeigewirbelt, wie die Bilder da draußen, wie der Dampf, der in nichts verfliegend vor ihren Augen tanzt? Denken! Vermögen die Beiden zu denken jetzt? Es wirbelt im Hirn, es pocht im Herzen; es ist, als sollte die Brust zerspringen im großen, unendlichen Weh'.

Die laue Nachtluft dringt ein und kühlt die heißen Stirnen. Der Mond ist aufgegangen und zeichnet scharf die Berge, einen Augenblick den glitzernden, breiten Strom.

Ist es denn so lange her, daß sie auf diesen Bergen gestanden, daß sie auf diesem Strome sich wiegten und eigent= lich nur sich sahen, — *daß sie stets sich suchten und fanden, die jetzt so finster von einander sich abwenden? Und war es denn nicht ein Sommertag hier im Rebenland, wo sie das süßeste Geständniß getauscht?

Brennend steigt eine Thräne in ihr Auge bei der Erinnerung, und plötzlich, wie von heißer Sehnsucht bewältigt, schaut sie nach ihm hin, so bittend, so flehend, als müsse sie dies Gefühl auch bei ihm wecken. Aber er hat sich abgewandt — ihr Blick trifft den seinen nicht, — marmorkalt und starr blickt er vor sich hin, als ahne er nicht, wer in seiner Nähe sei. — —

Da gefriert auch ihr das warme Gefühl in der Brust; vor sich sieht sie einen Brief — einen uneröffneten Brief, der kalt abgewiesen zu ihr zurückkam, und der jetzt wie eine Mauer zwischen ihnen aufsteigt. . . . .

Und er — denkt er daran? Hat nicht auch früher ein Mal so ein sausender, brausender Zug ihn Tag und Nacht hindurch geführt, wo ihm jeder Moment noch zögernd erschien, um sie zu erreichen, wo er aller Entfernung gelacht, fast der Unmöglichkeit gespottet, nur um auf wenige Stunden in ihre Nähe zu gelangen, um jauchzend für kurze Frist in ihre Arme zu sinken!

Die er damals so heiß gesucht, sitzt sie jetzt nicht dort, dort unmittelbar vor ihm? . . . . Er hört das leise Rauschen ihres Gewandes bei jeder Bewegung, er hört den Athemzug, der über ihre Lippen zieht.

Was hätte er damals gegeben für so süße Stunden mit ihr! Und jetzt hat sie keinen Zauber mehr für ihn, die schöne Gestalt! Widerstrebend wendet er den Blick hin. Ja, das sind noch diese fein gemeißelten Züge, diese langen, schwarzen Wimpern, welche die Wange beschatten. Das sind noch die rothen, schwellenden Lippen, und an der Schläfe die dunkele kleine Locke, die sein Entzücken gewesen. Schön, schöner als jemals — — und doch wendet er wie angewidert sich plötzlich ab.

Wo sah er das Antlitz zuletzt? . . . . Hart und grinsend wiedergegeben in einem Zeitungsblatt — die viel begaffte und beklatschte Reiterschönheit dem Publicum angepriesen!

Er schließt die Augen, sie nicht mehr zu sehen. Vielleicht wäre sein Herz geschmolzen, hätte er sie bleich und vergrämt wiedergefunden, während er jetzt keinen Zug von Gram findet, nur frische, volle Blüthe.

Aber wir können viel Kummer tragen in der schwellenden Kraft der Jugend; es dauert dann lange, bis er unsere Stirne zeichnet und das warme Blut vergiftet, das in unsern Adern kreist.

Weiter saust der Zug. Sie sind längst in der Ebene. Die Romantik der Berge liegt so weit hinter ihnen, wie die Romantik ihres Lebens. Gott helfe ihnen! Wird es sich jetzt stets so flach, so reizlos, so melancholisch vor ihnen aus= dehnen, wie diese Landschaft im grauen Morgen=Zwielicht?

Weiter, weiter — Stunde auf Stunde. Die Nacht ist vorüber, der Zug in steter Bewegung — und die Gedanken auch. Ein ewiges Gestalten von Worten, Fragen, Bitten und Zürnen, wovon nichts über die Lippen geht.

Wird er nicht aussteigen? Ist sie noch nicht am Ziel? Jetzt wieder ein schriller Pfiff, ein Halt: eine große süddeutsche

Stadt wird genannt. Sie erhebt sich, wie erschrocken. Es hat so lange gewährt, und doch ist es jetzt schon vorbei.

Die Alte erwacht; sie rafft alles zusammen, das Coupé zu verlassen.

Nora bewegt sich nur mechanisch. . . . . . Sie muß an ihm vorbei. Einen Augenblick ruht ihr Blick noch ein Mal auf ihm, nicht erschrocken wie zuvor, sondern stille Verzweif= lung darin.

Jetzt braucht er die Trauer nicht zu suchen, die er vorhin vermißt, — so bleich das Antlitz, so bebend vor Schmerz!

Auch ihm legt es sich wie ein Schleier vor die Augen; er erhebt sich, er streckt die Hand aus, wohl um ihr zu helfen.

Aber ein Herr tritt im selben Augenblick schon an das Coupé heran und heißt sie willkommen. Nur ein stummes, fremdes Neigen der Köpfe noch, dann hat sie das Coupé verlassen. Obschon der Fremde diensteifrig an ihrer Seite steht, weist sie ihn mit Kälte zurück; er bemächtigt sich jedoch vertraulich ihrer Sachen und geleitet sie zu einem bereit= stehenden Wagen.

Curt sieht den Beiden nach wie einem Gespenst.

Der Schaffner tritt heran; er weiß, es ist der Herr, der das reiche Trinkgeld verabreichte. Gefällig und gesprächs= lustig meldet er sich: „Nicht wahr, Euer Gnaden, es war doch eine schöne Gesellschaft, war das Coupé auch nicht leer? Ist gar bekannt hier die Dame, es ist die berühmte Reiterin, die Tochter des Herrn Karsten, der vorgestern schon mit einem Extrazug hier angekommen ist. Aber wollen Euer Gnaden

Tochter d. Kunstreiters.   17

nicht eine Tasse warmen Kaffee? Es ist kalt in der Morgen=
luft," setzte er hinzu mit einem Blick auf Curt's bleiche Züge.

Der Mann hatte Recht. Curt fährt es fröstelnd durch
die Glieder; aber er lehnt alles ab und legt sich so stumm
zurück, daß der Mann abgeschreckt ist von weitern Conver=
sationsversuchen und besser gestimmte Reisende aufsucht.

Curt ist allein, das Coupé ist leer.

Fort, fort ist sie, die hier die langen Stunden mit ihm
zugebracht — die Zeit verrann, der Augenblick verging auf
nimmer, nimmer Wiederkehr — — der Augenblick, den Gott
ihnen vielleicht gesandt, um alles wieder auszugleichen! . . .
Das Wort blieb versteinert, die Zunge blieb verstockt, die
Lippen geschlossen.

„Nora, Nora!" ruft er fast wie in wilder Verzweiflung
und schlägt die Hände vor das Antlitz. Und all' die ver=
narbten Wunden brechen auf, und all' die erstickte Liebe
erwacht. „Nora, Nora! O, warum nicht eine Secunde
früher?"

Die Sonne steht schon hoch im Mittag, als der Zug
endlich auch für ihn an das Ziel gelangt. Der schlaue, kleine
Groom hat ihn sofort erspäht und erwartet schulgerecht mit
gezogenem Hute den Reisenden. Sobald dieser aus dem
Coupé gestiegen, meldet er die Anwesenheit der Equipage.

Das Sonnenlicht spiegelt sich ordentlich in dem elegantesten
aller kleinen Wagen, und die Pferdchen werfen stolz und
muthig die Köpfe zurück, als forderten sie die Bewunderung
heraus, die ihnen gebührt. Aus dem weiter eilenden Zuge
blickt manches Auge auf das reizende Gespann, den Stolz

seiner Herrin. Nur der junge Mann, der es jetzt besteigt, hat keinen Blick dafür. Müde und abgespannt wirft er sich hinein; geschlossenen Auges verharrt er, nicht Acht gebend auf die reichen Fluren, die sich vor ihm ausbreiten, noch auf das herrschaftliche Haus, das in seiner reichen Baum= und Park= Umgebung jetzt so stattlich vor ihm auftaucht.

Lilly hat sich schon zehn Mal an dem Tage gefragt: „Kommt er oder kommt er nicht?" Oft hat sie verstohlen aus dem Fenster gespäht, ob sie den Staub noch nicht auf= wirbeln sieht, der den kommenden Wagen andeutet.

Jetzt donnert es über die Brücke, und das zeigt ihr an, daß der Gast endlich wirklich angelangt ist. Lilly eilt in ihren Salon, den Vetter zum ersten Male auf dem eigenen Terrain in hausfraulicher Würde zu empfangen. Allerliebst steht ihr das Gemisch von Zurückhaltung und tiefer, innerer Freude, da sie ihn erwartet — doch nur der Groom erscheint.

„Der Herr Graf lassen sich entschuldigen. Sie haben sich gleich auf ihr Zimmer begeben, da es ihnen unmöglich sei, nach der Ermüdung der nächtlichen Fahrt ihre Aufwartung zu machen; sie hoffen, in einigen Stunden erscheinen zu können."

Lilly's strahlender Blick sank sehr — Freude, besonders Wiedersehensfreude, verliert, wenn aufgeschoben, so sehr an Würze.

17*

XVIII.

Meine schwarze Kunst das ist mein Schmerz,
Mein Zauber ein gebroch'nes Herz,
Und Einer weiß warum.

„Das war ein stiller Reisegefährte," murmelte die alte
Anne, die verschlafenen Augen reibend, als sie in dem Wagen
neben ihrer jungen Herrin Platz genommen hatte. Die alte
Anne war dem Director treu geblieben; sie war stets Nora's
Begleiterin und widmete ihr nach wie vor ihre besondere
Pflege. „Nora, mein Püppchen, ich glaube, du frierst," setzte
sie daher auch jetzt sorgsam hinzu, die dicke Reisedecke ihr
höher hinaufziehend; — „das kommt von all' den Nacht=
fahrten, von all' dem Jagen durch die Welt. Gott sei Dank,
daß wir endlich an Ort und Stelle sind! So alte Knochen
ertragen's bald nicht mehr — und so junge auch nicht,"
sprach sie für sich weiter, sich mühsam aus dem Wagen
helfend, der jetzt an einem der ersten Hôtels hielt.

Der Herr, der die Damen am Bahnhof empfangen, war
auch hier wieder zur Stelle. „Der Herr Director ist schon
gestern Abend angelangt," berichtete er. „Alles ist auf über=
morgen geordnet, wenn Sie, Fräulein Nora, nicht zu ermüdet
sind." Nora schien kaum zu hören; sie nickte nur stumm
und stieg die Treppe hinan, ohne weiter Notiz von ihm zu
nehmen.

„Sehr ungnädig," murmelte Landolfo. „Allzu verwöhnt!
Bald, meine Schöne, werde ich es Ihnen wieder abgewöhnen

müſſen. Aber, irre ich nicht ſehr, ſo war das ja der Conte, der da aus dem Coupé ſchaute! Hoffentlich kein Rendezvous! Hilft ihr aber alles nichts, ... den bekommt ſie nun doch nicht mehr, die bella donna — dafür haben wir geſorgt! Deshalb war die reizende Hoheit aber gewiß ſo ungnädig — nun, wir rechnen noch ab mit der Zeit," ſetzte er höhniſch lächelnd hinzu, in das Reſtaurationszimmer des Hôtels ein= kehrend, um dort mit einigen Liqueurs ſeinen Aerger hinunter zu ſpülen.

Die alte Anne hatte, wie einſt vor Jahren bei der Mutter, das Zimmer ihrer jetzigen jungen Gebieterin ſorglich herge= richtet, die weichen Kiſſen lockend ausgebreitet, die Fenſter dicht verhangen, in das loſe Nachtgewand ſie gekleidet, daß ſie ruhe nach der anſtrengenden Fahrt. Nora hatte alles mit ſich geſchehen laſſen, und lag jetzt ſtumm ausgeſtreckt da. Die Alte betrachtete ſie und ſchüttelte den dicken Kopf. „Das unruhige Leben bringt ſie noch um, wie ihre Mutter," murrte ſie beim Hinausgehen; „gerade wie die Mutter, wenn ſie auch zehn Mal ſo ſtark wäre! Arme, ſchöne Miß!"

Nora war allein. Nach der unausgeſetzten Bewegung jetzt vollkommenſte Ruhe. Aber ſie empfand ſie nicht. Immer ſchien es noch zu ſauſen, zu brauſen, zu ſtoßen, zu raſſeln und mit ihr fortzujagen. Immer ſah ſie ihn noch ſich gegen= über, ſo ſtumm, ſo ſtill, ſo regungslos und kalt.

Es war eine ſchlimme Nacht geweſen: Stunden, wo der Sturm alles vernichtet und das Menſchenherz umwendet. Drei Jahre waren vorübergegangen, ſeitdem Nora nach jenem erſten Auftreten ihr Lager aufgeſucht und wie heute da gelegen

hatte, zerknickt vom Uebermaß physischer und geistiger An=
strengung. Ihr Ruf hatte sich seitdem über alle Städte des
Continents verbreitet; die kühne Berechnung Landolfo's war
vollkommen gerechtfertigt worden. Ihre Schönheit, ihre Kunst
hatten das Glück und den Erfolg fester denn je an des
Directors Unternehmen geknüpft. Nora's Name allein füllte
schon die Räume.

Bei ihr aber war nach jener furchtbaren Erregung all=
mälig eine Reaction eingetreten. So wenig wie die Seele
sich auf der Höhe des Glückes zu erhalten vermag, kann sie
auf der Höhe des Schmerzes bleiben. Mit einer unbezwing=
lichen Thatsache tritt eine gewisse innere Ruhe ein, und zwar
um so mehr, wenn diese Thatsache uns ein unruhiges,
geschäftiges Leben auferlegt, das stete körperliche Anstrengung
fordert. Körperliche Anstrengung ist das einfachste Gegen=
mittel gegen einen geistigen Schmerz. Nora's Beschäftigung
an und für sich war ihr keine abstoßende; sie hatte die Vor=
liebe dafür von ihrem Vater geerbt, und hatte, wie es bei
jedem wirklichen Talent der Fall, Freude an der Ausübung
und Ausbildung desselben. Das Publicum war ihr dabei
allmälig Gewohnheit geworden; es berührte sie nicht weiter,
als daß ihr wahrscheinlich etwas gefehlt haben würde, wenn
ein Mal der Huldigungsschauer und der Applaus ausgeblie=
ben wäre, der alle ihre Leistungen begleitete, und den sie als
etwas Selbstverständliches hinnahm.

Ihr Vater hatte ihre Gefühle möglichst zu schonen gesucht.
Er ließ sie wie früher ganz unbetheiligt an der übrigen
Gesellschaft; sie trat nie anders als an seiner Seite auf,

nahm nie an combinirten oder theatralischen Productionen
Theil, und hielt sich streng an das einfache Schulreiten und
an das gelegentliche Vorführen eines oder des andern der
berühmtesten Pferde.

Wohl hatte sie an jenem ersten Abende gedacht, sie würde
es nimmer ertragen; wohl hatte sie damals geglaubt, sie
müsse untergehen an diesem doppelten Leid der Erniedrigung
und der verlorenen Liebe — aber es stirbt sich nicht so leicht.
Es lag Stahl in ihrem Blut, Stahl in ihrem Geist, und
unwillkürlich hob sich das Haupt wieder in die Höhe in dem
Gefühle der Größe des Opfers, das sie gebracht, in dem
Frieden. der Selbstachtung, die jede uneigennützige Handlung
mit sich bringt. Und sich auf der Höhe dieser Selbstachtung
und seiner Achtung zu erhalten, das war das innere Ziel,
das sie sich gestellt.

Es war ihr ein tiefer Stich in's Herz gewesen, als ihr
Brief uneröffnet an sie zurückgelangte; aber das war noch in
einer Zeit gewesen, wo ihr Herz fast fühllos war vom vielen
Schmerz, den es durchgemacht. Sie konnte nicht einmal seine
Handschrift erkennen, so entstellt war sie, so bedeckt überdies
von Postzeichen und Poststempeln — vielleicht, und ihr Herz
ließ ihr den Trost, war der Brief ihm gar nicht zu Händen
gekommen! Sie hob ihn aber auf, wie er da war, in dem
stillen Glauben, ihn einst vielleicht ihm zustellen zu können,
damit er dann noch den Schmerz ersehe, der sie allein in
seinen Augen rechtfertigen könne. Und rechtfertigen sollte sie
auch ihr Leben. Ernst und still schloß sie sich in dem bunten
Treiben ab, nicht an der kleinsten Jugendfreude Theil neh=

mend. Wo sie hinkam, verfolgten sie die Huldigungen der
jungen Männerwelt; sie hatte Verehrer jeden Ranges, und
hundert Mal versicherte ihre Stiefmutter ihr, wie sie ja nur
ein wenig zuvorkommender zu sein brauche, um zehn Grafen
zu ihren Füßen zu sehen anstatt des Einen treulosen.

Aber.Nora schüttelte stumm den Kopf dazu; nie empfing
sie einen der ihr Huldigenden, nie flog ein freundlicher oder
ermuthigender Blick der stolzen Reiterin in den Kreis ihrer
Zuschauer. Unter der jungen Männerwelt ging die Sage,
daß sie niemals die ihr zugeworfenen Kränze oder Bouquets
anrühre. Mit schelmischen Blicken und Geberden sammelten
meist die Clowns sie auf, oft ein lustiges Bombardement
gegen das Publicum damit beginnend, oder zum Aerger der
Opfernden und zum Jauchzen der Zuschauer sich selbst damit
schmückend. Und was für ein Blüthenregen, was für eine
unsinnige Verschwendung war der spröden Schönen gegenüber
schon getrieben worden! Einige Kühnere hatten endlich ver=
sucht, die Bouquets ihr direct in das Haus zu senden, und
es hatte die ganze Ueberredung ihrer Stiefmutter dazu gehört,
daß sie dieselben nicht sofort zurücksandte. Nur der Gedanke,
es würde ihrem Erfolg und damit ihrem Vater schaden,
indem sie sich Feinde schaffe, hatte sie veranlaßt, das geschehen
zu lassen. Aber die duftigen Sendungen verblühten meist,
ohne daß sie auch nur einen Blick darauf geworfen, ohne
daß sie jemals eines der darin versteckten Liebesgeständnisse
gelesen.

Auch an den kleinen Soupers und Gesellschaften, welche
die leichtsinnige Herrenwelt hier und da arrangirte, soi-disant

ihrem Vater zu Ehren, um die stolze Tochter einmal aus ihrer Zurückgezogenheit zu locken, nahm sie nie Theil. Einige kurze Augenblicke in der Manège, hier und da ein Mal auf der Promenade oder im Theater, aber immer nur an der Seite ihres Vaters, das waren die einzigen Momente, die ihre heißesten Anbeter erhascht hatten. Doch erzählte man sich im Publicum, des Morgens in der Frühe könne man die schöne Reiterin sehen, wie sie im dunkelsten, schlichtesten Gewande sich in die Kirche begebe, zu der Zeit, wo die ganze beau monde noch im tiefsten Schlafe liege.

Die Macht ihrer Schönheit hatte zwar Einige zu dem heroischen Schritte getrieben, auch dort ihr aufzupassen; aber sobald sie es bemerkt, war sie in der Kirche nicht mehr erschienen. Die fröstelnde Morgenluft kühlte die hitzigsten Köpfe ab, und verleidete es Jedem, weitere Nachforschungen anzustellen.

So hatte Nora bisher gelebt. Aber diese Nacht hatte grausam den Schleier ihr vom Auge gerissen, den letzten Hoffnungsfunken verlöscht.

Verachtet! verachtet war sie von ihm! ausgestoßen aus dem Herzen, das ihr Eins und Alles gewesen. Also keinen mildernden Umstand hatte er aufgefunden? Nicht ein Strahl von Mitleid und Theilnahme war ihr geworden, der ihr in der Erinnerung das Herz hätte erwärmen können, ihr leuch= ten in der Nacht der Verzweiflung!

Verzweiflung war es — die Hände griffen in das dunkele, schwarze Haar, und das Gesicht vergrub sich leiden= schaftlich in die Kissen, als könne es vor Schmach und

Schmerz den letzten Schimmer des Lichtes nicht mehr er=
tragen.

In dem Uebermaße des Wehes erwachte ein Gefühl der
Rechtfertigung in ihr — das getretene Herz erhob sich gegen
die Ungerechtigkeit, die es erduldet. Was war er denn, der
kein Wort ihr mehr gegönnt, keines Blickes mehr sie würdigen
wollte? Hatte er denn nicht auch das Gelübde gebrochen,
mit dem er gelobt hatte, sie zu retten aus ihrer gefährlichen
Lage, ihr Schutz und Hülfe zu sein?

Beim ersten Wellenschlage hatte er sie sich selbst überlassen!
Ja, sie hatte es ihm leicht gemacht, dachte sie in der Bitter=
keit ihres Herzens; sie hatte das Wort ihm zurückgegeben,
hatte ihn jeder Verpflichtung überhoben. Und er hatte nicht
einen Finger gerührt, sie zu retten — er hatte die Freiheit
genommen, um sie sinken zu lassen.

Was trauerte sie ihm nach? Ihm war es wohl ein
willkommenes Ereigniß gewesen, frei zu werden. Und sie
hatte selbst dem Schatten dieser Liebe noch jeden Gedanken
geopfert.

Nun, wenn sie denn doch vergessen, verachtet war, was
zog sie so strenge Schranken um sich, was versagte sie jeder
heitern Lebensfreude den Einlaß?

Das ungestüme Blut in ihr wallte hoch auf; das ver=
lassene Herz schrie nach Betäubung, nach etwas, was seine
Leere ausfüllen könne.

Hatte sie nicht stets diese leichten Schmetterlingsnaturen
um sich gesehen, die so fröhlich durch's Leben flatterten, so
leicht und ungebunden — ja, die gehörten zu ihrem Stande!

Wohl sanken sie oft in den Staub; aber sie hatten sich doch auf Blüthen gewiegt, waren froh und glücklich gewesen. Und sie, — auch sie wurde in den Staub getreten, aber ohne gleich ihnen wenigstens den Schaum des Lebens genossen zu haben.

Warum wollte sie besser sein als jene, wo das Schicksal sie in die gleiche Sphäre gestoßen? Was wollte sie sich müde kämpfen zu einer steilen Höhe hinan, die sie kaum erreichen, und auf der die Welt sie nie dulden würde? Verloren, verloren war sie doch jetzt für jedes wahre Lebensglück — aber leben wollte sie ohne diesen brennenden Durst danach.

Das sind schlimme Stunden, wo die aufgeregten Gefühle ganz die Oberhand gewinnen. Auch die reinste Seele, wenn sie so wild durchwühlt wird, trübt sich durch den Schlamm, der auf dem Grunde jeder irdischen Natur liegt.

Lange lag Nora so, bis die Erregung in sich selbst verlief. Aber wenn die Fluth verläuft, bemerkt man erst, wie sie alles anders gestaltet hat!

Als Nora sich erhob, hatte ihr Antlitz einen andern Ausdruck. Das Auge glühte dunkeler, trotzig warfen sich die Lippen auf, und an die Stelle von Zurückhaltung und Ruhe war unheimliches Leben in die Züge gekommen. Sie war noch daran, ihre Haare aufzuwinden, als an die Thüre gepocht wurde, und man ihr einen köstlichen Strauß hereinreichte.

Die erste Bewegung, wie in alter Gewohnheit, war, ihn zurückzuweisen; aber gleich darauf nahm sie ihn an. Die kostbarsten, seltensten Blüthen waren darin vereinigt, ein feiner narkotischer Duft stieg daraus empor. Sie nahm ihn, preßte das Antlitz in die Blüthen; sie sog den Hauch ein, als wolle sie sich damit betäuben. Sie wußte recht gut, aus welcher Hand der kostbare Strauß kam. Ein Verehrer prinzlichen Ranges verfolgte sie seit Monaten mit ähnlichen Gaben. Heute that dies ihr zum ersten Male wohl, hatte sie zum ersten Male eine fast wilde Freude daran.

„Ich kann sie Alle zu meinen Füßen zwingen, wenn ich will," sagte sie, und warf stolz den Kopf zurück. „Ich kann sie Alle fesseln, sie Alle lenken mit einem Blick meines Auges, mit einem Wink meiner Hand, wenn ich es versuche. Ich kann sie unglücklich machen diese stolzen Herren, wie ich unglücklich geworden bin. Aber ihm will ich zeigen, daß ich nur die Hand auszustrecken brauche, um das zu erreichen, was er mir entzieht."

Als Nora einige Stunden später zu ihrem Vater kam, wegen der Anordnungen für die folgenden Tage zu überlegen, hatte er sie nie so zugänglich für all' seine Vorschläge gefunden, als dies Mal.

In der Stadt und in Kreisen, weit über diese hinausgehend, sprach man bald von nichts anderm als der schönen Karsten, die man noch niemals so bezaubernd gesehen, wie in dieser Saison. Was man ihr früher an kalter Ruhe, an einer fast steifen Zurückhaltung vorgeworfen, schien ganz abgestreift. Die Meisten schrieben einer Gasttour, die sie durch Frankreich und England gemacht, und von der sie eben zurückgekommen, diesen Fortschritt zu.

Nora trat jetzt auch in combinirten Productionen auf; eine genial concipirte romantische Scene war bald ihre Hauptrolle und der Glanzpunkt der Vorstellungen. Angelehnt an die Sage von Libussa, Böhmens schöner, männerfeindlichen Kö= nigin, war es ein Kampf der Amazonenschaar mit den ihnen widerstehenden Männern, eine Darstellung, die zur Entwickelung von Mimik wie von Reitkunst viel Gelegen= heit bot und ein massenhaftes, glänzendes Personal zur Schau brachte. Der Sieg der Amazonen, die wilde Jagd der Flüchtigen, endlich Libussa allein dem letzten Manne, dem tapfern Sharka, gegenüber, ihr Kampf mit ihrem Stolz und ihrer Liebe, zum Schlusse der Triumphzug und das Weh der Amazonen, als Libussa den tödtlichen Pfeil auf ihn gesandt, dann aber selbst sterbend zusammenbricht — das war an und für sich ein so bewegtes, fesselndes Bild, wie es die Reitkunst noch nicht geboten. Von nah und fern strömte man hin, da die schöne Karsten als Libussa bewunderungs= würdig sein sollte.

Einige Wochen später hatte der Circus seine Reise weiter fortgesetzt und war wie alljährlich in der österreichischen Hauptstadt. Auch dort ward diese Vorstellung mit Spannung erwartet. Daß einige heißblütige Verehrer von hohem Range der schönen Libussa wegen der Truppe folgten, war eine Kunde, die vor ihr herlief und der ganzen Sache höhern Reiz verlieh. Nach wie vor behauptete man jedoch, daß sie ihre männerfeindliche Rolle auch im Leben fortsetze.

An dem Abend der ersten Vorstellung war alles, was die Hauptstadt an Rang und Namen bot, im Circus Karsten versammelt. Mit der glänzendsten Ausstattung ließ der Director die Aufführung in Scene gehen.

Schön, hinreißend schön war diese Libussa, wie sie jetzt hereinritt, von der leichten Schaar ihrer Reiterinnen umwogt. Sie ritt einen schwarzen Hengst edelster Race, dem Feuer aus allen Gliedern zu sprühen schien. Ein goldener Panzer umschloß die schlanke, kräftig gebaute Gestalt, ein Gewand aus Silberstoff floß in schweren, reichen Falten nieder. Den Kopf deckte ein silberner Helm, der die Züge frei ließ, und aus dem die üppige Lockenfülle in ihrer Rabenschwärze weit über den Nacken niederfiel. Wie hingehaucht saß sie auf dem feuerigen Roß, und doch eisenfest, eine wahre Verkörperung jener trotzigen Helden-Jungfrau.

Es war ein herrliches Schauspiel dieser Reiterkampf in seinen kunstreichen, vielgestaltigen Wendungen, die vielen edeln Thiere, die kräftigen, kühnen Menschen; aber Aller Augen ruhten doch nur auf der Libussa, die, wie von einem Zauber geführt, allüberall aus dem dichten Knäuel hervorragte, ihre Kunstfertigkeit und Beherrschung des Thieres auf das glän= zendste bewährend.

Beifallsjubel auf Beifallsjubel war schon den einzelnen Momenten gefolgt. Noch dramatischer gestaltete sich die Auf= führung bei der Verfolgung der Flüchtigen, wo die Schaar der Amazonen wie die wilde Jagd daherbrauste, wieder Libussa an der Spitze, die Lanze hoch geschwungen, die Haare flatternd, die Augen funkelnd: „Walkyre, Schildjungfrau", zog es flüsternd durch die Reihen.

Jetzt war der Augenblick gekommen, wo der letzte Krieger

sich muthig ihr gegenüberstellte, von den triumphirenden Amazonen umgeben. Libussa soll den Pfeil schnellen und hält ein; das mit ihr hoch sich bäumende Roß gehört noch in die Scene, vielleicht auch noch der leuchtende Siegesblick, mit dem sie die Zuschauer zu grüßen scheint, und der eine Stelle des weiten Raumes aufsucht, wo eine dichte Gruppe von Herren Platz genommen hat. Sie brechen in den feuerigsten Applaus aus.

Aber Libussa's Auge bleibt dort gefesselt, als könne sie es nicht wegwenden. Der unglückliche Sharka stellt sich ihr umsonst in der kühnsten Stellung gegenüber, seinen Todesstoß zu erwarten, sie scheint ihn zu übersehen, und eine solche Todesblässe bedeckt plötzlich ihr Gesicht, ein solches Zittern erfaßt sie, daß eine der Amazonen, ihre Stiefmutter, die es bemerkt, mit großer Geistesgegenwart herandrängt, ihr einige Worte zuflüsternd, um sie wieder zur Besinnung zu bringen.

Wie aus einem Traume erwacht Nora, — sie faßt sich und führt die Scene zu Ende. Das Publicum hat die kleine Störung nur als meisterhafte Darstellung des innern Kampfes genommen, und ihr Zusammenbrechen, indem sie vom Roß in die Arme der klagenden Jungfrauen gleitet, in der mystischen Beleuchtung blutigrother Flammen glänzend, krönt das Ganze.

Aber gut ist es, daß Nora, dem Gang des Spieles entsprechend, hinausgetragen wird, — sie hätte sich nicht mehr aufrecht halten können. Sie sieht nicht die Kränze, die man ihr spendet, sie hört nicht den tausendfachen Jubel, der ihr nachjauchzt — ein hysterischer Weinkrampf erschüttert sie, sobald sie sich außerhalb der Arena weiß.

Auf der Stelle aber, wo sie hingeblickt, hatte inmitten einer Reihe glänzender Uniformen ein Mann im langen, schwarzen, geistlichen Gewande gestanden, der aufmerksam mit ernstem Blick der Vorstellung folgte, aber auf all' die Ausrufe der Bewunderung rings um ihn her nicht zu achten schien.

„Das ist recht, Herr Kaplan, daß Sie unsere weltlichen Vergnügungen nicht ganz verschmähen," sagte eben ein langer, hagerer Offizier, den spitzigen Schnurrbart streichend. „Hat dieses achte Weltwunder der Reitkunst Sie hergeführt, oder was bringt Sie ein Mal wieder in unsere Hauptstadt? Die Gräfin hat uns die letzten Jahre ja hartnäckig verschmäht."

„Das Leiden und die Abwesenheit des jungen Herrn Grafen beschäftigten sie traurig genug, um sie allem Verkehr abhold zu machen," gab der Angeredete zurück. „Ich bin augenblicklich auf dem Wege zu Graf Curt, der leider auf dem Gute der Comtesse Lilly in Göhlitz wieder erkrankt ist."

„Was, ist der Curt endlich zurück von seinen Irrfahrten?" sagte der Offizier lebhaft. „Und in Göhlitz? Nun, über seine Gefangenschaft dort wird die Frau Mama nicht zürnen; aber was fehlt ihm eigentlich?"

„Die klimatischen Fieber scheinen seinen Organismus zer= stört zu haben," sagte der Kaplan; „seit jenem Gehirnfieber in Pera hat er sich nie wieder ganz erholt. Eben jetzt hatten wir die besten Hoffnungen; doch scheint die Ermüdung der Reise diesen Rückfall hervorgerufen zu haben, an dem er schon Wochen lang laborirt."

„Das ist traurig," sagte der Offizier theilnehmend. „Es war auch eine unglückliche Idee von der Mutter, ihn fortzu= schicken; ich weiß ja, wie sie sich damals darum bemühte, Gott weiß, warum. Ist er denn jetzt besser?"

„Ja, er ist auf der Genesung, und da er den dringenden Wunsch aussprach, mich zu sehen, bin ich gekommen. Morgen gehe ich hin. Die Gräfin ist schon seit einigen Wochen dort."

„Dann komme ich jedenfalls in der nächsten Zeit auch ein Mal hinüber, den alten Freund zu begrüßen und der spröden Comtesse meine Aufwartung zu machen. Wo steckt der jüngste Sohn, Graf Nicolas?"

„In seinem Regiment; er hat sich sehr gestärkt und ist sehr tüchtig geworden in den letzten Jahren."

„So! Aber dem Curt wird er nie das Wasser reichen. Ein prächtiger, liebenswürdiger Kerl! Wie der war, gibt es nicht viele. Jammervoll, wenn er nicht wieder gesund würde! Aber kommen Sie, Herr Kaplan; etwas hat die Menschenfluth sich verlaufen, und wir können gehen."

Sie schritten voran. Eine Gruppe junger Offiziere schloß sich dem Rittmeister an.

„Ist das Frauenzimmer schön!" riefen einige der jüngsten noch in heller Begeisterung. „Wahrhaft himmlisches Weib, und dies Reiten! Rittmeister, ich bitte Sie, wir haben sie doch schon öfter gesehen — aber so noch nie! Fabelhafte Fortschritte hat sie noch gemacht."

„Ich weiß nicht," sagte der Rittmeister trocken, „früher hat sie mir besser gefallen. Es war etwas Eigenthümliches, wie sie damals ritt, sich selbst ganz außer Acht lassend, nur

Tochter d. Kunstreiters.   18

ihr Pferd vorführend. Jetzt macht sie's wie alle Andern,
und producirt sich selbst. Aber sehen Sie, Baron, ist das
nicht der Prinz R. . . ., von dem man sagt, daß er wegen
der schönen Reiterin immer der Truppe folge?"

„Ja, der lange Herr in Civil mit dem kahlen Kopf.
Man erzählt Fabelgeschichten, was er alles treibt dieser
Sirene wegen; doch überflüssiger Weise. Sie soll längst
verlobt sein mit dem ersten Geschäftsführer ihres Vaters, der
eifersüchtig wie ein Luchs sie bewacht."

Ueber des Kaplans Lippen ging ein leiser Seufzer.

„Kommen Sie nicht noch ein wenig mit uns, geistlicher
Herr," sagte der Rittmeister verbindlich, „die heiße Sitzung
durch einen kühlen Trunk zu beschließen?"

„Ich danke Ihnen," sagte der Kaplan. „Für einen
Abend war es genug der Weltlichkeit. Ich denke schon in
der Frühe weiter zu reisen. Also auf Wiedersehen in Göhlitz,
meine Herren!" Und sie schüttelten sich freundlich die Hände.

XIX.

Hat ein Mal dein Gewissen für das Recht
oder Unrecht einer Handlung entschieden,
so bleibe dabei und sieh' seinen Aus=
spruch für unwiderruflich an.

Jakoby.

Am andern Morgen ward zu früher Stunde Nora ein
Billet gebracht, das Antwort heischte. Die Nacht war ihr
in fieberhafter Unruhe vergangen. Sie saß jetzt an ihrem
Schreibtisch, vergeblich sich bemühend, einen Brief zu ent=

werfen, den sie immer wieder zerriß. Das Billet, welches sie erhielt, bestand nur aus einer Visitenkarte mit der Anfrage, ob der Betreffende erscheinen dürfe. Nora zögerte unschlüssig — aber als könne sie nicht anders, setzte sie doch eine bejahende Antwort darunter und sandte es zurück. — Gleich darauf hätte sie es zurückrufen mögen.

Der Kaplan, von dem die Anfrage gewesen, erschien denn auch bald. In großer Erregung trat Nora ihm entgegen. Er reichte ihr die Hand und sah ihr ernst und mild, theilnahmvoll in das Auge.

Heiß wallten ihr zum Herzen die Erinnerungen, die sich an ihn knüpften seit ihrer frühesten Kindheit. Thränen stürzten ihr aus den Augen. „So sehen Sie mich wieder," rief sie schmerzlich, „eine Reiterin, eine Kunstreiterin trotz alledem!" Sie warf sich auf den kleinen Divan nieder und bedeckte schluchzend ihr Gesicht.

„Gott sei gepriesen für die Thränen," sagte der Kaplan, leise die Hand ihr auf den Scheitel legend. „Mein armes Kind, ich danke Gott, daß es dir ein solches Opfer ist; ach, ich fürchtete gestern, du hättest dich damit ausgesöhnt."

„O, hätte ich es nur!" rief Nora bitter. „Wäre es doch kein Opfer mehr! Könnte ich nur vergessen, alles vergessen von früher bis auf den letzten Gedanken. . . . . Ich hab' ja vielleicht genug zum Glücklichsein: Reichthum, Bewunderung und Schönheit, wie die Leute sagen — alles, was das Leben reizvoll macht. Warum hänge ich an den alten Gedanken, die ich so gern vergessen möchte? Und nun kommen auch Sie noch, den alten Kampf zu wecken! Ich habe Sie bitten

18*

wollen, nicht zu kommen, mich nicht zu beunruhigen — hätte
ich es nur gethan! Lassen Sie mich die Wege gehen, die
nicht zu ändern sind; dann bin ich vielleicht weniger unglück=
lich — o, warum kamen Sie?"

Sie sprach in furchtbarer Aufregung, rasch, abstoßend, hart.

„Warum ich kam?" sagte der Kaplan. „Einem Ver=
sprechen zu genügen, das ich einer sterbenden Mutter gegeben:
ihrem Kinde wo möglich ein Freund und Berather zu bleiben.
Wollte Gott, ich hätte Sie berathen dürfen in dem Augen=
blicke, welcher Sie zu einem Schritte trieb, der Sie und
Andere so unglücklich macht."

„Andere sind nicht unglücklich geworden," unterbrach ihn
Nora schneidend. „Sie haben sich gern und schnell damit
abgefunden, zu verachten und zu vergessen, was ihnen ver=
ächtlich schien."

„Keiner kann wissen, was der Andere leidet," sagte der
Kaplan ruhig. „Vielleicht täuschte man sich über Sie, wie
Sie sich über ihn täuschen. Vielleicht hat alles so kommen
sollen, um Sie auf andern Wegen zum Ziele zu führen."

„Jetzt nimmermehr zum Ziele!" rief sie klagend.

„Nicht zu dem, was wir erhofften, aber vielleicht zu
einem andern, zu dem alle Wege führen können, — und
Wege, die wir mit einem Opfer beginnen, wie Sie eines
gebracht zu haben scheinen, sind doch meist Gottes Wege."

„Glauben Sie, daß der Weg, den ich jetzt einschlagen
mußte, dem Ziele so besonders näherbringend ist?" fragte
sie fast höhnisch.

„Es gibt keinen Stand, den wir nicht heiligen können,"
sagte der Kaplan immer in derselben beruhigenden Weise.
„Je mehr Versuchung, desto mehr Ehre."

„Halten Sie es für leicht, die Versuchung zu besiegen?"
rief sie heftig zurück. „Sehen Sie da!" und sie strich rück=
sichtslos die Kränze und Bouquets zusammen, die vom gestrigen
Abende her auf dem Tische lagen. „Sehen Sie da," und sie
warf die kleinen Billete auseinander, wie sie da lagen die
parfümirten, leichtsinnig schon aussehenden Papierschnitzel.
„Glauben Sie, das alles mache keinen Eindruck zuletzt? das
stehle sich einem nicht in den Sinn, das schmeichele sich nicht
in's Herz, allmälig berauschend, betäubend? Glauben Sie,
der Beifallsjubel schlage umsonst an unser Ohr, und wir
könnten ihm immer die kalte Stirne bieten? Besonders, wenn
man weiß, daß man auf kein anderes Glück mehr zu rechnen
hat. . . . . . Seitdem der letzte Anker gebrochen, seitdem ich
weiß, daß er mich verachtet, da schreit das Herz nach Ersatz,
da will es wenigstens kosten, was die Welt noch bietet. O,
ich fühle es, ich werde darin untergehen! Ich bin nicht
anders wie Andere: ich werde das Leben lieben und genießen
lernen wie tausend Bessere vor mir, wie Tausende nach mir!"

Der Kaplan ging auf ihre heftige Rede nicht weiter ein.
Mit sicherer Menschenkenntniß griff er nur eins heraus, die
tief verwundete Seele nicht ganz zurückzuscheuchen.

„Eines Menschen Liebe ist stets ein schlechter Anker," sagte
er. „Aber woher wissen Sie, daß er Sie verachtet?"

Höher noch stieg die Gluth auf Nora's Wangen. Was
sie zu sagen hatte, wollte nicht über die Lippen. Sie

schritt zum Fenster und legte die heiße Stirne an das kühle Glas.

„Hörten Sie von ihm?" frug der Kaplan wieder.

„Ich kam vor einigen Wochen mit dem Courrierzug von Paris, rheinaufwärts hierher. Ein Herr saß mit mir im Coupé . . . . der mich nicht mehr kannte," sagte sie heiser.

Der Kaplan stutzte. „Sie fuhren mit ihm?" frug er.

Nora nickte stumm, ein Zittern lief ihr durch die Glieder bei der Erinnerung.

Der Kaplan wußte sich jetzt den Rückfall zu erklären. War es klug, ihr mitzutheilen, wie sehr das Wiedersehen ihn erschüttert? War es weise, den Funken Hoffnung in ihrem Herzen wiederzubeleben? Aber über alle Weisheit geht die Wahrheit und die Güte, die nicht verhehlen will, was einem Herzen wohlthun kann, die den Tropfen Balsam nicht ver= weigert, der dem tief verwundeten Gemüth Linderung schafft. Des Geistlichen einfach reiner Sinn nahm diesen Weg.

„Graf Degenthal," sagte er, „ist nach jener Reise schwer erkrankt. Ich bin auf dem Wege zu ihm; denn er hat das Gut seiner Cousine seitdem nicht verlassen können."

Nora's Haupt wandte sich hastig. „Schwer erkrankt?" frug sie athemlos.

„Es ist ein Rückfall seines langen Leidens. Der Arzt führte denselben auf eine heftige Nerven=Erschütterung zurück, die man sich vergeblich zu erklären sucht."

„Rückfall!" wiederholte Nora. „Was reden Sie von einem Leiden?"

„Wußten Sie nichts davon?"

Nora schüttelte den Kopf. „Ich wußte nichts, als daß er im Auslande bei der Gesandtschaft sei," sagte sie gepreßt.

„So hören Sie, ob er es leicht trug! Vor drei Jahren warf ihn jene Nachricht, die ihn unvorbereitet traf, auf das Krankenlager," berichtete der Kaplan, und erzählte dann in seiner ruhigen, klaren Weise alles, was er über Curt wußte.

Todtenbleich hörte Nora zu. „O, mein Gott!" sagte sie langsam. „Krank und siech all' die Jahre!"

Krank und siech, durch sie, um ihretwillen! In ihrem unermeßlichen Leid hatte sie immer nur an den eigenen Schmerz gedacht, hatte nie einen Augenblick sich vorgestellt, daß auch er leide! Und nun: seine zarter organisirte Natur hatte den Schlag noch weniger ertragen als sie, — er, den sie im Herzen wegen seiner kalten Gleichgültigkeit fast gehaßt, hatte so tief gelitten, daß er dadurch gebrochen an Körper und Geist war! Sie kam sich fast wie im Unrecht vor, daß sie da stand in der Vollkraft ihrer Jugend und Gesundheit.

„O mein Gott," begann sie wieder, „das ist entsetzlich — das habe ich mir nicht vorgestellt."

„Wir sind meist so in der Vorstellung unserer eigenen Leiden versunken, daß wir die der Andern nicht in's Auge fassen, besonders wenn wir uns durch sie gekränkt wähnen."

„Herr Kaplan, Herr Kaplan! es war nicht meine Schuld!" rief sie. „O, Sie wissen nicht, was mich dazu gebracht . . . es kann kaum über meine Lippen gehen. Ich habe Curt geschrieben, ihm habe ich das ganze unselige Ereigniß anvertraut — und er hat mich ungehört verurtheilt — — den Brief mir zurückgesandt ohne ein Wort des Trostes!"

„Er hat ihn also nicht gelesen? Dann mag er auf
andere Weise von Ihrem Auftreten gehört haben, und das
hat ihn erbittert, wo er sein ganzes Vertrauen in Sie ge=
setzt hatte. Darauf folgte seine lange Krankheit! Wollen Sie
es mir sagen, Nora?" frug der Geistliche ernst.

„Ja, ich will es Ihnen sagen, aber unter dem Siegel,
das bei jeder Beichte Ihren Mund verschließt; denn es trifft
Andere mit!" Sie warf sich nieder, als wolle sie wirklich
eine Schuld bekennen, und dann strömte über ihre Lippen die
ganze Erzählung jenes unseligen Tages, wo mehr als ihres
Vaters Leben auf dem Spiel gestanden. Sie schilderte die
grauenhafte Angst, die ihr das Gelübde abgepreßt.

Der Kaplan hörte schweigend zu. Er hatte sie nie des
Leichtsinnes, des Wechsels der Laune gezichen; er hatte keine
Erklärung für ihren Schritt zu finden gewußt, und eben in
dem Unerklärlichen die Entschuldigung gesucht. Aber die
Größe des Kampfes und des Opfers, das sie gebracht, über=
stieg alle seine Ahnungen. Tiefes Erbarmen erfaßte ihn für
das junge Wesen, welches einen heroischen Act geübt und nichts
wie Verachtung dafür geerntet.

„Habe ich Unrecht gethan? O, verurtheilen Sie mich
nicht!" schloß sie den Bericht. „Ich hab' so viel gelitten,
. . . . ich zerbrach mein Glück mit eigener Hand."

„Gott soll mich bewahren, Sie zu verurtheilen, Sie armes
Kind," sagte der Kaplan erschüttert. „Weiß der Herr, was
ich in dem Augenblicke hätte rathen können! Ueber Ihrem
Entschluß aber schwebt rein Ihre kindliche Liebe und Ihre
Opferwilligkeit: Gott wird Sie segnen dafür! Härter, als

Ihre Mutter ahnen konnte, ist das Leben an Sie herange=
treten, — — Sie haben alles hingeben müssen, um Ihren
Vater zu retten."

„Aber habe ich ihn gerettet?" frug sie leise und zaghaft.
„Habe ich ihn gerettet . . . . das ist die entsetzliche Frage,
die seit einiger Zeit in mir auftaucht! O, ich kann kaum
alles sagen, was mich von neuem bedrückt, obgleich ich in
dieser letzten Zeit meine Augen für alles habe schließen wollen,
. . . . das Leben nur leicht, nur oberflächlich zu nehmen,
weil alles Denken so martervoll war. Dieser Landolfo ist
meines Vaters böser Geist; er hat ihn ganz in seiner Hand.
O, mein Vater ist nicht mehr, was er früher war," setzte sie
mit brennender Röthe auf den Wangen hinzu. „Dies Leben
zieht Alle herab. Hätte ich nicht das Opfer gebracht, hätte
vielleicht die Nothwendigkeit ihn gezwungen, das Geschäft
aufzugeben."

„Sie haben gethan, was Sie für Recht hielten — das
ist genug vor Gott und unserm Gewissen. Grübeln Sie nicht
darüber: alles ist nicht vorzusehen. Aber könnten Sie nicht
jetzt sich zurückziehen, wo Ihres Vaters Geschäft wieder in
Blüthe steht?"

„Nein, nein! Er sagt, ich allein erhielte es, und die
Scharte sei noch nicht ausgewetzt. O, Landolfo sorgt dafür,
daß sie fühlbar bleibt, fürchte ich. Er setzt alles gegen mich
in Bewegung."

„Gegen Sie — Ihres Vaters Liebling? . . . . Werden
Sie nicht gut behandelt?" rief der Kaplan erstaunt.

„So meine ich es nicht," sagte sie mit einem traurigen Lächeln. „O, man behandelt mich mehr als gut — man schmeichelt mir, man vergöttert mich — ich bin ja Allen nöthig. Aber der — den ich Ihnen eben nannte — hat feste Pläne im Sinne; deshalb verstrickt er den Vater immer tiefer, deshalb macht er ihn durch List und Schmeichelei sich ganz unterthan..... Mich besiegen sie nicht!" setzte sie mit funkelnden Augen hinzu. „Aber auf einen Plan folgt vielleicht ein zweiter; man fühlt, man versteht allmälig doch! Sie ahnen kaum all' die Intriguen einer solchen Gesellschaft. Ich darf jetzt meinen Vater nicht verlassen."

„Können Sie sich nicht deutlicher ausdrücken?" frug der Kaplan.

„Nein, nein!" hauchte Nora. „Es ist alles noch wie ein Gespenst, das auftaucht ....."

„Nora," sagte der Kaplan ernst, nachdem er eine Weile sinnend gesessen, „erfüllen Sie die Aufgabe — so hart, so schwer sie für Sie ist. Ueber Ihr Glück ging sie fort, auf gefährlichen Bahnen führt sie weiter — aber halten Sie Ihr Herz rein und stark, dann vermögen äußere Gefahren nichts dagegen. Sie sollen vielleicht der Schutzgeist Ihres Vaters sein!.... Die Gnade wird Ihnen nicht dabei fehlen. Ist es nicht eine Fügung, daß er mich Ihnen jetzt entgegenschickt, wo Sie fürchteten, an sich selbst irre zu werden? Ist es nicht ein Trost, daß er durch mich Sie über das aufklärt, was drohte, Ihre Seele umzuwandeln, was in seiner Bitterkeit Ihr reines Opfer vergiftet hätte? Gehen Sie ernst und stark weiter und geben Sie nur für das Linsengericht kleinlicher

Eitelkeit und kleinlicher Erbitterung Ihr ewiges Erstgeburts=
recht nicht hin."

„Aber wie lange, wie lange wird es dauern? Werde ich
immer stark sein?" flüsterte sie für sich hin.

„So lange, wie der Herr will! Er kann in einem Augen=
blicke lösen, was uns auf immer unentwirrbar schien." Der
Kaplan stand auf.

Auch sie erhob sich. Ihre heiße Hand legte sich in die
seine: „Ja, es war eine Fügung, daß Sie kamen," sagte sie;
„ich stand an einem Abgrund. Helfen Sie mir, daß ich nicht
unterliege."

In dem Augenblicke ward an die Thüre geklopft, und auf
Nora's Herein trat der Director in das Zimmer. „Ah! du
hast Besuch," sagte er mit scheinbarer Ueberraschung. „Sie,
Herr Kaplan .... was führt Sie so plötzlich zu uns?
Eine Freude, Sie endlich ein Mal wieder zu sehen!" Er
reichte ihm die Hand; aber es lag etwas Gemessenes in seinem
Ton, etwas Gezwungenes in seinem Benehmen, so daß man
bemerken konnte, wie wenig angenehm der Besuch ihm war.

Der Kaplan fand ihn verändert, seitdem er ihn das letzte
Mal gesehen. Die Gestalt war stärker geworden, die Züge
hatten etwas Gedunsenes, das Auge war matt und unstät;
selbst sein Auftreten hatte nicht mehr die ruhige Haltung von
früher. Es that dem Kaplan wehe, das zu bemerken; denn
wie jetzt die Tochter neben ihm stand mit dem vollen Ernst,
den das vorhergehende Gespräch über sie ausgegossen, war der
Gegensatz der verschiedenen Lebensbahnen, denen sie angehörten,

ein schneidender. Jedenfalls konnte sie am Vater keine Stütze mehr finden.

Nora erklärte indessen dem Vater die Anwesenheit des Kaplans, und der Kaplan entsann sich jetzt, daß die Stunde zu seiner Abfahrt herannahe.

„Ich fürchte, das Wiedersehen hat dich aufgeregt, mein Kind," sagte der Director, mißtrauisch ihre ernsten Züge betrachtend. „Alles ist eben so gekommen, wie unsere ältern, weisen Köpfe voraussahen," wandte er sich an den Kaplan. „Junge Leute müssen ihre Erfahrungen machen. Aber meine Tochter ist glücklich auch jetzt; sie wird Ihnen gesagt haben, daß ihr Leben nicht so schlimm ist, als es aussieht. Und, hatte ich nicht Recht, daß sie Großes leisten würde? Könnte man Besseres sehen, als gestern Abend! Alles war hingerissen, berauscht."

„Der Kaiser von Rußland hat Recht behalten," sagte der Kaplan lächelnd zu Nora.

„Ja, ja, sie hat ihren Vater ganz ausgestochen," lachte der Director laut. „Nora, wenn du herabkommst, ich weiß nicht, wie viel Bouquets deiner warten. Ja, sie ist meine Stütze, mein Stolz, dieses Töchterchen; aber eine verwöhnte kleine Prinzessin." Er legte den Arm um ihre Taille und zog sie zu sich heran.

Der Director sprach unsicher, dabei brannten rothe Flecken auf seinen Wangen, so daß dem Kaplan allmälig ein Verdacht aufstieg, den er bewahrheitet gefunden hätte, wenn er gewußt, daß der Director eben von einem Frühstück mit Landolfo kam. Nach sehr vielem guten Sherry hatte dieser ihm den Besuch

des Kaplans mitgetheilt, ihn gewarnt, daß der Pfaff seiner
Tochter gewiß wieder Flausen in den Kopf setze, und ihm
gerathen, er möge den Besuch unterbrechen.

Landolfo und der Director frühstückten jetzt oft zusammen,
natürlich auf des Directors Kosten, und meist mit demselben
Resultat. Nora's Behauptung, daß Landolfo's Einfluß immer
stärker werde und nicht zum Guten sei, war nur allzu wahr.
Nicht allein, daß die Leitung der Geschäfte ganz in seiner
Hand lag, er bemühte sich auch, dem Director seine Muße=
stunden möglichst angenehm zu machen und einer leichten
Neigung zu geistigen Getränken, die seit der letzten Krankheit
in ihm erwacht, möglichst Vorschub zu leisten. Abnehmende
Körperkraft bei viel Anstrengung machen das Bedürfniß zu
Stärkung und Anregung wohl geltend, und die Jahre hart
an der Grenze des Alters, wo der Lebensgenuß sich nur noch
beim frohen Glase concentrirt, sind in der Hinsicht dem Manne
oft gefährlich.

„Der Prinz war auch schon da, sich nach deinem
Befinden zu erkundigen," fuhr der Director im selben Tone
fort, „und bat sich die Ehre aus, eine kleine Partie Cham=
pêtre zu arrangiren, wenn es dir beliebte."

„Ich danke, Vater; du weißt ja, ich nehme solche Ein=
ladungen nie an," sagte Nora kalt. „Ich hoffe, du hast das
gleich gesagt."

„Nun, nun, du könntest doch wohl mit deinen Eltern
ausgehen. Du fingst ja eben an, etwas vernünftig zu werden.
Ich hoffe nicht, Herr Kaplan, daß Sie mir mein Töchterchen
wieder zur Nonne gemacht haben. Eines schickt sich nicht für

Alle; es gehört mit zum Fach, die Leute nicht vor den Kopf
zu stoßen."

„Ich glaube, in diesem Falle hat Fräulein Nora Recht.
Einer jungen Dame in ihrer Lage ist nicht genug Vorsicht
anzurathen."

„Bah! Bah! Verdrehen Sie ihr nur den Kopf nicht,
mein lieber geistlicher Herr," lallte der Director. „Sie ist
schon hochmüthig genug, sie ruinirt mir noch alles."

„Vater, wenn du das meinst," sagte Nora sehr ruhig,
„so bin ich gern bereit, mich jeden Augenblick zurückzuziehen.
Du weißt, ich liebe es so wie so nicht, und kann überall eine
andere Stellung finden."

„Sieh', sieh'! wie trotzig sie gleich ist, unsere verwöhnte
Dame," schmunzelte der Vater, ihr das Gesicht streichelnd.
„Sie weiß, daß wir sie nicht entbehren können! Aber mein
Töchterchen läßt auch ihren alten Vater nicht im Stich,"
setzte er mit derselben unsichern Stimme hinzu.

Nora, der die ganze Scene unbeschreiblich peinlich war,
reichte dem Kaplan die Hand. „Ich fürchte, wir halten Sie
auf, Herr Kaplan," sagte sie traurig; „wir halten Sie zurück
von einem Orte, wo Sie sehr ersehnt werden. Aber ich
danke Ihnen für Ihren Besuch, der mir unendlich wohlgethan.
Fürchten Sie nicht mehr: ich werde versuchen, zu ringen und
zu streiten."

„Gottes Hülfe wird mit Ihnen sein. Ich habe Ihr Leid
vielleicht tiefer gemacht durch die Erkenntniß, die ich Ihnen
gab; aber es sollte auch ein Schild sein, der Sie schützte
gegen Schlimmeres als Leiden."

„Und nicht umsonst soll er gegeben sein," sprach Nora, sich aufrichtend. „Sie haben mich neu gewappnet heute." Der Druck ihrer Hand war fest und sicher dabei.

Der Kaplan wandte sich tief bewegt ab; sie kam ihm verwaister vor wie damals als Kind.

Auch der Director bemühte sich um den Abschiedsgruß. „Machen Sie mir kein Nönnchen aus ihr," wiederholte er immer wieder. Seine Sicherheit verließ ihn; er warf sich in den nächsten Sessel.

Der Kaplan hatte jedoch kaum das Zimmer verlassen, als Nora ihm folgte. „Noch eines," sagte sie, ihn anhaltend. Ihre Lippen bebten, die Wangen glühten. „Eine einzige Nachricht: wie es ihm geht! Sagen Sie ihm nichts von mir; er könnte dann noch mehr leiden, und es ist ja doch unwiderruflich."

Ein Händedruck, ein stummes Nicken war des Kaplans Antwort, und Nora war verschwunden.

Er aber dachte im langsamen Voranschreiten an die Hingebung, an den Heroismus, der in einem Frauenherzen liegen kann, das von der Liebe nicht läßt, das lieber verkannt sein will, als neuen Schmerz zuzufügen.

Nora konnte wieder heroisch sein, seitdem sie wußte, daß und wie er um sie getrauert.

XX.

Komm herein, o Nacht, und kühle
Diese Gluthen, diesen Schmerz!
Aus dem Wirrsal der Gefühle
Wie errett' ich nur mein Herz?

Wo wir einst so glücklich waren,
Hab' ich wieder sie geseh'n,
Und auf's neue, wie vor Jahren,
Ist's um meine Ruh' gescheh'n.

Geibel.

Die Freude Lilly's über das Wiedersehen mit ihrem Vetter war arg gestört worden. Seine Krankheit entwickelte sich schon wenige Stunden nach seiner Ankunft so heftig, daß ein Arzt herbeigerufen werden mußte, und sie sich veranlaßt fand, ihre Tante telegraphisch zu benachrichtigen. Die Gräfin traf schon am folgenden Tage ein. Für sie war nach den Jahren der Trennung das Wiedersehen ein noch trüberes. Das bleiche Antlitz, die veränderte Gestalt, der matte Blick, alles zeigte an, welcher Schlag den ganzen Organismus des jungen Mannes getroffen hatte, — daß es einer jener heftigen Stöße war, die den Menschen äußerlich wie innerlich gänzlich umwandeln. Schlich nicht etwas wie Reue bei ihr ein, als sie jetzt stundenlang an seinem Lager saß, indeß er mit geschlossenen Augen da lag — zu müde, den Ton ihrer Stimme zu ertragen, zu gleichgültig, eine Frage nach der Heimath zu thun, zu kühl und verschlossen, auch nur eine Zärtlichkeit der Mutter zu erwidern oder ein Wort des Zutrauens an sie zu richten?

Es war, als sei ein Eiseshauch über dies warme, bewegliche Jünglingsherz gefahren und habe es erstarren lassen.

Aber die Gräfin liebte nicht, über Geschehenes zu grübeln. Sie hatte ihrer Ansicht nach nichts gethan, was nicht ihre Pflicht gewesen; sie bedachte vielleicht am wenigsten dabei, daß wir keine Pflichten so streng durchführen, als die wir selbst uns auferlegen.

An seinem Zustande war das Klima schuld, die Intriguen jener Menschen und seine eigene Schwäche. Für sich fand sie Befriedigung in dem Gedanken, wie nothwendig es stets gewesen sei, ihn zu leiten, wie schädlich, ihn sich selbst zu überlassen, und wie aufmerksam sie noch ferner sein müsse, alle Erinnerungen an das Vergangene ihm fern zu halten.

Die Ursache des jetzigen Rückfalles kannte Niemand außer dem Kaplan, der aber, da Curt schwieg, auch schweigsam blieb. Er hatte im Gegensatz zu der Gräfin die Ansicht, daß es Sachen gibt, bei denen es besser ist, sie einer stillen Entwickelung zu überlassen, als fortwährend störend einzugreifen.

Es war September geworden, ehe man Curt als einen Genesenden betrachten konnte. Die Herbstsonne, die noch allen Glanz aber nicht mehr die Gluth des Sommers hatte, fiel auf den weichen, grünen Rasen und auf das Blumenparterre, das sich vor dem Göhlitzer Schloß hinzog bis hart an die Terrasse, auf die der Sommersalon mündete. Es war ein reizendes Plätzchen dort, ganz wie für einen Reconvalescenten geschaffen: die Sandsteinplatten, die schützenden Schloßmauern, die Topfgewächse und ausländischen Pflanzen, welche die Terrasse zierten und fast zu einer blühenden Laube umwandel=

ten; im Vordergrunde die Rasenfläche mit ihren zierlichen
Beeten und deren Ueberreichthum an Blüthen und Farben=
pracht; der Fernblick begrenzt durch Berg und Wald, indeß
nebenan das behagliche Gemach als Zuflucht blieb, sobald die
Sonnengluth zu stark wurde oder die Herbstluft kühler sich
geltend machte.

Seitdem Curt sich vom Krankenlager erhoben, brachte er
viele Stunden in anscheinend träumerischer Ruhe auf diesem
Plätzchen zu. Die äußere Stille verdeckte aber nur den Kampf
im Innern, den das Wiedersehen mit Nora hinterlassen hatte.
Es war ein ewiges Auf= und Niederwogen der Gefühle: die
Liebe, die stürmisch erwacht war, die Willenskraft, die sie be=
graben wollte, die Reue, die sich geltend machte, der Zweifel,
ob er recht gehandelt, sie ungehört zu verdammen. Physische
Abspannung machte ihm dabei ein klares Denken unmöglich.
Ruhe, Ruhe war es, wonach er lechzte; er hätte sich einspinnen
mögen, um Ruhe und Vergessen zu finden. Aber Vergessen
ist unabhängig von unserm Willen; je mehr wir es wollen,
um so weniger können wir es. Die wenigen Menschen seiner
Umgebung erschwerten es ihm, da sie mehr oder minder an
seinen Erlebnissen theilgenommen. Lilly war die einzige Per=
son, welche ihm ganz unbefangen gegenüber stand, und deren
Anwesenheit ihn deshalb am wenigsten störte, ihm am behag=
lichsten war.

Sie sah in ihm nur den lange Vermißten, den sie sehn=
süchtig erwartet, den Kranken, für dessen Leben sie gezittert,
den Genesenden, dessen Wiederaufleben sie mit so tiefer Freude
erfüllte, daß der Strahl davon aus ihrem Auge leuchtete. Ihn

unter ihrem Dache zu wissen und ihrer Fürsorge gewisser=
maßen anheimgegeben zu sehen, gewährte ihr ein Glück, das
sie aus ihrem eigenen etwas schwerfälligen Selbst ganz heraus=
treten ließ. Ihr kleiner aber zäher Sinn hielt seine eine
Liebe unerschütterlich fest.

Curt liebte den Platz auf der Terrasse nicht weniger darum,
daß er so oft Lilly als Staffage hatte. Ihre ganze Erschei=
nung paßte gut zum hellen Tage. Der frische Teint, das
blonde Haar, der freundliche Blick traten am Tage besonders
hervor, wohingegen sie Abends im Salon oft ermüdet und
nichtssagend aussah. Auch der einfachere Stil, der häusliche
Anzug, kleidete sie besser, als größerer Putz. Und so kam es
wohl, daß Curt die Bemerkung machte, seine kleine Cousine
habe sich in den Jahren, seit er sie nicht gesehen, sehr vor=
theilhaft verändert. Die Gestalt selbst war höher und schlanker
geworden, das damals kugelrunde Gesicht hatte ein hübsches
Oval angenommen, und wenn sie lachte, zeigten sich zwei
niedliche Grübchen in den Wangen. Lilly aber lachte oft in
ihrer stillen Weise, seitdem Vetter Curt ihr Gast war.

Sein Auge ruhte nicht ungern auf der hübschen Erschei=
nung, deren gleichmäßiger Ausdruck schon etwas Beruhigendes
hatte, und es unterhielt ihn, sie in ihrer emsigen Geschäftigkeit
zu beobachten. Lilly aber war immer geschäftig, sei es, daß
sie in eifriger Berathung mit den Stützen ihres Hauses war,
oder daß sie zwischen ihren Beeten, die ihr ganzer Stolz
waren, sorglich herumwandelte, oder daß sie mit einem Anflug
von Würde ihren Gutseingesessenen oder Armen Audienz gab
— alles Pflichten, denen sie pünktlich oblag, und die in letzter

19*

Zeit auffallend viel in der Nähe der Terrasse sich ab=
wickelten, vielleicht weil die kleine Dame es für gastliche Pflicht
hielt, so viel als möglich in der Nähe des kranken Gastes zu
weilen. Und wenn Curt sie aus ihrem emsigen Treiben zu
sich rief, und sie hocherglühend vor Freude neben ihm Platz
nahm, dann störte es ihn nicht, daß über die hübschen rosigen
Lippen nur wenige Alltäglichkeiten kamen. In der Ueber=
müdung des Geistes und Körpers, worin er sich befand,
forderte er keine Anregung; wähnte er doch, mit dem Leben
abgeschlossen zu haben, wie man es in der Jugend so leicht
wähnt. Aber der Gedanke tauchte zuweilen in ihm auf, daß
es behaglich sein müsse, Jemand so still neben sich zu haben,
auf dessen Schultern man alle kleinen Sorgen und Pflichten
des täglichen Lebens niederlegen könnte.

Als Curt in der Genesung voranschritt, ward das Leben
in Göhlitz geselliger. Die Gegenwart der Gräfin gab der
jugendlichen Wirthin den nöthigen Schutz, und die Rückkehr
Degenthal's bot Vielen, besonders Herren, die Veranlassung,
sich auf angemessene Weise dort einzuführen.

So hatte sich eines Nachmittags, wie jetzt schon öfter, ein
kleiner Kreis auf der Terrasse versammelt, Nachbaren der
Umgegend wie auch einige frühere Bekannte Degenthal's, die
der Bahnzug aus der Hauptstadt hergeführt hatte. Der Ritt=
meister, welchen der Kaplan letzthin im Circus gesprochen,
befand sich unter ihnen.

Es gibt Tage, die einen besondern Reiz entfalten an
Schönheit, Frische und Anregung.

Ein solcher schien heute für die Gesellschaft im Göhlitzer Garten zu sein. Vielleicht war weniger die Natur daran schuld, als die Stimmung der jungen Herrin selbst, welche — ihrem sonst so zurückhaltenden Wesen gar nicht gemäß — ungemein heiter und belebt war und den anmuthigen Mittelpunkt des Ganzen ausmachte. In ihrem lichtblauen Kleide, blaue Schleifen im Haar, war sie der einfachen, reizenden Flachsblüthe ähnlich. Glück und Liebe, diese magischen Verschönerungsmittel, gaben ihr einen Ausdruck von Leben und Wärme, den sie noch nie gezeigt. Wäre es der Besitzerin von Schloß und Herrschaft Göhlitz auch nie schwer geworden, Verehrer zu finden, so fesselte sie doch heute auch durch ihr eigenes Selbst. Die anwesenden Herren umringten eifrig den Platz, wo sie gleich einer kleinen Königin unter den blühenden Oleandern saß, deren rosige Blüthenbüschel sie wie eine Krone umgaben und an Frische kaum mit ihr wetteifern konnten. Sie nahm alle Huldigungen mit der ruhigen Sicherheit hin, die sie stets auf ihrem eigenen Terrain hatte, indeß für sie doch nur Einer zu existiren schien. Es war verzeihlich, daß Curt den freundlichen Augen nicht gerade auswich, die ihn allein stets suchten. Wessen Mannes Eitelkeit, in welcher Gemüthsverfassung er sich auch befinden mag, schmeichelt es nicht, unter Vielen der Bevorzugte zu sein? Curt lehnte in verwandtschaftlicher Zutraulichkeit neben ihr; sein Arm lag auf der Lehne ihres Gartensessels, seine Finger spielten mit dem Bande, das aus ihrem Haar flatterte, als habe er ein gutes Recht dazu, und seine Sprache wurde unwillkürlich wärmer und beredter bei den schönen Redensarten der Andern,

denn nur er vermochte doch die helle Röthe auf Lilly's Gesicht
zu rufen, die ihr so allerliebst stand.

„Alles huldigend!" sagte scherzend der Kaplan, an den
Kreis herantretend.

Lilly sah froh und stolz zu ihm auf.

„Ah, geistlicher Herr," sagte des Rittmeisters laute Stimme
dagegen. „Sie dürfen uns nicht mehr verwarnen, seitdem
Sie selbst neulich sich so beeilten, der Schönheit Ihre Huldi=
gung darzubringen!"

„Wie so?" fragte der Kaplan etwas erstaunt.

„Nun, nun, mein Bester," lachte der Rittmeister, „ent=
sinnen Sie sich! Keine Zeit mehr für uns, Abreise vorge=
schützt — und dann eine Karte geschickt der Schönsten der
Schönen! . . . Warten Sie nur: Sie ahnten an dem Morgen
nicht, daß ich gerade neben Ihnen stand, als Sie Ihre
Erkundigungen im Hôtel einzogen. Ich hoffe aber, Sie
haben in Ihrem geistlichen Eifer der schönen Dame keine zu
strenge Predigt gehalten. Der Circus Karsten wäre nichts
ohne die reizende Nora."

„Ah! Sie sprechen von meinem Besuche bei Fräulein
Nora Karsten," sagte der Kaplan, entschieden unangenehm
berührt von dem gerade nicht zarten Scherz. „Ja, ich suchte
sie auf. Ich kenne sie seit ihrer frühesten Kindheit," fügte
er ruhig hinzu.

Curt zuckte zusammen; das Band in Lilly's Haaren
flatterte wieder frei. Sonst verharrte er anscheinend gleich=
gültig in seiner zurückgelehnten Stellung.

Die Gräfin aber, die nicht weit von der Gruppe Platz genommen, hob lauschend den Kopf; sie schien nicht glauben zu können, recht gehört zu haben.

„Ja," fuhr der Rittmeister ahnungslos fort, „man muß es bekennen: etwas Schöneres als das Mädchen zu Pferde kann man nicht sehen. Wirklich, Degenthal, so etwas von Reiten existirt nicht zwei Mal; ist sie Ihnen auf Ihren Reisen nie begegnet? Der Circus Karsten gastirte doch so ziemlich überall schon."

„Nein," sagte Degenthal kurz und fast hart.

„So gehen Sie doch in die Hauptstadt. Es ist der Mühe werth. Jetzt als Libussa macht sie wahnsinniges Aufsehen. Selbst der ehrwürdige Herr hier war ganz begeistert."

„Nicht sowohl begeistert, als von tiefem Mitleid erfüllt," gab der Kaplan zurück. „Ein hartes Geschick hat sie gezwungen, diese Bahn zu betreten. Sie war zu ganz anderm erzogen."

„Curt," unterbrach die Gräfin jetzt schneidend die Unter= haltung, „es fängt schon an, kühl zu werden; du darfst dich gewiß nicht länger im Freien aufhalten. Willst du nicht lieber hinein gehen?"

Der junge Mann antwortete nicht; er leistete der Auffor= derung aber auch keine Folge. Vielleicht war es ein Zugeständ= niß, daß er der Ermahnung zur Vorsicht gab, daß er seinen Strohhut aufsetzte und so tief über die Stirne zog, daß sein Antlitz davon bedeckt wurde.

Der Rittmeister ließ sich in seinem Gedankengange nicht stören. „Warum ein hartes Geschick?" fuhr er zum Kaplan gewandt fort. „Sie ist ja die Tochter ihres Vaters, — also nichts natürlicher! Sie soll aber sehr anständig sein, das habe ich auch gehört."

„Man sagt, sie sei mit dem schönen Landolfo verlobt, dem ersten Geschäftsführer ihres Vaters," sagte einer der andern Herren.

„Und dem zu Lieb' hat sie die öffentliche Laufbahn be= treten," meinte ein Dritter. „Früher trat sie nicht auf, das habe ich auch gehört."

„Ich glaube, daß das alles nur Gerede ist," bemerkte der Kaplan.

„Aber von einer Liebesgeschichte wurde ganz bestimmt gesprochen," bestätigte der Rittmeister. „Ich entsinne mich nur nicht klar, wie es zusammenhing."

„Es wird viel geredet, besonders in solchen Sachen, und doch liegt dem oft keine Wahrheit zu Grunde. In diesem Falle kann ich das sogar bestimmt behaupten. „Wie gesagt, ich habe sehr bedauert, daß Fräulein Nora den Schritt gethan; doch gibt es oft schwer zu bewältigende Verhältnisse, und ich kann ihr meine Achtung nicht versagen."

„Aber, Curt," sagte die Gräfin jetzt sehr herb und unge= duldig, „es ist unverantwortlich von dir, noch zu bleiben! Der Herbstnebel fällt — wie willst du genesen, wenn du so unvorsichtig bist?"

„Je n'en vois peut-être pas la nécessité," gab der junge Mann aufstehend zur Antwort. Doch entfernte er sich nicht weiter als bis zur Thüre des Salons, wo er angelehnt stehen blieb. Es war, als könnte er sich der Unterhaltung nicht entziehen.

„Ich habe Nora Karsten auch sehr gut gekannt," sagte
Lilly, „und mehr als das: ich hatte sie sehr lieb. Wir waren
in demselben Pensionnat. Ich habe es nicht glauben wollen,
als ich hörte, daß sie auftrete. Aber der Herr Kaplan hat
gewiß Recht in dem, was er sagte, — nur ein sehr ernster
Grund kann sie dazu vermocht haben. Ist ihr Vater vielleicht
arm geworden?"

„Danach hat es durchaus nicht den Anschein, Comtesse.
Circus Karsten macht enorme Geschäfte und hat sich mit
jedem Jahre vergrößert."

„Was mag es denn sein?" sagte Lilly sinnend. „Die
arme Nora!"

„Wenn sie so erzogen wurde, wie Sie sagen, Comtesse, ist
es freilich ein trauriges Geschick," erklärte ein älterer Herr.
„Schon das gänzliche Ausscheiden aus jeder andern Gesell=
schaft muß furchtbar sein."

„Arme Nora," wiederholte Lilly. Im selben Augenblick
aber traf ihr Blick die Gräfin, die in immer peinlicher
werdender Unruhe auf ihren Sohn sah. Lilly glaubte sie zu
verstehen. „Ich denke, wir thun am besten und heben hier
die Sitzung ganz auf," sagte sie, „um den unartigen Vetter
da zur Vernunft zu zwingen. Komm', Curtie; im Salon ist
es jetzt wirklich gemüthlicher."

Dem Wink der jungen Hausherrin folgend, begab sich
alles in's Haus; aber gemüthlicher wurde es gerade nicht.
Die frühere Munterkeit war geschwunden und ein Druck schien
sich auf die ganze Gesellschaft gelegt zu haben. Der Gräfin
Blicke mochten dazu beitragen. Mit erregter Aengstlichkeit

hafteten sie auf dem Sohne, der freilich auch auffallend blaß und plötzlich ganz stumm geworden, wie übermüdet in einem Sessel lehnte. Man rüstete sich zum Aufbruch, um den Reconvalescenten nicht länger anzustrengen.

Ehe der Rittmeister sich verabschiedete, trat Lilly noch ein Mal an ihn heran. „Bleibt der Circus Karsten noch einige Zeit in W.?" frug sie leise.

„So viel ich mich entsinne, war seine letzte Vorstellung schon angekündigt. Aber ich kann Sie benachrichtigen, Comtesse, wenn Sie es wünschen."

„Nein, danke," sagte Lilly hastig, da sie sah, daß ihre Tante sich näherte. „Ich weiß jetzt schon: er wird also jedenfalls nur noch kurze Zeit bleiben. — Ich werde sehen . . ."

Der Rittmeister sah ein, daß sie den Gegenstand jetzt nicht weiter erörtert zu haben wünschte.

„Aber ich bitte Sie, Kaplan," sagte die Gräfin sehr gereizt, als sie sich nach der Entfernung der Gäste mit dem Geistlichen allein sah, „wie konnten Sie so unvorsichtig sein, das Gespräch in dieser Weise aufzunehmen, diese Erinnerungen bei meinem Sohne zu wecken?"

„Ich glaube, die Erinnerungen haben noch nie bei ihm geschlafen und sind nach wie vor die Ursache seines Leidens," sagte der Kaplan ernst.

„Ah! bah!" rief die Gräfin, „an seiner Krankheit war das Klima Schuld. Jetzt gilt es nur, ihn von jeder Annäherung an das Frühere fern zu halten, und deshalb war mir seine Abwesenheit bis jetzt lieb. Mit der größten Vorficht habe ich stets jedes Wort vermieden, was ihn daran hätte erinnern können."

„Frau Gräfin, wir Menschen können mit all' unserer Fürsorge unendlich wenig. Graf Curt und Fräulein Nora sahen sich schon wieder."

„Um Gottes willen!" rief die Gräfin, „wie war das möglich?"

„Sie trafen durch einen Zufall auf der Reise hierher im Coupé zusammen, und die Erschütterung dieses Wiedersehens war die Ursache der neuen Krankheit des Grafen. Sie sehen, wie wenig die Erinnerung geschlafen, wenn sie noch so mächtig wirken konnte."

„Mein Gott, mein Gott!" rief die Gräfin wieder, „und das gerade jetzt, wo ich so viel Hoffnung hatte, wo alle meine Pläne so gut paßten, ihn mit seiner Cousine zusammenzu= bringen."

„Machen Sie lieber keine Pläne, Frau Gräfin, die ihn nur zurückschrecken würden. Ueberlassen Sie dem Himmel, daß er es füge, wie es Allen zum Besten gereicht. Von Fräulein Nora werden Sie nichts zu befürchten haben; sie hat alle Ansprüche an ihn längst aufgegeben."

„Hätten Sie nur wenigstens den Herren nicht wider= sprochen; es war ganz gut, daß Curt hörte, wie man über sie spricht."

„Es war aber eine Unwahrheit, und eine Unwahrheit thut nie gut," sagte der Kaplan bestimmt, aber milde; denn die Gereiztheit der Gräfin that ihm mehr leid als sie ihn verdroß, da er ihren Kummer verstand. „Das Zeugniß der

Wahrheit erforderte, daß ich sprach; denn ich kenne die traurige Wendung der Dinge."

"Hatten Sie aber nöthig, die Verbindung mit dieser Familie durch Ihren Besuch wieder anzuknüpfen? Ich war so glücklich in dem Gedanken, daß sie für immer abgebrochen sei," fuhr die Gräfin noch heftiger fort. Ihre Aufregung suchte einen Ausweg und einen Ableiter.

"Es handelte sich nicht um einen Besuch, Frau Gräfin, sondern um eine Seele, und die geht meinen Beruf immer an. Ich sah, daß das arme Mädchen, durch Unglück und Erbitterung getrieben, einer großen Gefahr nahe war, und ich wollte versuchen, ihr durch mein Wort beizustehen, wie ich das der sterbenden Mutter einst versprochen. Mit Gottes Hülfe, denke ich, ist es mir gelungen.

"Nun, jedenfalls reitet sie noch immer," sagte die Gräfin schneidend. "Von Anfang an habe ich prophezeit, daß nur Verkehrtes daraus entstehen könne. Denken Sie darüber, wie Sie wollen. Aber was thun wir für meinen armen Sohn? Wäre er lieber noch fort geblieben!"

"Thun Sie gar nichts, Frau Gräfin," sagte der Kaplan mit Entschiedenheit. "Ich fürchte, in der Sache ist nur zu viel geschehen; es hat schon die Gesundheit Ihres Herrn Sohnes und das junge Lebensglück einer Andern gekostet. Wenn wir einem Unglück allzu ängstlich ausweichen wollen, stürzen wir meist in ein anderes."

Die Gräfin aber war nicht leicht zu überzeugen.

XXI.

Denn zwischen uns ist eine Kluft gezogen,
Die sich verbinden läßt durch keine Brücke.

Geibel.

Würde ihm nie mehr Ruhe werden? Curt dachte es die lange, schlaflose Nacht, dachte es, als er noch müder, noch abgespannter am andern Morgen auf seinem stillen Platze saß. Selbst die frische Herbstluft konnte seine heiße Stirne nicht kühlen. Seine Gedanken waren seit dem gestrigen Gespräche im wildesten Kampf, den er vergeblich zu entwirren, zu schlichten suchte. Jedes der Worte, die er gehört, brannte auf seiner Seele — die schonungslose Art, in welcher ihr Name genannt worden, und im grellen Gegensatz dazu die ungeminderte Achtung, das tiefe Mitleid, die zarte Schonung, die der Kaplan ihr widmete, als sei jeder Schatten eines Unrechtes von ihr fern geblieben! Er hatte von einem unseligen Geschick gesprochen, welches sie dazu gedrängt — was war das für ein dunkles Räthsel? Es schloß Widersprüche in sich, für deren Lösung er keinen Anhaltspunkt finden konnte. . . . . Aber hatte er nicht selbst jede Erklärung zurückgewiesen? Hatte er sie nicht ungehört verurtheilt? Was hielt ihn jetzt ab, zu dem, der davon zu wissen schien, hinzugehen und sich Aufschluß zu erbitten?

Aufschluß — aber gab es einen Aufschluß, der die Schuld hätte mindern können, in dieser Weise seiner Liebe in's Antlitz zu schlagen, ein gelobtes Wort zu brechen, nachdem er ihr eben noch solche Beweise seiner Liebe und Treue gegeben? Wenn er der Stunde gedachte, wo er sie jubelnd in seine Arme geschlossen, dann hätte er aufschreien mögen vor Wuth und Schmerz, sich so betrogen zu sehen. Dann schwor er sich, ihren Namen nicht mehr über seine Lippen gehen zu lassen und jede Aufklärung abzuweisen — um nach wenig Augenblicken doch wieder dumpf brütend der Ursache nachzuforschen, die solche Wandlung möglich gemacht. Er preßte die Hand an den schmerzenden Kopf, als könne er die Gedanken damit bannen.

Ein Geräusch ließ ihn jetzt aufblicken: Cousine Lilly stand vor ihm. Er raffte sich zusammen; denn Niemand sollte seine Unruhe noch deren Ursache ahnen. Wenn auch etwas gezwungen, hieß er doch die Kleine freundlich willkommen.

Sie setzte sich zu ihm; aber ein Gedanke schien auch sie zu beschäftigen, für den sie nicht gleich Worte finden konnte. Endlich trat er etwas zaghaft zu Tage. „Curt, würdest du wohl . . . . würdest du heute Nachmittag mich ein paar Stunden . . . . auf einer Fahrt begleiten, die ich . . . . . die ich gern mit dir, aber ohne deine Mama, machen wollte?" So kam es in verlegenen Pausen heraus.

Curt sah mehr erstaunt als erfreut aus über die Bitte. „Eine Fahrt mit dir?" sagte er etwas gedehnt; „wohin? Du weißt, liebes Kind, wie alles mich noch ermüdet."

Lilly hatte nach dem gestrigen Tage vielleicht eine freudigere Zustimmung erwartet, und ihr Gesicht zeigte nicht undeutlich den Verdruß, den sie empfand. „Ich dachte, eine Fahrt bei so schöner Luft würde dir gut thun," wandte sie ein. „Aber freilich, wenn es dich ermüden sollte" — und sie machte eine Bewegung, ihn zu verlassen.

Nun ist man aber doch nicht Wochen lang der Gast einer jungen Dame, die sich in der doppelten Rolle als freundliche Wirthin und liebenswürdige Pflegerin bewährt hat, um ihr den ersten Gefallen, den sie erbittet, kaltherzig abzuschlagen.

Curt sah ihre beleidigte Miene und bereute seine wenig entgegenkommende Antwort; was blieb ihm übrig, als doppelt eifrig zu versichern, daß er ihr ganz zu Gebote stehe und zu jedem Ritterdienst bereit sei?

Die Miene der Kleinen heiterte sich schnell wieder auf, und sie ließ sich nicht lange bitten, ihn beim Wort zu nehmen. „Die Fahrt wird dir gut thun," versicherte sie, sich selbst beruhigend; aber weder über das „Wohin" noch über den Zweck ihrer Fahrt wollte sie Auskunft geben. „Du mußt mir auf Treu' und Glauben folgen, alles thun, um was ich dich bitte, und alles mir anheim stellen. Später sage ich dir, warum," sagte sie mit einer schlauen Miene. „Deiner Mama nehme ich durch meinen Entschluß gleich die Zustimmung vor= weg, so daß sie nicht Nein sagen kann, — wenn du nur keine Einwendungen machst, Curtie."

Curtie machte keine Einwendungen; nachdem er der Ein= willigung ein Mal nicht hatte entgehen können, war ihm schon jedes fernere Wort, jeder fernere Gedanke daran zu viel.

Die Gräfin war freilich erstaunt über den eigenmächtigen, geheimnißvollen Plan ihrer Nichte, der nicht ganz mit ihren Ansichten über Etiquette stimmte. Sie mochte aber jetzt gerade nichts stören, was die Intimität zwischen den Beiden förderte, und so ließ sie es ohne weitern Widerspruch geschehen; Lilly's Charakter lagen ja alle Extravaganzen so fern, daß ihr Plan nur ein sehr harmloser sein konnte. Wie alle stillen, festen Leutchen, setzte Lilly ihren Willen durch.

Sie war sehr aufgeräumt, als sie, ihren Vetter neben sich, in ihrer Equipage dahinrollte, — ganz angeregt von ihrem Unternehmen.

„Nun sollst du auch wissen, wohin ich dich entführe," sagte sie zu Curt, der ihr zum Kummer gar keine Neugier entwickelte. „Wir fahren nach W. — nicht mit der Bahn, das wäre schade bei dem herrlichen Wetter, und in zwei Stunden laufen die Pferde hin. Wir kommen dann zeitig genug zu dem, was ich ausführen will, und haben noch einige Stunden vor uns. Den Wagen schicke ich früher heim bis zu unserer Station, wo wir ihn wieder treffen werden. Am Abend darfst du die lange Fahrt nicht machen; da fahren wir mit der Bahn zurück, die kaum eine Viertelstunde braucht, und sind zu guter Zeit daheim. Habe ich es nicht praktisch eingerichtet?"

Curt konnte nur seinen Beifall nicken; auch darin mußte er ihr Recht geben, daß die Fahrt ihm gut sei. In der frischen, heitern Luft war das ruhige Rollen des Wagens beschwichtigender, als wenn er den heutigen Tag seiner Mutter gegenüber hätte zubringen müssen. Er wurde allmälig in eine Art von Halbschlaf eingewiegt, in welchem die Worte seiner Nachbarin fast verständnißlos an ihm vorüberrauschten.

Noch ehe die angegebenen zwei Stunden verflossen, war das Ziel erreicht, und die Pferde hielten schnaufend vor dem

Hôtel, das Lilly in der Stadt besaß. Dienſteifrig öffnete der Haushofmeiſter der jungen Herrin die ſtets bereit ſtehenden Zimmer.

Während Curt ſich jetzt erſt klar machte, wo er ſei und was für Erinnerungen alle für ihn ſich daran knüpften — denn er hatte ſeit ſeiner Abreiſe nach dem Orient die Haupt= ſtadt nicht wieder betreten — hatte Lilly eine lange Unterredung mit ihrem Untergebenen gehabt. Nach einiger Zeit erſchien derſelbe mit einem Zettel, den er der jungen Gräfin übergab.

„So, Curtie,“ ſagte Lilly, „biſt du genug ausgeruht, mich begleiten zu können, dann bitte, laß uns gehen. Sieh’ hier, nach dieſem Hôtel führe mich. Dieſe Straßen müſſen wir ein= ſchlagen,“ ſetzte ſie hinzu, ihm die eben empfangenen Notizen hinhaltend.

Curt ſah zerſtreut den Zettel an, um ſich zu orientiren, und bot dann ſeiner Couſine den Arm. Seine Erinnerungen ſprachen wieder zu laut, um viel Nachdenken über Lilly’s Abſichten aufkommen zu laſſen. Wahrſcheinlich irgend ein Einkauf, womit ſie Jemand überraſchen will, dachte er.

Curt ſchritt ſtumm einher und gedachte des Tages, wo er zuletzt die Straßen dieſer Stadt betreten, — jenes Morgens, wo er Nora hier gefunden und ſie ihn ſo dringend beſchworen hatte, nicht in die Ferne zu gehen! Hatte ſie mit ihrer Ahnung Recht gehabt? Wäre alles anders gekommen, wenn er in ihrer Nähe geblieben, ſie nicht ſo ſchutzlos gelaſſen hätte?

„Hier ſind wir,“ ſagte Lilly plötzlich; denn ſie mehr als er hatte den Weg gelenkt. Sie ſtanden vor einem größern

Tochter d. Kunſtreiters. 20

Hôtel. „Hier muß ich Jemand sprechen. Bitte, führe mich noch hinein; im Hause selbst finde ich mich schon; und dann sei so freundlich und hole mich in einer halben Stunde hier wieder ab."

„Darf ich dir das auch erlauben?" fragte Curt, jetzt doch erstaunt über ihr seltsames Vorgehen. „Ich glaube, als eifer= süchtiger Vetter müßte ich dir ein so geheimnißvolles Rendez= vous verbieten."

„Zum Verbieten haben Vettern kein Recht," lachte die Kleine; „und du sollst sehen, Curtie, wenn ich dir später alles erzähle, wirst du es ganz recht finden. Aber jetzt sage ich nichts; wer zu viel fragt, bekommt zu viel Antwort. Sei nur so freundlich und erwarte mich hier in einem halben Stündchen; du sollst sehen, ich werde pünktlich sein." Sie sah ihn bittend an.

Curt ging es wie seiner Mutter: es war ihm unmöglich, etwas anderes als das Allerharmloseste bei Lilly vorauszusetzen. Pünktlichkeit war überdies ihre große Tugend. So störte er ihre kleine Freude nicht und schlenderte, sie erwartend, die Straßen hinab. Doch empfing er keinen andern Eindruck von dem belebten Treiben der Großstadt, als daß diese Unruhe seine Nerven noch entsetzlich unangenehm berührte.

Pünktlich zur angegebenen Zeit sah er denn auch Lilly's blauen Schleier auftauchen, und beeilte sich, sie wieder in seinen Schutz zu nehmen.

„Nun, ist die große Verschwörung in's Werk gesetzt?" sagte er eben neckend, als ein Blick auf ihr Gesicht ihm zeigte, daß es heftig geröthet war und sichtliche Spuren von Thränen zeigte.

„Was ist das, Lilly?" frug er, jetzt ernstlich besorgt. Aber trotz den noch feuchten Augen lächelte sie ihm schon wieder zu und legte ihren Arm fester in den seinen. Eine Weile ging sie schweigend neben ihm her.

„Jetzt will ich dir alles sagen," hub sie dann plötzlich wie mit kräftigem Entschluß an. „Es war sehr freundlich, daß du alles thatest, um was ich dich bat, ohne zu fragen. Sieh', ich habe Nora Karsten besucht."

Curt blieb stehen, wie von einem elektrischen Schlage getroffen. „Nora Karsten aus dem Circus?" sagte er mit eigenthümlich schneidendem Laut.

„Ja, Nora Karsten. Findest du das so ungehörig? Du weißt ja, daß ich sie vom Pensionnat her kenne. Ich hatte Niemand so lieb als sie; denn keine der Andern war so gut, so fromm und so freundlich. Vor mancher Strafe hat sie mich geschützt, manche Stunde mich getröstet, sich meiner an= genommen, wenn ich vor Heimweh fast verging; und hundert Mal habe ich ihr da versichert, daß ich sie nie vergessen würde. Nun wäre es doch sehr unrecht gewesen, hätte ich mich ihrer gar nicht mehr erinnern wollen, weil sie Kunst= reiterin hat werden müssen! Das hat gewiß nur ihr Vater gewollt, weil es ja sein Geschäft ist. Als ich gestern hörte, sie sei hier und werde nicht lange mehr bleiben, beschloß ich gleich, sie aufzusuchen. Wer weiß, wann ich sie sonst ein Mal wieder gesehen hätte? Ueberdies dachte ich auch, es würde ihr gerade jetzt wohlthun, wenn man ihr zeigte, daß man sie trotz alledem noch lieb habe. Ich finde es zu häßlich, Jemand im Stiche zu lassen, weil ihn unglücklicher Weise sein

20*

Geschick erniedrigte. Die Tante hätte aber meinen Besuch
nicht zugegeben, wenn ich gefragt hätte. Auch du würdest ge=
glaubt haben, Einwendungen machen zu müssen. Aber ich hatte
doch Recht, nicht wahr, Curt? . . . Du bist doch nicht böse?"
setzte sie mit einem ängstlichen Blick auf sein Gesicht hinzu,
in welchem sie nicht zu lesen vermochte, so tief neigte er den Kopf.

Was dachte er bei ihren einfachen Worten, daß er wie
betäubt neben ihr schritt?

„Ja," stieß er endlich mühsam heraus, „du hast Recht!
Gott segne dein Gemüth, deinen kindlichen Entschluß! Und
hast du geirrt in Bezug auf sie, so war es ein schöner Irrthum."

„O, ich bin so froh, daß du nicht böse bist," plauderte
die Kleine weiter. „Was die Tante denkt, ist mir einerlei;
aber wenn du mich getadelt hättest, das hätte mir leid gethan.
Aber glaub' nur, ich habe mich nicht in ihr geirrt. Sie ist
noch gerade so gut und so fromm wie früher — der Kaplan
sagte es ja gestern auch — und du glaubst nicht, wie schön
sie ist! Es war rührend, welche Freude sie hatte, daß ich
gekommen, wie liebevoll sie dankte. Aber ich glaube nicht,
daß sie glücklich ist; sie weinte so, daß sie auf alle meine
Fragen kaum antworten konnte. Heute muß sie wieder reiten
— denke dir, wie schrecklich. Ich möchte sie gar nicht da
sehen. Ich sagte ihr auch, daß du mich hierher begleitet,
weil sie nach der Tante und dir frug. Du weißt ja, in der
Schweiz hast du sie als kleines Mädchen gesehen. Aber sie
wollte nicht erlauben, daß ich dich heraufrufen ließe." So
erzählte Lilly in einem Athem weiter; denn das Gelingen
ihres Unternehmens hatte sie ganz gesprächig gemacht.

Aber sie hätte noch viel mehr sagen können, Curt hörte nichts davon. Er war wie von einem Schwindel ergriffen. Wieder stand Nora ungesucht auf seinem Wege. . . . . War das die Antwort auf den Gedankenkampf, den er heute durch= gekämpft — und sollte er wieder die Gelegenheit vorübergehen lassen!

Die Beiden waren an Lilly's Hôtel angelangt. „Kannst du einen Augenblick hier allein verweilen?" sagte er in selt= samer Hast, nachdem er Lilly auf ihr Zimmer begleitet hatte. „Ich sah einen alten Bekannten vorhin auf der Straße, den ich noch treffen möchte. Wir haben ja noch eine Stunde Zeit."

„Gewiß," versicherte Lilly. „Hier kann ich dich sehr gut erwarten. Laß uns nur, bitte, den Bahnzug nicht versäumen."

Aber Curt war schon fort. Er eilte die Treppen hinab, er stürzte auf die Straße hinaus, als fürchte er, durch eine Minute Zeitverlust an seinem Entschluß irre zu werden. Was wollte er, was wünschte er? Er wußte es selbst nicht klar — er wollte nur nicht abermals den Augenblick entschlüpfen lassen.

„Graf Degenthal!" rief Nora entsetzt, als er kurz darauf in leidenschaftlichster Erregung vor ihr stand. „Graf Degen= thal! Sie haben kein Recht mehr, zu kommen." Sie wollte sich stolz und kalt erheben, aber sie brach zitternd zusammen.

„Kein Recht mehr?" rief er, auf sie zutretend und wie mit Eisenkraft ihre Hände fassend. „Wer hat mir das Recht geraubt? Wer hat die opferwilligste Liebe mir höhnend in's Antlitz geschleudert, wer hat die Treue gebrochen, die heiligsten Versprechungen verrathen? . . . aus verächtlicher Feigheit oder noch verächtlicherer Eitelkeit! Nora, ich wollte, ich könnte dich hassen!" Er schleuderte die Hand zurück, die er eben gehalten.

„Curt, Curt! Du glaubst selbst nicht, was du sagst! Du weißt, daß meine ganze Seligkeit in meiner Liebe lag!" rief sie in schneidendem Schmerze.

„Deiner Liebe!" sagte er, seiner Bitterkeit freien Lauf lassend, „deiner Liebe, welche die kürzeste Frist nicht über= dauerte, die unterging in der elendesten Weise."

Diese rücksichtslosen Worte schienen ihren Stolz wachzu= rufen; sie erhob sich todtenbleich, aber gefaßt. Ihre Lippen bebten, doch sprach sie klar und deutlich. „Du hast kein Recht, mich zu verurtheilen; denn dir hatte ich alles vertraut, und du hast es nicht hören wollen, — hast jede Erklärung zurückgewiesen!"

Der Vorwurf traf ihn, und wie sie jetzt vor ihm stand, so ernst, so schön, kein Hauch von Schuld auf der Stirne, das Auge frei zu ihm aufgeschlagen und doch ein Blick unsäg= licher Trauer darin, — da flammte trotz Zorn und Bitterkeit die verhaltene Gluth wieder in ihm auf. „Nora, Nora!" rief er, fast so schmerzlich wie sie, „warum hast du es gethan? Glaubst du denn, ich habe nicht gelitten! Sieh' mich an, ob ich nicht verändert bin, sieh', was es mich gekostet hat, — und ich frage dich: wodurch hatte ich verdient, daß du mich so behandeltest?"

„Verzeih'! verzeih'! es war nicht meine Schuld! O mein Gott, es war ein so furchtbares Opfer! Warum wurde nicht mein Leben an Statt des deinigen dadurch zerstört?" Wie verzweifelnd schlug sie die Hände vor das Antlitz.

„Glaubst du, mein Leben sei mir noch etwas werth gewesen seit der Stunde, die mir das Heiligste in den Staub trat! Und doch, Nora .... sage mir .... löse mir das dunkele Räthsel ...." Er schwieg, wie unfähig, weiter zu reden, zog sie stürmisch an sich und nahm die Hände von ihrem Gesichte. Sein Auge brannte heiß in dem ihren, als müsse er ihr Inneres durchschauen.

„Jetzt ist es zu spät," flüsterte sie klagend, „für immer zu spät! O, Curt, wärst du nur da gewesen!" Ihr Kopf sank auf seine Schulter, indem sie in einen Strom von Thränen ausbrach; ihre Arme umschlangen ihn in leidenschaftlichem Schmerze.

„Ich bin da, Nora, — jetzt bin ich da!" gab er zurück, erschüttert von ihrer Trauer, und preßte seine Lippen auf ihren Scheitel. „Noch kann alles gut werden, — für die Liebe ist es nie zu spät."

„Doch, doch! Die Wellen sind über mir zusammenge= schlagen ... selbst du kannst mich nicht mehr retten, — man kann nichts ungeschehen machen. Du sagtest selbst, jene Stunde habe mich in den Staub geworfen — und ich weiß es! Jetzt bin ich deiner Liebe unwürdig — deine Liebe darf ich nicht mehr nehmen.... Geh' Curt, und lasse mich..... Warum bist du noch ein Mal gekommen?"

„Um das zu erlangen, was ich fordern kann, wenn ich es auch ein Mal in sinnlosem Schmerz zurückgewiesen! Aber mein Herz hat keine Ruhe gekannt seit jener Fahrt, die uns so wunderbar zusammenführte, und wo der kostbare Augenblick uns doch verloren ging. Jetzt soll er nicht vorüber gehen —

ich will Aufklärung: kein Geheimniß, keine Intrigue soll uns
trennen. Du weißt, du warst mir alles werth, und was
man auch that, um diese Kluft zwischen uns aufzureißen, der
Welt zum Trotz mache ich dich mir zu eigen, Nora — nur
sprich! — sprich!" Und er umschlang sie noch fester.

„Du sollst nicht, du darfst nicht — jetzt nicht mehr!"
sagte sie wieder. „Es ist zu spät." Aber im selben Augen=
blicke zuckte sie zusammen und machte sich mit einer plötzlichen
Bewegung aus seinen Armen los. „Da kommt Jemand,"
sagte sie athemlos und erschreckt. „O, dieser schreckliche Mensch
gerade jetzt! . . . Geh', ich sage dir alles, du sollst alles
erfahren — — aber geh' jetzt, Curt, geh'!"

„Warum?" wollte er eben fragen. Aber schon ward an
der Thüre gepocht, und ehe er sich umwenden konnte, war sie
auch geöffnet.

Landolfo trat herein. Ein tückisches Lächeln flog über
seine Züge, als er die Beiden erblickte. „Graf Degenthal!
Ah!" sagte er mit einer flüchtigen Verbeugung. „Fräulein
Nora, ich kam, Sie zu der Vorstellung abzuholen; es ist die
höchste Zeit."

„Ich danke Ihnen: mein Vater holt mich stets selbst ab,"
sagte sie kühl und abweisend.

„Ihr Herr Vater schickte mich zu Ihnen. Wenn ich gewußt,
daß Sie so angenehmen Besuch hätten, würde ich nicht gewagt
haben, zu stören," gab er zurück, die Worte „angenehmen
Besuch" frech betonend. „Vielleicht werden Sie vorziehen,
heute nicht zu reiten. Wenn ich das Ihrem Herrn Vater
bestellen soll . . . ." Er blieb dabei ungenirt neben ihr stehen,

als habe er ein Recht dazu, und maß Curt mit herausfordern=
den Blicken.

„Ich werde meinem Vater selbst meine Bestellung aus=
richten," versetzte Nora. „Graf Degenthal, ich fürchte, wir
müssen scheiden," sagte sie, sich zu ihm wendend und ihm die
Hand bietend.

Curt nahm die Hand, die kalt und zitternd in der seinen
lag. „Ich gehe also jetzt, weil auch meine Zeit augenblicklich
um ist. Aber ich komme in den nächsten Tagen wieder,
Nora!" sagte er fest entschlossen. „Es muß und soll alles
sich aufklären. Was es auch sein mag, wir müssen uns
aussprechen. Rechnen Sie also sicher auf mich in den nächsten
Tagen."

Er betonte die Worte, als wolle er sich selbst in seinem
Entschlusse bestärken, und als wolle er sie auch dem noch
immer zudringlich dabei Stehenden recht deutlich zur Kenntniß
bringen.

Landolfo aber antwortete nur mit einem unangenehmen,
vieldeutigen Lächeln.

Nora schien dies nicht zu beachten, oder wollte mit dem
Frechen sich in keinen Streit einlassen. Aber ihre Stimme
klang unendlich wehmüthig, fast ungläubig, als sie Curt's
Worte wiederholte. „In den nächsten Tagen . . . ." Einen
Moment war es, als strecke sie die Hand aus, ihn zurück zu
halten.

Curt eilte aber fort; er warf sich in einen Wagen, um
schneller zurückzukehren. Trotzdem er eigentlich noch nichts
erfahren, nichts erreicht, war ihm, als sei ein Centner von

seinem Herzen gefallen. Er hatte sie wiedergesehen, ein Wort
war doch gesprochen, der Bann gebrochen, der zwischen ihnen
gelegen. In ihrem Antlitz hatte er gelesen, daß nur ein
unseliges Verhängniß sie zu dem Entschluß gebracht; sie hatte
es ein Opfer genannt, und er war überzeugt, daß vielleicht
nur mißverstandene Pflicht sie dazu gedrängt habe.

Sollte er sie von sich stoßen, weil ihr die Kraft gefehlt,
die Verhältnisse zu bewältigen? Das alte Gefühl, sie retten
zu müssen, überkam ihn auf's neue; wie damals als Knabe,
fühlte er sie in seinen Schutz gestellt. Die Liebe siegte mit
der frühern Macht über alle Bedenken. Ja, in den nächsten
Tagen wollte er, wie er ihr verheißen, zu ihr zurückkehren
und dann handeln! Nur ein Mensch, der Jahre hindurch,
wie er, in der Unklarheit geschwankt, könnte ermessen, wie der
Entschluß ihn beruhigte.

Er trat bei seiner Cousine ein, fand dieselbe aber nicht
allein. Ein breitschulteriger Mann in einem sehr hellen
Reise=Anzuge, den exotischsten aller Panamas in den Händen,
saß dort. Sein volles, gebräuntes und dicht bebartetes Gesicht
wandte er jetzt dem Eintretenden zu.

„Dahnow, du?“ rief Curt, auf das äußerste überrascht,
ihm die Hand entgegenstreckend. „Freund, wo kommst du her?“

„Von einer kleinen transatlantischen Tour, die drei Jahre
gedauert hat, um mich wieder zu vereuropaisiren,“ sagte der
Angeredete, des Freundes Hand kräftig schüttelnd. „Nach
einigen Conferenzen mit wissenschaftlichen Größen hier, um
meine selten richtigen Beobachtungen zu verwerthen, wollte ich
dich aufsuchen, ehe ich in meine nordische Heimath zurückkehre.

Meine Erkundigungen hier in der Wohnung deiner gnädigen
Coufine nach euerer Familie nahmen den günstigen Verlauf,
mir euere zufällige Anwesenheit kund zu thun. Comtesse Lilly
hatte nun die Gnade, mich gleich zu empfangen — da hast
du mein Curriculum vitae. Ich habe kein sehr erfreuliches
von dir gehört, Alter! Krank sein .... welche Zeitverschwen=
dung in der Jugend! Du scheinst dich aber besser erholt zu
haben, als deine liebenswürdige Pflegerin annehmen wollte,"
setzte er hinzu, einen Blick auf Curt's durch die Erregung
geröthetes Gesicht und seine leuchtenden Augen werfend.

„Du hast doch kein Fieber?" fragte Lilly, ebenfalls erstaunt
über die Veränderung. „Curt, es wäre entsetzlich, wenn die
Fahrt dir schadete! Ich würde mir ewig Vorwürfe machen."
Die innigste Besorgniß sprach aus ihren Zügen.

„Sei unbesorgt, Cousinchen," sagte er, sich ungenirt neben
sie auf das Sopha werfend. „Es war ein herrlicher Ent=
schluß von dir. Ich kann dir nicht sagen, wie dankbar
ich dir dafür bin, wie er mir wohlgethan. Nein, verzieh'
mich nicht so," fuhr er fort, das Kissen abwehrend, das sie
ihm leise zuschob.; doch hielt er die Hand fest, die es ihm
reichte. „Dahnow, du glaubst nicht, was das für eine liebe
kleine Hand ist," sagte er fast zärtlich, „und was für ein
liebes Gemüth. Solche treue Güte verstehen wir Männer
kaum; wir sind wahre Barbaren dagegen."

Curt dachte dabei an die treue Freundschaft, die Lilly an
Nora bewährt, und welche ihm das Wiedersehen vermittelt hatte.

Lilly aber erglühte tief. „Sprich doch nicht solchen Un=
sinn," sagte sie, ihre Hand verlegen zurückziehend.

„Es scheint ihm aber sehr ernst gemeint zu sein, Comtesse," sagte Dahnow, die Beiden beobachtend, „und einer so theil= nehmenden Wirthin gegenüber auch wohl gerechtfertigt." Im Stillen aber dachte Dahnow: „Weiß der Teufel, es muß mein Geschick sein! Komme ich nach drei Jahren vom Aequator zurück, um ihn gerade wieder mit einer Liebeserklärung be= schäftigt zu finden, wie schon ein Mal. Die arme Nora scheint gründlich vergessen — mein Brief damals muß nicht viel gefruchtet haben. Vernünftiger ist's gewiß so. Glücklich, wer es kann; solche Schwärmer müssen immer für Eine schwärmen.... Aber was mag aus Nora geworden sein?"

Es war, als ob sein flux de bouche bei dem Gedanken etwas in's Stocken gerathen sei; er verabschiedete sich bald. „In den nächsten Tagen komme ich nach Göhlitz," hatte er auf die dringende Einladung Lilly's, seinen Freund dort zu besuchen, geantwortet. Curt raunte ihm noch geheimnißvoll zu: „Komme ja; ich habe dir etwas Wichtiges mitzutheilen."

„Als ob ich das nicht schon rathen könnte," brummte der Dicke.

„Gott Lob, die Fahrt ist dir wirklich gut bekommen," sagte Lilly bei der Rückkehr, nachdem sie manch ängstlichen Blick auf des Vetters Gesicht gerichtet. „Du hast dich doch wieder recht gestärkt. Ueber den Zweck unserer Fahrt laß uns übrigens schweigen, Curt. Ich danke dir herzlich für deine Begleitung."

„Nein, ich habe dir zu danken," sagte Curt. „Was du heute ausgeführt, war ein schöner Zug deines Herzens. Lilly, ich habe in den nächsten Tagen dir auch etwas zu sagen, und dann zähle ich wieder auf dein liebes, treues Gemüth." Er wollte noch mehr sagen, aber Lilly sprang verwirrt davon.

XXII.

> Denn, Knabe, wie wir uns auch preisen mögen,
> Sind unf're Neigungen doch wankelmüthiger,
> Unsicherer, schwanken leichter her und hin
> Als die der Frau'n.   ·
>
> Shakespeare.

"In den nächsten Tagen!" Der Mensch liebt diese Zeit=bestimmung; sie hat etwas so Beruhigendes für ihn, als läge die Zeit schon in seiner Hand — und doch liegt der nächste Tag eben so dunkel vor uns, wie die entfernteste Zukunft.

"In den nächsten Tagen," dachte Nora, und trotzdem sie gesagt: "Es ist zu spät," zitterte ihr Herz in ahnungsvoller Freude. Er war gekommen, er wollte wiederkommen! Hatte auch der Zorn in seiner Stimme gebebt, hatte er mit fast richterlicher Strenge klar zu sehen verlangt — die Liebe hatte ja übermächtig gesiegt. Nora wollte nichts hoffen; sie sagte sich jeden Augenblick, daß sie stark sein werde, kein Opfer von ihm anzunehmen, alles zurückzuweisen, woran zu denken jetzt nur noch ein Unrecht sein würde — — aber der Glaube an Glück ist so stark in jungen Herzen, daß er immer wieder das Haupt erhebt. Eines erfüllte Nora mit der reinsten Freude: daß sie ihm ihr Herz werde ganz öffnen können, daß sie seinen Einblick nicht zu scheuen brauche — und sie dachte schaudernd dabei an die Stunden zurück, wo sie wie an einem Abgrunde gestanden.

„In den nächsten Tagen," dachte auch Curt; und er schloß die Augen gegen alle Bedenken, welche Furcht, Stolz, Mißtrauen ihm zuraunten, nachdem die erste Aufwallung sich gelegt. Er hatte sich seine Absicht klar gemacht: er wollte sich seine Liebe nicht entreißen lassen.

„In den nächsten Tagen," sagte auch Lilly, als sie den blonden Kopf in die Kissen legte, und mochte kaum sich aussprechen, was sie alles von den nächsten Tagen erhoffte. „Wenn er erst mein ist, dann pflege ich ihn bald ganz gesund; hier ist er schon so viel besser geworden," setzte sie mit einigem Stolz hinzu. Es ist eigen, ein Theil der Frauen denkt im Glück der Liebe: „Wenn er mein ist," und Andere drücken es in dem Gedanken aus: „Wenn ich sein bin," — ein kleiner und oft so charakteristischer Unterschied. Lilly verstand das Glück nur „wenn er mein ist".

In den nächsten Tagen, dem zweitfolgenden nach Curt's und Lilly's Anwesenheit in der Hauptstadt, durchlief das Publicum eine Mär, die gleich allen Scandal-Geschichten ein gut Theil Neugier und Interesse hervorrief. Sie setzte die müßigen Zungen um so mehr in Bewegung, da sie allgemein bekannte, vielbesprochene Persönlichkeiten betraf. Die auf den Abend angesetzte besondere Festvorstellung des Circus Karsten wurde im Augenblicke des Beginnens, als die Zuschauer schon versammelt waren, aufgehoben, wie es hieß, „wegen plötzlicher schwerer Erkrankung des Directors". Die vollständige Zerstörung unter den Mitgliedern der Truppe, ihr erregtes Gebahren, das Nichterscheinen Landolfo's, der stets die Vertretung des Directors übernahm, alles gab gleich zu dunkeln Gerüchten

322

Anlaß. Sehr bald ward denn auch kund, daß der Director von einem Schlaganfall getroffen sei in Folge der Erregung über die heimliche Entweichung seiner Tochter mit seinem ersten Geschäftsführer. Das Gerücht nahm natürlich sofort die verschiedenste Gestalt an, sich bald zum Tragischen steigernd, bald zum Gemeinsten herabsinkend, wie es gerade sein Pub=licum fand. Einige wollten behaupten, nicht die Tochter, sondern die Frau des Directors sei entflohen; doch kam diese Lesart gar nicht zur Geltung, da das Verhältniß der schönen Nora zu dem nicht minder schönen Landolfo ja längst als Thatsache galt, die Frau des Directors auch schon zu den sehr verblühten Schönen zählte.

Die Tagespresse brachte die Geschichte bald in allen ihren Détails; der eigentliche Grund zum Entweichen des Paares blieb jedoch unklar, da ihrer Verbindung ja, so viel man wußte, nichts entgegengestanden hatte. Bald aber munkelte man von großartigen Veruntreuungen, die der Geschäftsführer sich habe zu Schulden kommen lassen.

Einige besondere Gönner des Directors und einige jener patentirten Neuigkeitsfischer, deren jede große wie jede kleine Stadt zählt, begaben sich selbst in das Hôtel, wo der Director mit seiner Familie wohnte, um genauere Erkundigungen einzu=ziehen. Auch dort war nicht viel zu erfahren, da die Familie nach dem Ereigniß sich ganz von der Außenwelt abgeschlossen hatte. Der Arzt habe den Zustand des Directors für lebens=gefährlich und jedenfalls sehr langwierig erklärt, wurde berichtet.

Ueber die Ursache der so plötzlichen Erkrankung zuckte der vorsichtige Oberkellner die Achseln. Es hätten, erzählte er

nur, in den letzten Tagen Mißhelligkeiten in der Familie statt=
gefunden. Das Stubenmädchen habe von einer sehr heftigen
Scene erzählt, die der Herr Director seiner Tochter gemacht,
und dann — der Oberkellner lächelte, wie es bei so delicaten
Angelegenheiten meist geschieht: — der Herr Director habe in
der letzten Zeit oft etwas stark gefrühstückt, was seiner kräf=
tigen Constitution bei seinem Alter vielleicht nicht zuträglich
gewesen sei. Wenn der Herr Director dann ermüdet gewesen,
sei Herr Landolfo stets viel bei den Damen aus= und ein=
gegangen. An dem bewußten Nachmittage sei, wie der Portier
sich erinnert habe, die eine der Damen verschleiert und im
Reiseanzuge mit Herrn Landolfo die Treppe herabgekommen
und dann mit ihm in einem bereitstehenden Fiaker fortgefahren.
Herr Landolfo habe aber öfter die Damen zu den Proben
abgeholt, also habe das nicht ungewöhnlich geschienen. Erst
am Abende sei dann eine große Aufregung oben entstanden,
und man habe den Arzt gerufen. Aber seitdem habe, wie
gesagt, weiter nichts verlautet, da die Frau sich nur der Pflege
des Mannes und des Kleinen widme, und Niemand, nicht
ein Mal die Hôtel=Dienerschaft zulasse. Von der Verfolgung
der Entwichenen scheine man völlig Abstand genommen zu
haben.

Mit diesen wenig erläuternden Nachrichten, die nur eine
Bestätigung des überall Gehörten waren, kehrten die Forschen=
den zurück. Der letzte Schatten des Gerüchtes, welches vom
Arzte ausgegangen sein sollte, daß nicht die Tochter, sondern
die Frau die Entführte sei, sank damit zu Boden, da die
Zurücklassung des kleinen Sohnes zu sehr dagegen sprach.

Die ganze Sache würde übrigens wie alle solche Tages-
neuigkeiten sehr bald in Vergessenheit gerathen sein, hätte nicht
eine neue pikante Wendung sie dem Publicum und dies Mal
besonders den hohen Gesellschaftskreisen doppelt interessant gemacht. Eines der gelesensten Tagesblätter brachte einen Artikel, der die geheimnißvolle Ursache der Entführung beleuchtete.
Der Localberichterstatter wußte sehr genau über eine Liebesgeschichte zu berichten, die zwischen der schönen Nora und
einem jungen österreichischen Grafen, dessen Name durch An-
gabe dreier Buchstaben sehr deutlich bezeichnet war, vor etwa
drei Jahren gespielt habe. Er wußte, daß der Vater der
Schönen diese Liebesgeschichte sehr begünstigt habe zum Trotz
der D....t..l'schen Familie, welche sich unendlich bemühte,
den Sohn aus diesen Banden zu retten, bis sie ihn endlich zur Annahme einer entfernten diplomatischen Stellung
bewog. Auch wurde nicht verschwiegen, wie der Director
Karsten selbst da noch die größten Anstrengungen gemacht, den
vornehmen Liebhaber zu fesseln, und zu verschiedenen geheimen
Rendezvous der Liebenden seine Mitwirkung gern geboten
habe. Erst als alles an dem festen Willen der Familie gescheitert, habe er sich entschlossen, seine Tochter die öffentliche
Laufbahn betreten zu lassen. Ob nun aus Verdruß über den
untreuen Liebhaber, oder ob aus wirklich wechselnder Neigung,
habe die schöne Nora ihr Herz dem ersten Geschäftsführer
ihres Vaters zugewandt, dessen langer treuer Liebe sie nicht
habe widerstehen können. Da der Vater, einen gefährlichen
Concurrenten seines Geschäftes in demselben fürchtend, ihn mit
dem Versprechen seiner Einwilligung hingehalten habe, hätten

Tochter d. Kunstreiters.   21

die Beiden, wie Viele behaupteten, eine heimliche Ehe geschlossen. Plötzlich sei nun nach Jahren jener Graf D. von neuem auf= getaucht und habe sich seiner frühern Liebe in der auffallendsten Weise wieder genähert. Des Vaters Hoffnung, die Tochter doch noch in diese hohen Kreise zu bringen, sei dadurch in solchem Grade erwacht, daß er sich sofort mit seinem Ge= schäftsführer überworfen und ihn fortgeschickt habe. Dieser aber habe von seinem guten Rechte nun Gebrauch gemacht und seine Braut, vielleicht Gattin, durch die Flucht allen fernern Intriguen entzogen — ob mit dem vollen, freien Willen der Schönen, blieb dahingestellt. Zwei Tage vor der Flucht sei nämlich Graf D. in dem Hôtel gesehen und dem Vernehmen nach von Herrn L. bei seiner Braut oder Gattin überrascht worden.

Die Geschichte in ihrer Unklarheit war gerade dazu an= gethan, einen gefundenen Bissen für die Leserwelt abzugeben. Die Wahrscheinlichkeiten und Unwahrscheinlichkeiten, ja die quasi Widersprüche derselben waren alle nebensächlich gegen die eine Hauptsache, daß der Name und die Persönlichkeit einer der angesehensten Familien des Landes darein gemischt war. Dies eröffnete ein ganzes Feld von Vermuthungen, eine Quelle von Schadenfreude und Klatschsucht, oder Theil= nahme.

Man entsann sich bald dieses, bald jenes Ereignisses; man combinirte das Verschwinden und Wiedererscheinen des Grafen Curt mit einigen Gerüchten, die damals vom Rheine herüber= gedrungen waren. Mütter, die sicher auf ihn als auf eine gute Partie gezählt, erinnerten sich seiner Kälte der Damen=

welt gegenüber, die selten auf etwas Gutes schließen lasse; die junge Herrenwelt, der er als Muster vorgestellt worden, lachte über die Enttäuschung und witzelte über die schöne Nora, die so prüde gethan; die ältern Herren steckten die Köpfe zu= sammen und frugen sich, was da zu thun sei, wenn Jemand aus ihren Kreisen sich so öffentlich compromittirt habe.

Die Welt nimmt manches leicht und erträgt vieles, so lange sie es ignoriren kann; sie rächt sich aber um so mehr, ist um so schonungs= und nachsichtsloser, sobald ihr Urtheil herausgefordert und eine Sache zur offenen Frage wird. So wurden die tonangebenden Gesichter ernst und streng; man bedauerte mit bedeutsamer Miene die Mutter, und die Wohl= wollendsten, die Verleumdung witterten, nahmen doch an, daß etwas Wahrheit daran sei.

In den Göhlitzer Kreis war die erste Nachricht wie ein Blitzstrahl gedrungen. Die Gräfin hatte die Mittheilung von dem Entweichen Landolfo's mit Nora in dem Tagesblatt ge= funden, und behauptete, nicht überrascht davon zu sein. Sie übergab Lilly das Blatt, damit die Nachricht ihr als Lection diene für das Gespräch, das sie neulich über Nora gepflogen.

So erregt aber Lilly sein konnte, so erregt war sie über diese Nachricht. „Das ist nicht wahr, das kann nicht wahr sein!" behauptete sie mit der ihr eigenen Zähigkeit. „Nora ist viel zu fromm und zu gut, um so etwas zu thun."

„Kind, Jahre in solcher Umgebung ändern die Menschen," versicherte die Gräfin mit überlegener Miene.

„Aber Nora ist gar nicht verändert," beharrte die Kleine; „es ist ihr ein entsetzlicher Kummer, daß sie diese Laufbahn

21*

hat ergreifen müſſen. Sie hat es bloß ihrem Vater zu Liebe gethan."

„Wie weißt du denn das alles?" frug die Gräfin ſcharf, mit unklarem Argwohn ſie in's Auge faſſend.

Lilly wurde dunkelroth; aber mit dem Vollgefühl ihrer Unabhängigkeit ſah ſie tapfer zur Tante auf. „Weil ich ſie gerade in dieſen Tagen ſah und ſprach. Nur um ſie zu be= ſuchen, unternahm ich die Fahrt mit Curt, und traf ſie auch."

„Mit Curt? du führteſt Curt zu ihr?" ſtieß die Gräfin faſt tonlos hervor. Die tödtliche Angſt, die in ihren Zügen ſich kundgab, machte die Kleine doch bedenklich.

„Nicht mit Curt; ich wünſchte nur ſeine Begleitung, da ich Fräulein Richthoven die Sache nicht anvertrauen wollte. Curt erfuhr erſt, nachdem ich dort geweſen, wen ich beſucht hatte. Er hat mich durchaus nicht getadelt, ſondern geſagt, ich hätte recht gehandelt."

„Er ſah ſie alſo nicht?" bemerkte die Gräfin, etwas er= leichtert.

„Nein, er führte mich nur zu ihrer Wohnung, ohne zu wiſſen — wie geſagt —, wen ich aufſuchen wollte. Ich glaube übrigens auch nicht, daß irgend etwas Unpaſſendes darin lag, daß ich mit dem Vetter, mit dem ich erzogen, eine Fahrt und einen Gang durch die Straßen unternahm," ſetzte in verletztem Tone die kleine Herrin von Göhlitz hinzu, indem ſie die Tante verließ.

Die Gräfin ſchwieg. Es war ihr lieb, daß Lilly ihre Empfindlichkeit auf das lenkte, was ſie gar nicht beabſichtigt hatte zu rügen, und daß ſie keine weitern Erklärungen forderte. Aber hatte der Kaplan Recht gehabt: wäre alle Fürsorge umsonst, wäre es unmöglich, die Fäden in der Hand zu behalten? Doch ihrem Sohne konnte sie auch den letzten bittern Tropfen nicht sparen. Sie würde ihm die Sache verheimlicht haben, um die alten Erinnerungen zu schonen; aber jetzt war es am sichersten, daß er gleich klar sehe, besonders nach all' den idealen Auffassungen, die er neulich über sie zu hören bekommen. Nur immer die Sache vom einfachen realen Standpunkte genommen — das war ihre Ansicht.

Demgemäß sandte sie die Zeitung auf ihres Sohnes Zimmer hinauf, wo sie wußte, daß sein Auge sie gleich treffen werde. „Eine ausgebrannte Wunde heilt am leichtesten," dachte sie.

Und wie sengender Brand drang die Nachricht in Curt's Herz, das eben ein Atom von Frieden sich errungen. Er starrte auf das Blatt hin, und knirschend preßten sich die Zähne zusammen. Er sagte nicht wie Lilly: „Es ist nicht wahr"; dafür hatte er zu lange Jahre Mißtrauen gegen die Geliebte gehegt, dafür war seine Liebe zu sehr in ihren Grundvesten erschüttert worden. Er brach auch nicht schwindelnd zusammen, wie damals; dafür war er jetzt des Schmerzes und der Enttäuschung zu gewohnt. Riesengroß stieg die Gewißheit neuen Verraths vor ihm auf, und an ihr zerschellte, was er an Vertrauen und Glauben eben wieder gesammelt.

Betrogen, ... auf's neue hintergangen! War das die Lösung des Geheimnisses? War das die Antwort auf seine Fragen? „Zu spät, — es ist für immer zu spät," das hatte er von ihren eigenen Lippen gehört. Also deshalb war es

zu spät! Und er hatte diesen Menschen bei ihr eintreten
sehen, als habe er ein Recht dazu; er hatte seinen höhnischen
Blick, das kalte Lächeln beim Abschiede bemerkt, und ihre
bleiche, zitternde Angst. Jetzt schien ihm alles klar. Fürwahr,
sie hatte nicht zu viel gesagt, daß sie in den Staub gesunken,
wenn sie unter die Botmäßigkeit eines solchen Elenden sich
gestellt! Und er, der eben wieder in wahnsinniger Leiden=
schaft sich geschworen, sie trotz allem wieder emporzuheben,
wie ein Kleinod, das Kleinod bleibt, wenn das Schicksal es
auch für kurze Zeit unter das Gemeine mischte! — er, der
zum zweiten Male der Welt und seinen eigenen Principien
hatte entgegentreten wollen, weil der Preis es ihm werth
dünkte, — zum zweiten Male so unsäglich betrogen!

Aber mit dem Gedanken erwachte der Drang, seinen
Schmerz, seine Schmach zu verbergen. Es war ihm, als
müsse Jeder ihm die Gedanken und Entschlüsse dieser letzten
Tage von der Stirne lesen, als habe Jeder das Recht, zu
hohnlachen über seine Leichtgläubigkeit, seine Schwäche. Seiner
Mutter Blick konnte er am wenigsten ertragen.

Als die Gräfin sich nach ihm erkundigte, war er nicht mehr
in Göhlitz. Der Bediente bestellte, der Herr Graf hätten eine
wichtige Nachricht erhalten, die ihn abgerufen, seien zu Fuß
zur Bahn gegangen und würden erst in einigen Tagen zurück=
kehren oder Nachricht schicken.

Die Gräfin erschrak furchtbar. Hatte sie wieder zu eifrig
gehandelt? Auch Lilly ließ das Köpfchen hangen, als sie die
rasche Abreise des Vetters vernahm. Sie hatte ihn ja zum
Vertrauten ihres Kummers wegen Nora machen wollen.

Ihrer Tante stand aber noch eine harte Prüfung bevor. Die alte Excellenz erschien eines Nachmittages mit bedenklichem Gesicht in Göhlitz und bat sie um eine geheime Conferenz.

Der bejahrte Herr war noch immer der Mann der Geschäftigkeit, der schwierige Fragen gern in die Hand nahm. Jener Artikel, der in so beleidigender Weise Curt's Namen in die Oeffentlichkeit zog, nebst allen unangenehmen Gereden, die sich daran knüpften, hatte ihn veranlaßt, als guter Freund, der einst der Gräfin Vertrauen gehabt, mit ihr Rücksprache zu nehmen. Die Gräfin war fassungslos. Furchtbar rächte sich das Schicksal. Sie hatte alles gethan, um eine Verbindung jener Namen zu vermeiden — und nun wurden sie in der gemeinsten Weise in der Oeffentlichkeit zusammengestellt. Schwindelnd hörte sie die Worte der alten Excellenz an, entrüstet las sie den Bericht, stolz wollte sie alles zurückweisen — aber sie konnte nach dem, was sie von Lilly erfahren, nicht leugnen, daß Curt in jenen Tagen in der Hauptstadt gewesen; sie mußte eingestehen, daß er auch jetzt nicht hier, daß er auf die erste Nachricht abgereist sei, ohne daß sie wußte wohin. Vielleicht war er noch tiefer verwickelt in die unselige Geschichte, als sie ahnen konnte. Sie hielt jetzt alles für möglich. Der Excellenz Gesicht wurde immer bedenklicher. Gewiß wollte der alte Herr aus alter Freundschaft seinen ganzen Einfluß aufbieten, die unangenehme Sache möglichst niederzuschlagen — aber, aber — Graf Curt war mindestens sehr unvorsichtig gewesen!

„Das kommt von den Fahrten selbständiger junger Damen," sagte noch am Abende des selbigen Tages die Gräfin zu ihrer

Nichte, ihrem Zorn und Gram dort Luft machend, da sie fühlte, daß bei der Nähe der Hauptstadt und der Oeffentlich= keit in den Blättern sie vor dem jungen Mädchen doch kein Geheimniß daraus machen könne. Sie erzählte ihr kurz den Hergang der Sache und zeigte ihr den Artikel, den die Zei= tung gebracht. In der Bitterkeit ihres Schmerzes schonte sie die Gefühle ihrer Nichte nicht, da sie nun doch alles für ver= loren hielt.

Lilly hörte ruhig, was die Tante sagte, und las still die gehässigen Worte. „Aber das ist eben so wenig wahr, als das über Nora," sagte sie mit der bei ihr stets gleich bleiben= den Zähigkeit, die weder einen Gedanken noch das Vertrauen, das sie ein Mal gefaßt, losließ. „Weder Curt noch Nora würden so gehandelt haben. Das hat Jemand geschrieben, der ihnen schaden will. Curt müßte das nur gleich wissen, um es zu widerlegen."

„Gott segne deinen kleinen Kopf," dachte die Gräfin, ordentlich erbittert über die einfache Art, in der Lilly die complicirte Sache abthun wollte. Die Tante kannte die Welt und die Menschen besser und wußte sowohl, was alles mög= lich sein konnte, wie auch, was es für Consequenzen hatte. Aber zum ersten Male ließ ihr gewohntes Wort: „Was thun?" sie im Stich).

Und zum ersten Male dachte dies Lilly. Ihre Liebe, ihr Stolz spornte sie dazu an. Lange sann sie nach. Also Curt hatte Nora geliebt! Deshalb war er so unglücklich gewesen, so lange von der Heimath entfernt, so krank und traurig! . . . . Aber eine tiefe, unglückliche Liebe stößt ein reines Mädchenherz

nie zurück. Nora war so schön, so gut in Lilly's Augen, daß sie
den Kummer Curt's begriff; sie begriff ihn vielleicht um so
leichter, weil sie mit ihrem vernünftigen kleinen Kopf hinzu=
setzen konnte: „Aber heirathen kann er ja die arme Nora
natürlich nicht, das ist ja ganz unmöglich. Der arme Curtie!
Nun hat er noch diesen Aerger dabei, und deswegen ist er
gewiß fortgegangen. Sie besann sich ernstlich, wie sie den
Aerger ihm ersparen könnte, oder wie die Sache sich wenig=
stens wieder gut machen ließe, damit er nicht lange fortbliebe
und nicht gar am Ende, wie eine heimliche Angst ihr zu=
flüsterte, wieder in die Ferne ginge.

Ein leuchtender Gedanke kam ihr: daß der Kaplan die
beste Persönlichkeit sei, da zu helfen. Der kannte ja Curt
wie Nora, wußte die ganze Geschichte, wußte, daß Curt seit
seiner Heimkehr Göhlitz nicht verlassen habe, daß also an der
häßlichen Erfindung der Zeitung kein Wort wahr sei. Dem
wollte sie schreiben, daß er alles gebührend widerlege. Wahr=
scheinlich war auch Curt dorthin gegangen. Mit dem Instinct
eines liebenden Herzens errieth sie, daß er die Einsamkeit
aufgesucht habe, um nach der unglücklichen Katastrophe nicht
unter Menschen zu sein. „Das hätte ich auch gethan," dachte
Lilly und freute sich an dem Gedanken, daß nicht sie die ihn
störende Persönlichkeit gewesen. „Mir hat er alles sagen
wollen; das war es, was er meinte, und ich verstehe ihn
recht gut."

Daß sie ihn gut verstand, das sprach deutlich genug aus
den Zeilen, die sie jetzt schrieb, die in naiv einfacher Weise
ihr festes Zutrauen, ihre Sorge um sein Wohl, ihr Mitleid

bethätigten und unbewußt in jedem Worte ihre Liebe verriethen. Sie fügte den gehässigen Artikel gleich bei, den Kaplan an= flehend, alles zu thun, dem armen Curt fernere Unannehm= lichkeiten zu ersparen, und es ihm recht leicht zu machen, damit er doch ja nicht krank werde. Dann, pünktlich, wie sie war, legte sie alle indeß für Curt angekommene Correspondenzen bei. „Es könnte doch etwas dabei sein, was er jetzt nöthig hätte zu wissen," meinte sie.

Nachdem der Brief fort war, hatte Lilly wieder Frieden mit ihren Gedanken, bis auf die eine geheime Angst, daß Curt „doch nicht wieder so weit fortgehen möge".

Ihre Liebe hatte sie richtig ahnen lassen. Wie das ver= wundete Thier in's Dickicht flieht, sich zu verbergen, hatte Curt mit seinem Schmerz die Einsamkeit gesucht. Die alte Heimath, die jetzt leer stand, hatte ihm gewinkt. Sein Weg führte ihn durch die Hauptstadt; einen Augenblick schwankte er, ob er dort noch Erkundigungen einziehen solle. Aber die Nachricht war zu bestimmt gegeben, über eine Persönlichkeit, so bekannt wie Nora, konnte kein Irrthum stattfinden. Sein Herz sträubte sich, es noch aus Anderer Mund zu hören: seine Augen hatten es ja gesehen, — er hatte ihr „zu spät" ja vernommen. Ihre eigenen Lippen hatten es eingestanden, nur seine Leidenschaft hatte es nicht verstehen wollen. Was er für hingebende Liebe und Treue genommen, war nur bittere Reue, nur Herzens= angst gewesen — das letzte Aufflammen ihres frühern Selbst! „Sie hat mir die Aufklärung bald genug gegeben," dachte er, bitter lächelnd, und fuhr ohne Aufenthalt weiter.

Die Dienerschaft in dem heimathlichen Schlosse war un=
gemein überrascht, als so unerwartet der junge Graf allein
ankam. Man hatte einen feierlichen Empfang in Aussicht
genommen, wenn er nach jahrelanger Abwesenheit, nach
überstandener Krankheit, mit seiner Mutter heimkehren würde,
„ein vollständig Genesener," wie die Gräfin, wahrscheinlich
zur Beruhigung, öfter geschrieben hatte.

Die Leute zuckten die Achseln: „Das ein Genesener?" —
so bleich, so ernst, still und so ermüdet, daß er kaum einen
flüchtigen Gruß für die Ueberraschten hatte! Seine frühere
Leutseligkeit und Zugänglichkeit schien ganz geschwunden; für
die Beamten, die sich bei ihm meldeten, hatte er kaum die
kürzesten, gleichgültigsten Worte. Selbst dem Kaplan gegen=
über blieb er stumm und verschlossen; als Grund für sein
plötzliches Kommen gab er an, daß er alle Feierlichkeiten
habe vermeiden wollen, die ihm zuwider seien.

Der Kaplan, der noch keine Ahnung von dem Vorgefal=
lenen hatte, hielt ihn in einem innern Kampfe begriffen, den
er zu verstehen glaubte; und er blieb seiner Ansicht getreu,
daß es am besten sei, alles im Stillen sich klären zu lassen.

Still blieb Curt, abgeschlossen wie ein Einsiedler in seinem
Zimmer, oder stundenlang einsam zu Pferde oder zu Fuß
durch seine Wälder streifend. Die nächste Umgebung sah es
kopfschüttelnd, und die alten Dienstboten deuteten nichts Gutes
daraus.

Dem Kaplan selbst fing dies Benehmen an unerklärlich
zu werden, als Lilly's Brief ihm das Räthsel löste. Tief
erschütterte auch ihn die Wendung der Dinge. Dem gehässigen

Artikel schenkte er so wenig Glauben wie Lilly. Doch kannte er die Welt genug, um zu wissen, was für Unannehmlichkeiten dem jungen Manne daraus erwachsen könnten, und wie schwer der Eindruck sich würde verwischen lassen.

Der Kaplan beschloß sofort, das Schweigen zu brechen. Er suchte Curt auf seinem Zimmer auf, und fand ihn, wie fast immer jetzt, träumend am Fenster stehen, die Hand an die Stirne gepreßt, hinausschauend und doch nichts sehend.

Der Kaplan reichte zum Eingang ihm die mitgekommenen Briefe hin. Curt warf sie nach flüchtigem Blick gleichgültig zur Seite, nur einen, der Dahnow's Handschrift trug, behaltend. Fragend blickte er dann den Kaplan an, auf dessen Gesicht er las, daß er noch etwas zurückhalte. Schweigend schob ihm derselbe den fraglichen Zeitungsartikel hin, zugleich mit dem Briefe Lilly's, den er als bestes Beruhigungsmittel betrachtete.

Staunend blickte Curt in das Zeitungsblatt; doch dann löste sich plötzlich die Aufregung all' dieser Tage in einem Zornesausbruch, wie sein weiches Temperament ihn bisher nie gekannt hatte. Das Blatt zum Knäuel geballt von sich schleudernd, rang er umsonst nach Worten.

Mit gellem Lachen stieß er dann hervor: „Es ist recht so! Wer Pech anfaßt, besudelt sich. Ich habe in meiner verliebten Narrheit faules Holz für den leuchtenden Stein gehalten. Es ist recht so: wer mit Canaille umgeht, mag als Canaille behandelt werden. Und das alles um ein Paar schmachtender Augen willen! — Lachen Sie mich doch aus, Kaplan, lachen Sie doch, wie die ganze Welt lachen wird!

Sie wissen noch nicht ein Mal, was ich habe thun wollen: daß ich am Vorabende meiner Hochzeit mit dem Täubchen stand — lachen Sie doch, Kaplan! Aber Sie haben sich auch ein wenig geirrt: Sie sprachen ja auch von solch' unsäglicher Achtung!" Und er lachte hell auf.

„Curt," erwiderte der Kaplan mit großem Ernste, „was ist Wahrheit oder Unwahrheit an der Behauptung, daß Sie sich ihr wieder genähert hätten? An allen übrigen insinuirten Gemeinheiten wird Nora so unschuldig sein als Sie."

„Unschuldig? Ja, sie sieht entsetzlich unschuldig aus, so daß ich ihren eigenen Worten nicht glaubte. Sie war aufrichtig genug, mir wenigstens zu sagen, daß es zu spät sei!"

„Also Sie haben sie gesehen?"

„Ja, ich sah sie!" sagte Curt trotzig. „Ich suchte sie auf, sobald Lilly sie verlassen hatte.— Ich wollte von dem Vorwurf mich befreien, sie ungehört verurtheilt zu haben; ich wollte sie retten, wenn es noch möglich, und würde noch jetzt allem getrotzt haben, so rein und edel erschien sie mir. O Gott, ich Thor habe sie so unsäglich geliebt!" stieß er im tiefsten Schmerz hervor.

„Und jener Mensch traf Sie dort?" frug der Kaplan in seiner ruhigen Weise weiter. „Dann kann der Artikel auch der Ausfluß gemeinen Hasses, gereizter Eifersucht sein. Sagen Sie mir, Curt, wie Sie sie trafen."

Curt erzählte mit wenigen abgebrochenen Worten, wie es sich zugetragen.

„Sie selbst sagte Ihnen, daß es zu spät sei? Sie versprach Ihnen Aufklärung und hieß Sie doch gehen? Das sind dunkele Worte. Was das arme Mädchen zu diesem zweiten unheilvollen Schritt getrieben, mag Gott wissen!"

„Schein, alles Schein!" rief Curt in tiefer Bitterkeit. „Sie hat ihre Rolle von Anfang an mit Glück gegeben. Mutter hat grauenvoll Recht behalten, als sie prophezeite, die Erziehung würde sie nur geeigneter für eine Intrigue machen."

„Seien Sie nicht rücksichtslos in Ihrem Hasse, wie Sie es in Ihrer Liebe waren!" mahnte der Kaplan streng. „Es ist außerordentlich schwer, hier ein Urtheil zu fällen. Wo wir am sichersten glauben verurtheilen zu können, irren wir am leichtesten."

Mehr wagte der Kaplan nicht zu sagen; er mochte nicht die Liebe wieder wachrufen, die er noch immer stark genug in ihm sah, noch den Zorn bestärken, den er trotz allem für un= gerecht hielt.

„Lesen Sie den Brief Ihrer Cousine," sagte er nach einigen Minuten stillen Nachdenkens. „Lassen Sie uns dann später bereden, was am besten geschehen kann, dieser Gemein= heit gebührend entgegenzutreten."

„Meine ganze Stellung in der Gesellschaft ist vernichtet!" rief Curt wieder in aufloderndem Zorn.

Kein Mann erträgt ruhig, daß ihm der Boden entzogen wird, wenn er auch sonst wenig Werth darauf gelegt hat, und Curt kannte zu gut das Urtheil seiner Kreise, um nicht all' die ernsten Unannehmlichkeiten einzusehen, in die es ihn verwickeln könne. „Meine arme Mutter!" setzte er hinzu, ihren beleidigten Stolz ermessend und in dem reuigen Gefühl,

durch Mißachtung ihres Rathes sich in solche Lage gebracht
zu haben.

„Es sind nur Verleumdungen, woran Sie schuldlos sind,"
beschwichtigte der Kaplan. „Gehen Sie einige Zeit nicht in
die Hauptstadt, wozu Ihre Kränklichkeit genügenden Grund
bietet; dann wird sich das Gerede allmälig verlaufen, wie so
manches grundlose Geschwätz. Ich werde indessen Schritte
thun, um Näheres zu erfahren, und Sorge tragen, daß die
Unwahrheiten, die der Artikel enthält, berichtigt werden. Wenn
jener Mensch Sie bei Fräulein Nora traf, wird er auch wohl
der Schreiber des Artikels sein.... Das arme Mädchen!"

Der Kaplan dachte mit einem Seufzer an dies Lebensschicksal, das so grausam zu Grunde gerichtet war bei so herrlicher Anlage. Er fürchtete fast, irre zu werden an den Fü-
gungen des Herrn.

Aber er baute auf den Halt, den er in Nora's Seele gefunden, auf das reine Motiv, das ihren ersten Schritt auf
jene Bahnen gelenkt — ein Opfer, das keiner getrübten Seele
entspringen konnte. Er ahnte wieder Mißverständnisse, wenn
er sie den bestimmten Nachrichten gegenüber auch nicht zu errathen wußte. „Es sind dunkele Wege, die jedes Mal, wie
es scheint, ihr irdisches Glück kreuzen sollen — aber wenn
nicht zum Glück, so doch zum Heil, war der Mutter letztes
Gebet für ihr Kind. Was für ein Pfad es sein mag —
Gottes Blumen können doch überall blühen," so schloß er,
sich wieder sammelnd.

Curt war in der heftigsten Aufregung zurückgeblieben.
Aber dies war ein bestimmtes Gefühl, und daher eher zu er-

tragen und zu überwinden, als die unklare Zerrissenheit der vorigen Tage. Immer wieder hatte sich da ein Zweifel ein= gemischt, eine Ahnung, daß es sich wohl nicht ganz so ver= halte, vielleicht die Erinnerung an ihre Liebe, an die Schuld= losigkeit, die aus ihrem ganzen Sein gesprochen. Er hatte ordentlich eine unheimliche Furcht gehabt, daß er abermals irren könne. Aber jetzt war es ja unwiderruflich bestätigt — er konnte, er wollte zürnen — er wollte im Zorn sein ganzes Herz frei machen.

Er nahm den Brief seiner Cousine. „Treues kleines Herz," sagte er gerührt, als er die naiven Worte las, die das, was er längst wußte, von neuem bestätigten. Wo er alles hatte geben wollen, hatte er nichts geerntet als Undank, Untreue und Kränkung, und wo er nichts geboten, fand er so viel! „Treues kleines Herz," wiederholte er und strich fast zärtlich die Bogen glatt, die ihre ungeübten steifen Schriftzüge trugen. Ihr freundliches Bild stieg erquickend vor ihm auf. Ihre geordnete Lebensbahn, ihre geebneten Verhältnisse, ihr so einfach dahin fließendes Leben stach seltsam ab gegen den verschlungenen, unheimlichen Lebenspfad der Andern, der so durch Sumpf und Staub führte, daß Jeder, der ihr folgen wollte, seinen Antheil davon empfing. Lilly's friedlicher Weg hatte etwas Lockendes. . . . . Es gibt Stunden der Müdigkeit, wo der schlichteste gebahnte Pfad uns mehr anspricht, als die reizvollste Wildniß.

Curt war müde all' des innern Streites und Kampfes; er hatte genug dieser spannenden, erregenden Gefühle gehabt, die bald so hoch hoben, bald so tief niederwarfen wie die

Wellen des Meeres. Er sehnte sich nach einem Hafen, er sehnte sich nach einem unwiderruflichen festen Abschnitte des Lebens, wo es vielleicht kein Hoffen, aber auch keine Enttäuschung mehr gab. — —

Mechanisch und zerstreut griff er auch nach Dahnow's Brief, der zu seinem Staunen den Stempel seiner nordischen Heimath trug.

„Diese Zeilen sollen mich entschuldigen," schrieb er, „der Wortbrüchigkeit wegen, deren ich mich Euerer freundlichen Einladung gegenüber schuldig machte. Du übermittelst mein Bedauern darüber auch wohl deiner liebenswürdigen Cousine, obwohl ich mir eingestehen muß, daß wahrscheinlich ihr mich gar nicht vermißt habt. Täusche ich mich nicht, so seid ihr Beide gerade in der Verfassung, wo man jeglichen Besuch am leichtesten entbehrt. Erlaube mir, als dein ältester Freund, dir schon pränumerando meine Glückwünsche auszusprechen. Der Augenblick, zu dem man dem Menschen Glück wünschen soll, ist ja der, da er sich klar wird, wo er sein Glück findet. Bei ihr, wie bei dir, schien mir das zweifellos. Aufrichtig freut mich dein Entschluß; denn die unerquicklichste Auffassung des Lebens ist es, wenn ein Mensch nicht fertig werden kann weder mit seinem Leid noch mit seiner Freude. Deiner officiellen Mittheilung also entgegensehend, alter Freund, und mit dem herzlichsten Antheil   Dein Dahnow."

Der Brief war Curt wie eine Ergänzung seiner Gedanken in diesem Augenblicke.

Süß stahl sich ihm in's Herz die Zweifellosigkeit der Liebe, die stets nur sein gedacht. Beschwichtigend war die

Aussicht dieses leichten Erringens; denn er wußte, mochte die Welt sagen, was sie wollte, sie würde nicht wanken, und — Mann bleibt Mann, der doch auch stets des Realen sich er= innert. Er wußte, daß seine Verlobung die einfachste Wider= legung all' der Gerede und Gerüchte sein würde.

„Treues kleines Herz!" wiederholte er noch ein Mal. Und wenn nicht in Liebe, schlug sein Herz doch in warmer Dankbarkeit für sie.

Dennoch war es ein anderes Bild und waren es andere Augen, die ihm vorschwebten, als er sich in der Nacht schlaf= los auf seinem Kissen wälzte; aber wie eine Zauberformel brauchte er Dahnow's Worte: „Es gibt nichts Unseligeres auf der Welt, als wenn der Mensch nicht fertig werden kann mit seinem Schmerz oder seinem Glück." Er wollte jetzt fertig werden!

Aber eines ahnte er nicht: daß Dahnow diese Worte in eigener schmerzlicher Selbsterkenntniß geschrieben. „Ich kann nicht zu ihm gehen, ihn bei einer Andern girren sehen," hatte der Dicke gesagt. „Doch hol' mich der Teufel, wenn ich mich nicht sofort umhöre, was aus ihr geworden ist."

Am Morgen nach der Unterredung mit Curt wurde der Kaplan höchlichst überrascht durch einen Zettel, den der Diener des Grafen ihm überreichte. Er enthielt nur die wenigen Worte: „Ich reise für's erste nach Göhlitz — vielleicht in's Ausland, was sich in Göhlitz entscheiden wird. Jedenfalls hören Sie von mir Bestimmtes in den nächsten Tagen. Beten Sie für mich. D."

XXIII.

„Du armes Kind, im Zweifel bist
Du doch noch glücklicher gewesen."

Während dies alles sich zutrug, saß ein bleiches junges
Mädchen am Krankenlager ihres Vaters, der vom Schlage
getroffen bewußtlos darnieder lag. Sie verließ diesen Platz
nur, um im anstoßenden Gemach einen kleinen Buben zu
trösten, der einsam und gelangweilt das Köpfchen an die
Fensterscheiben legte und hinausschaute. „Ob denn Mama
noch immer nicht wiederkommt?" fragte er. Nora nahm den
Krauskopf, der des Vaters Züge trug und die geschwisterliche
Aehnlichkeit mit ihr nicht verleugnen konnte, auf die Kniee
und tröstete ihn: wenn Papa genesen, werde sie wieder Zeit
haben, mit ihm zu spielen; er solle nur jetzt artig und still
sein; Mama sei auf einige Zeit verreist. Bei den letzten
Worten stieg eine brennende Gluth ihr auf die Wange.

Die Katastrophe war für Nora nicht ungeahnt gekommen.
Sie hatte sie allmälig nahen sehen, indem sie mit tiefstem
Widerwillen das immer kühner werdende freche Spiel der
Beiden beobachtete, das von der einen Seite Leichtsinn und
Leidenschaft, von der andern niedrige Berechnung und Rach=
sucht war.

Landolfo's kühner Plan, Nora zu erringen und sich als
Schwiegersohn des Directors zum Theilhaber des Geschäftes
und künftigen Nachfolger emporzuschwingen, war an Nora's
Zurückweisung jeder Annäherung von seiner Seite gescheitert.
In ihrem Herzen wohnte nur ein Gedanke, und außerdem

22*

hatte sie gegen Landolfo's Persönlichkeit eine unüberwindliche
Abneigung; zugleich aber ahnte sie in ihm auch denjenigen,
der durch seine Machinationen ihr Schicksal, wie es sich jetzt
gestaltet, herbeigeführt hatte.

In Landolfo's Brust aber kochte wegen der Vereitelung
seiner Wünsche ein unsäglicher Haß, nicht allein gegen sie,
sondern auch gegen den Director, den er trotz aller seiner
Versprechungen in geheimem Einverständniß mit der Tochter
glaubte. Durch die ernste Drohung, jegliche Theilnahme an
dem Geschäfte aufzugeben, hatte nämlich Nora endlich vom
Vater erlangt, daß er Landolfo alle fernern Belästigungen
seiner Tochter untersagte. Anfänglich nur, um Nora's Eifer=
sucht rege zu machen, hatte Landolfo begonnen, sich mit der
Directorin zu beschäftigen. Die eitele Frau fühlte sich sehr ge=
schmeichelt von der Eroberung, die sie neben der gefeierten Schön=
heit ihrer Stieftochter gemacht. Ihr Leben war ohnedies ein
sehr einförmiges geworden. Der Director, in der Gleich=
gültigkeit späterer Jahre und von seinem Geschäfte in Anspruch
genommen, kümmerte sich jetzt wenig um sie. Auch der Glanz
des Bonner Lebens war vorüber, da man seit dem großen
Vermögensverfall bedeutend sparsamer leben mußte. Sie
entschädigte sich für das eingeschränktere Leben durch eine
Rückkehr zu den frühern ungenirten Lebensgewohnheiten.
Landolfo sah in dem leichtsinnigen Geschöpfe, das von seinen
Huldigungen um so mehr berauscht war, als seine Blüthezeit
stark zur Neige ging, das Mittel zu einem neuen Plan, und
wußte die Directorin so zu fesseln, daß sie nur noch ein
gefügiges Werkzeug in seiner Hand war.

Der Director bemerkte, von andern Dingen in Anspruch genommen, von alledem nichts. Landolfo hatte überdies seine Neigung zu starken Getränken so gefördert, daß er oft Tage lang zu klarem Denken unfähig war.

Den geschäftlichen Theil des Unternehmens hatte Landolfo längst in Händen, und der Director setzte unbedingtes Zutrauen in ihn, obgleich bei Nora, die durch andere Mitglieder der Truppe aufmerksam gemacht worden, längst Mißtrauen aufge= stiegen war.

Ihre Anspielungen bei dem Kaplan hatten auf diese Zustände, die sie mit immer größerm Ekel an ihrer Lebens= stellung erfüllten, hingedeutet. Da aber ihre Andeutungen und ihre Warnungen bei dem Vater nichts fruchteten und nur zu Familienzwistigkeiten Anlaß gaben, indem er sie als Ausfluß ihrer Parteilichkeit gegen Landolfo ansah, blieb ihr nichts übrig, als die Augen zu schließen und die Sachen ihren traurigen Gang nehmen zu lassen.

Landolfo's Plan ward durch Curt's Wiedererscheinen nur etwas schneller zur Reife gebracht. Nach den deutlichen Worten, die er von Degenthal gehört, ahnte er eine heran= nahende Familienkrisis, und alles, was er noch von der Zeit erhofft, gab er nun vollständig verloren. Er wollte jetzt bloß seinen Haß und seinen Vortheil verfolgen. Seine Verun= treuungen konnten so wie so nicht lange mehr verborgen bleiben, und er wußte, daß er die eigene Sicherheit am besten deckte, indem er den Director durch die Entführung seiner Frau so schwer in seiner Ehre kränkte. Den Stolz Karsten's kannte er nur allzu gut und wußte, daß dieser lieber jede

Einbuße tragen würde, als eine so schmachvolle Familien=
angelegenheit durch gerichtliche Verfolgung an die Oeffentlich=
keit zu ziehen.

Landolfo hatte das schwache Weib leicht gewonnen durch
die Drohung der Entdeckung ihrer Mitwissenschaft an seinen
Veruntreuungen einerseits und durch die lockenden Aussichten,
die er ihr zeigte, anderseits. Die concurrirende Gesellschaft
werde die Ueberläufer aus dem feindlichen Lager mit großen
Freuden und nicht minder großen Gagen aufnehmen, ver=
sicherte er ihr. Ihre Leidenschaft, ihre Furcht, das Verlangen
nach einem ungebundenern Leben besiegte selbst die Liebe zu
ihrem Kinde. Nach einigen mächtigen Griffen in des Directors
Kasse suchte das Paar das Weite in der vom Oberkellner
erzählten Weise.

Seiner Rache gegen Nora genügte Landolfo indessen noch
dadurch, daß er entstellte Nachrichten, wobei die Persönlich=
keiten verwechselt waren, in die Oeffentlichkeit warf und für
deren rasche Verbreitung möglichst Sorge trug. Er war
gewiß, daß er auf diese Weise am wirksamsten jede Einigung
mit Curt hintertreiben würde. Aus seiner Feder stammte
auch der hämische Artikel, der mit seinem Gemisch von Wahr=
heit und Unwahrheit dunkele Schatten auf den Ruf Nora's
wie Curt's warf. Er hatte richtig erkannt, daß er seinem
Rivalen damit den empfindlichsten und nachhaltigsten Streich
versetze. Glaubte nun das Publicum wenig oder viel davon,
wurde der Irrthum früher oder später aufgeklärt, ganz ver=
wischen ließ sich der Eindruck nicht.

Nora hatte an dem Tage schon eine heftige Scene mit
ihrem Vater zu bestehen gehabt, da dieser durch Landolfo den
Besuch Degenthal's erfahren hatte. Sie hatte sich in Folge
dessen unfähig gefühlt, am Abend ihren Platz in der Vorstellung auszufüllen, und ihr Auftreten war abgesagt worden,
— ein Umstand, der später dazu beitrug, das Publicum in
dem Irrthum über die Person der Entführten zu bestärken.

Sie hatte sich auf ihr Zimmer zurückgezogen, ihre Gedanken
nach all' den Erregungen zu sammeln, als gegen Abend ein
dumpfes Geräusch in dem anstoßenden Gemach sie aufschreckte.
Als sie hineilte, fand sie ihren Vater bewußtlos daliegen,
einen Zettel in der krampfhaft geballten Faust. Er war
gekommen, seine Frau zur Vorstellung abzuholen, als der
Portier ihm meldete, daß die eine der Damen schon mit
Herrn Landolfo gefahren sei. Erstaunt eilte er zum Zimmer
seiner Frau, wo er den Kleinen ruhig schlafen fand, aber
alle Kisten und Kasten geöffnet und zum Theil geleert sah.
Ein Brief, der absichtlich in die Augen fallend auf den Tisch
gelegt worden war, sagte ihm mit wenig kalten Worten einige
Gemeinplätze, wie: „daß ihr Herz es nicht ertrage, vernachlässigt zu werden, und sie sich deshalb in die Arme wahrer
Liebe rette; daß Fesseln, die er ihr anlege, ihren Künstlergeist
drückten und sie dorthin gehe, wo ihr Talent besser gewürdigt
werde." Des Knaben möge er sich annehmen, hatte sie beigefügt, und an ihm gut machen, was er an der Mutter
verschuldet, und solcher Phrasen mehr.

Ob der Director sie alle las, blieb ungewiß; ahnungslos,
wie er war, tagte ihm erst langsam das Verständniß, faßte

ihn dann aber mit um so größerer Macht, da er nun den
ganzen ungeheuern Betrug sah, der an ihm ausgeübt worden.
Die furchtbare Aufregung und den leidenschaftlichen Zorn,
der bei der Entdeckung in ihm aufstieg, ertrug aber sein
ohnedies überreiztes Nervensystem nicht, und ein Schlaganfall,
wie er schon ein Mal ihn ereilt hatte, warf ihn im selben
Augenblick nieder.

Nora brauchte wenige Zeit, sich klar zu machen, was vor=
gefallen sei. Ihr erster Gedanke war, das Zeugniß der
Schmach, die dem Vater angethan, zu vernichten, noch ehe
sie Hülfe herbeirief. Aber auch nachher ließ sie Niemanden
zu, als ihre eigene alte Dienerin und den Arzt, in dem fast
krankhaften Gedanken, jedes größere Aufsehen zu vermeiden,
— als könne sie die Thatsache dadurch verbergen. Sie hatte
gehofft, die Bewußtlosigkeit des Vaters sei nur vorübergehend;
aber sie erkannte bald aus des Arztes Miene, daß viel
Ernsteres zu fürchten sei.

Die ersten Tage vergingen in athemloser Spannung und
unausgesetzter Pflege. Außer dieser Sorge traten aber auch
bald andere Verwickelungen an sie heran. Durch die Erkran=
kung des Vaters und das Verschwinden Landolfo's war die
Truppe führerlos geworden, und es trat bei der Massenhaf=
tigkeit des Personals und der Größe des Unternehmens ein
ganz unhaltbarer Zustand ein.

Um in etwa den dadurch entstehenden Unordnungen
vorzubeugen oder sie wenigstens aufzuhalten, hatte Nora
Geistesgegenwart genug, den Zustand des Vaters als wenig=
stens geistesklar darzustellen, und wie von ihm ausgehend die

Führung provisorisch in die Hände des ältesten Mitgliedes der Truppe zu legen, eines im Dienste ergrauten Mannes. Dies erwies sich für kurze Zeit als zweckentsprechend, da das Ganze im gleichmäßigen Schritt weiterging. Der alte Herr stand aber bald selbst vor Schwierigkeiten, die seine Kräfte überstiegen, indem nicht allein die Oberleitung täglich schwieriger wurde, sondern auch die großartigen Veruntreuungen Landolfo's immer schreiender zu Tage traten. Da dieselben meist zurückgehaltene Gagen betrafen, verbreitete sich Unzufriedenheit und Mißtrauen unter den Mitgliedern der Truppe.

Einen wie kräftigen Geist Nora auch hatte, sie fühlte sich doch allein dem allen nicht gewachsen. Vergebens sann sie nach, Rath und Beistand zu finden, noch immer vor jedem Schritt zurückschreckend, der eine officielle Einmischung zur Folge haben würde.

Dachte sie trotz allem, was auf sie einbrang, jenes Versprechens der „nächsten Tage"? Aber die nächsten Tage waren längst hin, und kein Zeichen von ihm war zu ihr gedrungen! Vielleicht war in der allgemeinen Verwirrung es nicht zu ihr gelangt? Sie schärfte ihrer Dienerin ein, etwaige Besuche ihr vor allem zu melden; sie erkundigte sich nach denen, die vielleicht angefragt; es waren nur wenige, ihr gleichgültige Namen.

Der Gedanke, in ihrer Rathlosigkeit an den ihr bekannten Kaplan sich zu wenden, stieg in ihr auf; aber ein Gefühl des Stolzes hielt sie zurück. Sie wollte auch die entfernteste Annäherung an die Degenthal'sche Familie vermeiden. Eines Tages aber schlug ihr Herz hoch auf vor Freude, als ihr

ein Besuch gemeldet ward; doch sah sie gleich darauf ent=
täuscht auf die Karte, die ihr gereicht wurde: sie zeigte einen
andern Namen, als den sie ersehnt.

„Baron Dahnow" — sie mußte sich erst auf den guten
dicken Mecklenburger Baron besinnen, ehe sie ihn sich in's
Gedächtniß zurückrufen konnte. Eben wollte sie seinen Besuch
abweisen, als sie die mit Bleistift zugefügten Worte bemerkte:
„Sollte Fräulein Nora Karsten des Rathes und Beistandes
bedürfen, so darf ein alter Bekannter sich dazu anbieten."

Trotz der Enttäuschung fielen die Worte warm auf Nora's
Herz, denn sie hatte nach Rath und·Beistand gelechzt. Es
überkam sie schon ein Gefühl der Ruhe, als sie sich gleich
darauf dieser ernsten, festen Gestalt gegenüber sah, deren
breite Stirne eine Kraft ausdrückte, als könne sie allen Ver=
wickelungen entgegentreten, und deren scharfe, kleine Augen
durch alle Labyrinthe den Weg schienen finden zu können.
Aber von ihren eigenen Gedanken erfüllt, sah sie nicht die
mächtige Bewegung, die über die sonst so ruhigen Züge flog,
als sie ihm entgegentrat.

Vielleicht um diese Bewegung zu verbergen, beugte er sich
ehrfurchtsvoll über die Hand, die sie ihm bot, und führte sie
an die Lippen.

Das Zeichen geselliger Achtung that Nora wohl. „Wie
soll ich Ihnen danken, Baron Dahnow?" sagte sie bewegt.
„Wie konnten Sie ahnen, daß ich eines Rathes und Bei=
standes bedürfe?"

Dahnow's Aufschluß klang einfach. Bei seinem zufälligen
Aufenthalt in W. habe er von der schweren Erkrankung ihres

Vaters gehört und deshalb sich beeilt, sich zu ihrer Verfügung zu stellen, wie es die Pflicht eines guten Freundes sei.

Die Wahrheit zu berichten wäre etwas umständlicher gewesen. Die Zeitungen hatten auch in seine nordische Heimath die Nachrichten über Nora gebracht, als er sich eben damit beschäftigte, Erkundigungen über ihr Schicksal einzuziehen. Er hatte nämlich weder erfahren, was Curt's Verhältniß zu ihr gelöst habe, noch was sonst aus ihr geworden sei.

Die Nachricht von den traurigen Ereignissen traf ihn daher ganz unvorbereitet, da sie ihn zuerst auch über Nora's öffent= liches Auftreten aufklärte. Das alles brachte den sonst so ruhigen Mann ganz aus der Fassung. Aber wie unerklärlich es ihm auch war, eines blieb ihm bewußt, daß Nora schuld= los sei, daß nur das traurigste, schwerste Verhängniß sie dazu gezwungen haben könnte.

Die Angaben über Nora's Flucht bezeichnete er kurzweg als „verdammte Lüge"; doch war die nächste Folge, daß er sich ent= schloß, sofort nach W. zurückzukehren, dort nähern Aufschluß zu suchen. Mit der ihm eigenen zähen Beharrlichkeit gelang es ihm nach vielen Mühen, nicht allein Nora aufzufinden, sondern auch über den Vorgang die Wahrheit zu erfahren; und sie erfüllte ihn mit stillem Triumph.

Jetzt saß er Nora gegenüber und ließ sich einen Einblick in ihre gegenwärtige Lage geben. Sein klares Verständniß fand sich bald darin zurecht. Er versprach ihr, sich mit einem tüchtigen Rechtsbeistand in Verbindung zu setzen, um ihr eine begründete Ansicht über die Sachlage mittheilen zu können.

Doch Nora bebte zaghaft davor zurück: „Nur nicht den Weg der Oeffentlichkeit betreten, nur nicht die Sache zum Tagesgespräch machen!"

Vielleicht war es das schlecht unterdrückte Erstaunen in Dahnow's Antlitz, was sie zuerst aufmerksam darauf machte, daß ihre unglückliche Lage wohl schon längst der Oeffentlichkeit anheimgefallen sei. Es ist seltsam: der Mensch hat immer etwas vom Vogel Strauß — wenn er den Kopf unter die Flügel steckt, wähnt er, nicht gesehen zu werden.

Da ging es ihr auf wie ein neues Licht, und ihre Frage klang hastig und scharf: „Ist denn schon etwas davon in die Welt gedrungen?"

Dahnow schob beschwichtigend alles auf die Berühmtheit ihres Vaters und ihre eigene gefeierte Persönlichkeit; er deutete an, wie falsch und wie täuschend die Gerüchte seien.

„Auch hierin, auch dieses Mal?" frug Nora wieder, und ihre Augen wurden ordentlich größer vor Unruhe. „Meinen Vater kann doch keine Schuld hierbei treffen?"

„Es fand nur eine Verwechselung der Persönlichkeiten statt," sagte Dahnow verlegen. „Man nahm an — es war natürlich — die Anwesenheit des Kleinen machte es so unglaublich, daß die Mutter . . . ."

„Eine Verwechselung!" wiederholte Nora. „O nein, es ist nicht möglich!" rief sie dann plötzlich, und Purpurröthe bedeckte ihr Gesicht. „Glaubt man . . . . glaubt man, ich sei es gewesen?"

„Zeitungsnachrichten sind so ungenau," entschuldigte Dahnow.

„O, das muß berichtigt werden! das muß berichtigt werden!" sagte Nora, in stiller Verzweiflung die Hände ringend.

„Es wurde schon ein Mal widerrufen in diesen Tagen," sagte Dahnow. „Ich las den Artikel in dem bedeutendsten hiesigen Blatte."

„Ach, es wird kaum mehr helfen!" klagte sie. „Was man über uns liest, glaubt gleich Jeder." Und die ersten heißen Thränen seit der Katastrophe flossen ihr über die Wangen.

„Ich werde alles thun, was in meinen Kräften steht, der Wahrheit ihr Recht zu verschaffen," sagte Dahnow. „Ich werde Sorge tragen, daß Ihr Name ganz frei dasteht."

Er hielt Wort: schon in den nächsten Tagen brachten die Zeitungen seine kräftige, klare und unzweifelhafte Widerlegung, die besonders noch Nora's Anwesenheit am Krankenbett des Vaters betonte.

Aber Nora hatte Recht gehabt; das bedeutete jetzt nur wenig mehr. Man las es, wie solche Berichtigungen gelesen werden, mit dem oberflächlichen, flüchtigen Blick, welcher uninteressanten Nachrichten gilt; denn ob die Frau oder die Tochter des Kunstreiters durchgegangen sei, war schon ganz gleichgültig geworden. Der Reiz des Augenblickes an der pikanten Geschichte war vorüber.

Und die wenigen Menschen, für welche einige Tage früher die falsche Nachricht ein Wendepunkt ihres Lebens geworden, gerade die lasen die Berichtigung nicht. Im Göhlitzer Kreis fand man jetzt keinen Genuß an der Durchsicht der Tagesblätter; wie in schweigendem Einverständnisse ignorirte man sie möglichst, in der natürlichen Scheu, unangenehmen Andeutungen zu begegnen oder auch nur die widerwärtige Episode sich in Er= innerung zu bringen. Man war überdies in jener Erregung und vielseitigen Beschäftigung, die ein Familien=Ereigniß stets mit sich bringt, und in diesem Falle um so mehr, da es ein so ersehntes und doch ungeahntes war.

Lilly's Gesicht strahlte vor Glück. Der Gräfin heißester Wunsch war in Erfüllung gegangen in dem Augenblicke, als sie ihn verloren gegeben: Curt's Verlobung mit seiner Cousine hatte noch an dem Tage stattgefunden, als er eben so plötzlich wiederkehrte, wie er plötzlich abgereist war. Alle übelwollenden Stimmen waren dadurch wirksam zum Schweigen gebracht. In den Kreisen der Bekannten übertönte die neue Nachricht die Gerüchte, die kaum Zeit gehabt hatten, festen Fuß zu fassen. Man lächelte zwar, man glaubte noch manches, zuckte die Achseln und gönnte sich kleine beißende Bemerkungen — aber man gratulirte doch.

Der Kaplan war der Einzige, der in Folge seiner Schritte auch die Wahrheit über Nora bald erfahren und sie möglichst zur allgemeinen Kenntniß gebracht hatte. Aber unter den obwaltenden Umständen war es nicht thunlich, Curt und die Seinen darüber aufzuklären, und er mußte dies auf einen geeignetern Augenblick verschieben.

Dahnow nahm sich indessen auf das thätigste der Ange= legenheiten Nora's an. Seiner Ansicht nach unterlag es keinem Zweifel, daß das Günstigste für alle Theile sei, das Unter= nehmen so bald als möglich aufzugeben, das große Inventar zu realisiren und der Kinder Vermögen einer Vormundschaft unterzuordnen, da der Zustand Karsten's im besten Falle ein längeres Siechthum in Aussicht stellte. Eine Uebersiedelung nach der Residenzstadt des norddeutschen Reiches, zu dessen Unterthanen=Verband Karsten gehörte, würde die Geschäfte um ein Bedeutendes vereinfachen.

Nora's Antlitz leuchtete auf, als sie einsehen durfte, daß nur Schaden aus der Fortführung des Geschäftes erwachsen könne; denn sie hatte fast gefürchtet, ihres Bruders Vortheil erheische es, während doch seine Jugend alle Gedanken an ihn als künftigen Nachfolger schwinden ließ. So lag plötzlich schon in ihrer Hand das Ende des Fadens, der ihr wenige Monate vorher so unabreißbar gedünkt. „Wie lange noch, wie lange noch?" hatte sie damals in bitterm Schmerz aus= gerufen, nicht ahnend, was so bald kommen sollte — so bald, und doch, wie ihr Herz mit bitterm Schmerze sich ein= gestand, zu spät!

Dennoch stieg ein unüberwindlicher Widerwille in ihr auf gegen den Gedanken, jetzt W. zu verlassen: W., wo sie ihn zuletzt gesehen, wo er versprochen, sie wieder aufzusuchen, — die Gegend, die seine Heimath war, wo er in der Nähe weilte.

Eine unsägliche Sehnsucht und Unruhe ergriff sie. Er mußte ja kommen, er wollte ja kommen. Ungezwungen, unge= rufen war er ja wieder zu ihr geeilt. Warum hatte er Auf= klärung geheischt, wenn nicht eine Absicht dem zu Grunde gelegen, — wenn nicht die alte, unbezwingliche Liebe ihn dazu geführt? Hatte nicht aus jedem seiner Worte, selbst aus den zornigen, Liebe gesprochen? Und sie gedachte des Augenblickes, wo sie wieder in seinen Armen geruht, wo sie seine Lippen

wieder auf ihrer Stirne gefühlt! — Er mußte wiederkommen!
.... Nein, sie würde nichts mehr von ihm heischen. Sie
wollte ihn ja jetzt nimmer an sich zu fesseln suchen — aber
noch ein Mal sprechen, ihm alles, alles sagen .... Sie
suchte den alten Brief hervor, sie legte ihn bereit, daß sie
ihm denselben gleich geben könne, damit er sehe und verstehe,
wie schrecklich damals ihre Lage gewesen.

Der Brief lag Tage lang bereit — aber Curt kam nicht.
Bange Ahnungen schlichen sich in Nora's Sehnsucht ein. Hatten
ihre Worte ihn vielleicht verletzt? War sie nicht deutlich genug
gewesen in der Erregung des Wiedersehens? Hatten die
Gerüchte ihn erreicht .... die Gerüchte — nein, für ihn
konnten die Gerüchte nie einen Schatten von Wahrheit haben.
Oder war er wieder von einer Krankheit niedergeworfen, wie
damals nach jenem Wiedersehen auf der nächtlichen Fahrt?

Die Spannung stieg von Tag zu Tag — doch, obgleich
Wochen darüber vergingen, obgleich Dahnow fast täglich kam
und sie wußte, wie er mit Degenthal befreundet war, konnte
sie ihre Zunge nicht zu der Frage zwingen.

Endlich siegte des Herzens Unruhe. Es war an einem
Abend in der Dämmerstunde, die den deutlichen Blick in das
Gesicht des Andern verhindert.

Dahnow war gekommen, ihr Bericht zu erstatten, und
erörterte die Frage der Uebersiedelung wieder. Da sprang
das Wort gebieterisch auf die Lippen. Ob Baron Dahnow
nicht vielleicht kürzlich von Graf Degenthal etwas gehört, fragte
sie. Es sollte so gleichgültig klingen, und doch zitterte die
Erregung aus jedem Ton.

Dahnow erbleichte. Er hatte seit Wochen diese Frage gefürchtet. Denn aus all' den Gerüchten, aus all' ihrer Unruhe hatte er doch entnommen, daß ihr Verhältniß zu Curt noch ein bitteres Nachspiel gehabt, und die neue Nachricht sie herbe berühren würde. Auch er war jetzt froh über die Dämmerung, die den Blick nicht frei ließ; auch seine Antwort sollte so gleichgültig klingen. „Degenthal ginge es gut; er habe ihn vor einiger Zeit gesehen und nach seiner letzten Krankheit recht erholt gefunden; man hoffe viel für ihn von einem erneuerten Aufenthalt im Süden, wohin er mit seiner jungen Frau sofort abzureisen gedenke; in den nächsten Tagen schon werde die Hochzeit mit seiner Cousine stattfinden."

Es war gesagt. Dem guten Mecklenburger war es kalt auf der Stirne; sein Auge haftete fest am Boden, um nicht ihrem Blick zu begegnen. — — — Kein Wort kam über ihre Lippen, kein Schrei, keine Thräne, kein Seufzer. Es war eine lange, dumpfe Pause, eine jener Pausen, wo es Einem ist, als könne man den Pulsschlag des Andern belauschen.

„Das hätte ich nicht gedacht," sagte sie plötzlich, wie zu sich selbst. Das Herz greift zu den einfachsten Worten, wenn es am schwersten getroffen ist; aber in den Worten lag eine Welt von Enttäuschung .... Wieder war es still.

„Ich glaube, ich muß zum Vater," sagte sie dann, sich erhebend. Ihr Auge schimmerte unheimlich aus dem todtbleichen Gesichte, dessen Lippen selbst weiß schienen. Sie wandte sich zum Gehen; aber ihr Schritt schwankte so, daß sie sich am Tische stützen mußte.

Tochter d. Kunstreiters. 23

Dahnow sprang auf, ihr zu helfen.

„Es ist nichts," sagte sie; „die Pflege hat mich doch an=
gegriffen." Und als sie jetzt mit fester Willenskraft den Kopf
hob, trat die Aehnlichkeit mit ihrem Vater fast schroff zu Tage.

Dahnow sah sie angstvoll bittend an; die warme Theil=
nahme, die aus seinem Auge sprach, bewegte sie plötzlich.
Weich zuckte es um ihren Mund, wie bei dem Kinde, das
weinen will. „Baron Dahnow," sagte sie, wie flehend, „sagen
Sie: lauteten die falschen Gerüchte so glaubhaft?"

„Es war alles geschehen, um sie möglichst wahrscheinlich
darzustellen," sagte Dahnow leise.

„Aber Sie, woher wußten Sie denn, daß es unwahr sei?"
sagte sie fast ungeduldig.

„Weil ich Sie kannte, glaubte ich es einfach nicht," sagte
der ehrliche Mecklenburger in den schlichtesten Worten, aber
mit zitternder Stimme; und dann griff er hastig zum Hut
und verließ das Zimmer.

Nora bemerkte kaum, daß er gegangen. „Weil ich Sie
kannte, glaubte ich es einfach nicht," wiederholte sie. „O,
und er, er hat alles geglaubt!" rief sie, ihr Gesicht mit den
Händen bedeckend, und heiße Thränen rieselten zwischen den
Fingern hindurch.

Mit der rechten Undankbarkeit eines ausschließlich liebenden
Herzens hatte sie dabei keinen Gedanken für den, der so edeles
Vertrauen in sie gesetzt, sondern sie gedachte nur dessen, der ihr
die Wunde geschlagen. „Er hat alles geglaubt — ich wollte,
ich wäre todt."

Baron Dahnow wanderte an dem Abend noch lange un=
ruhig herum. Er mußte innerlich sehr heiß fühlen, da er
nicht bemerkte, wie kalt der Herbstnebel sich auf ihn nieder=
ließ. „Sie liebte ihn noch," sagte er sich immer wieder.
„Sie liebt ihn heute noch, und wenn er sie zehn Mal im
Stiche ließ! Habe ich es nicht immer gesagt, daß er sie un=
glücklich machen würde? Aber gerade an diese Schwärmer,
die heute so und morgen so sind, verschwenden sie ihre Liebe;
als ob so Einer nur wüßte, was lieben heißt."

Baron Dahnow schien sich das Zeugniß zu geben, daß
er es wisse; jedenfalls wußte er das besser, als was gerade
Zeit und Stunde sei, — daran erinnerte ihn erst die Müdig=
keit, die sich endlich geltend machte. Fröstelnd kehrte er in
seine Wohnung zurück; aber alle Behaglichkeit, die er sich
angedeihen ließ, stellte sein inneres Gleichgewicht nicht her.
Immer sah er das blasse, traurige Gesicht vor sich, immer
hörte er die Worte wieder: Aber Sie, woher wußten Sie,
daß es nicht wahr sei?

Recht unbehaglich war ihm selbst dann noch zu Muthe,
als er schon längst die Ruhe aufgesucht. Er huldigte stets
der, wie Viele es nennen, schlechten Gewohnheit, dann erst
noch durch Lecture seinen Geist zu beschwichtigen. Aber sein
Büchervorrath mußte ihm heute nicht das Rechte bieten. Die
Kerzen an seinem Lager waren schon tief herabgebrannt, als
er noch ungeduldig in seinem Lieblingsschriftsteller blätterte.
Es war eine kleine Ausgabe des alten Göthe, die ihn stets
begleitete; denn Baron Dahnow ließ auch auf Reisen nichts im
Stich, was ihm zur leiblichen oder geistigen Bequemlichkeit diente.

23*

Endlich blieb er mitten im Götz von Berlichingen stecken. „Bei einem Mädchen, das vom Liebesunglück gebeizt, wird ein Eheantrag bald gar," läßt der große Dichter den derben Sickingen von seiner sanften Maria sagen, mit mehr prak= tischer Weisheit als idealer Auffassung.

Hatte Dahnow gerade diese Stelle so lange gesucht? Und doch flog das Buch zur Seite. Als sei es genug und über= genug, löschte er die Kerzen hastig aus und schloß die Augen. Aber es mußten helle, freundliche Träume sein, die ihn heim= suchten, denn selbst im Schlaf blieb ein Lächeln auf seinen Lippen.

XXIV.

Jedem ward das Recht, zu lieben; glücklich
zu lieben — ist ein göttlich Geschenk, das
nur die Gnade ertheilt.

Nora trug schwerer an dieser Enttäuschung als an den frühern Opfern. Von dem freiwilligen Entsagen bis zum völligen Vergessensein, ja bis zum Ersetztsein durch eine neue Liebe, ist noch ein weiter Schritt. Nein, das hatte sie nicht gedacht! Es war eine Demüthigung, tiefer, schmerzlicher als jene bittere Verachtung, die er ihr ein Mal bewiesen. Selbst aus der hatte noch ein Funken Liebe geleuchtet, Liebe, die nicht vergeben wollte, weil sie nicht vergessen konnte. Aber jetzt war der letzte Stern untergegangen, an dem ihre Liebe sich noch aufrichten konnte. So war es auch nicht der wilde Trotz von damals, der sich noch ein Mal geltend machte, sondern jene tiefe Lebensmüdigkeit, die sich über das Herz

ausbreitet, wenn ihm nichts mehr zu erwarten, nichts mehr
zu wünschen übrig bleibt. Glück und Liebe sind ja solche
Lebens-Elemente der Jugend, daß, wenn ihr die genommen,
jeder Athemzug überflüssig dünkt.

Mit dem Hoffen hört aber trotzdem das Empfinden nicht
auf. Nicht umsonst war noch ein Mal in Nora die Leiden=
schaft erwacht. Bei dem Wiedersehen war an die Stelle der
mehr träumerischen Liebe des Mädchens das ganze, volle Em=
pfinden des Weibes getreten, und das erlöscht nicht mit einem
Schlag, das tilgt sich nicht durch einen jähen Willensact.
Langsam glimmt es lange fort, wie die Kohle eines Feuers,
und das Herz wird zur Schlacke oder zum Diamant dabei.

Nora mußte diese Zeit an dem Krankenbette des Vaters
ausharren, der, eine mächtige Ruine, da lag, unfähig zum
Gebrauche der Glieder, Gedanken und Worte nur schwer und
unklar gestaltend. Es war ihr keine Erleichterung, daß er
wenig eigentlicher Pflege, nur unablässiger Aufsicht bedurfte;
denn für ihre thätige Natur war die müßige Ruhe dabei die
härteste Prüfung. Aeußere Ruhe trägt sich schwer, wenn die
innere fehlt.

In einer jener Stunden innerer Rathlosigkeit war es, daß
sie ihrer alten, frommen Freundin schrieb: „Jetzt beneide ich
euch um euern ungestörten Frieden, wie Andere um ihr lebens=
volles Glück! Warum durfte ich nicht der einen oder andern
Richtung angehören? Was habe ich gethan, daß meine Liebe
mir nur Leid brachte, mein Opfer mir alles kostete und nichts
rettete? Ja, jetzt möchte ich mein Herz bei euch begraben,
daß es in euerer Ruhe nichts mehr vom Leben empfinde.“

Die fromme Frau schrieb zurück: „Kind, hier ist kein Kirchhof; auch zum Entsagen gehört ein starkes, lebensvolles Herz. Wie du einst uns nicht gewollt, würde ich jetzt dich nicht wollen, hättest du die Absicht, zu kommen. O, über uns thörichte Menschenkinder, die wir am lautesten grollen, wenn der Herr uns das Leben gibt, wie wir es wünschten!

„Wolltest du den Kampf nicht? Wolltest du die Liebe nicht? Heute wie damals tadele ich deine Wahl nicht. Der Mensch hat ein Recht, zu streben nach des Lebens Lust und Leid, und du durftest ringen um das, was deinem Herzen so werth erschien. Aber du wußtest, daß es Kampf koste, daß der Ausgang zweifelhaft sei; mit ihrem Weh' hießest du die Liebe willkommen. Was klagst du? Ist der Herr karg gewesen? Er gab dir des Lebens wechselnden Wogenschlag, er ließ dich die Liebe in selten reichem Maße finden. Hast du all' die Stunden, die dir so von Glück überströmend schienen, schon vergessen, — selbst heute in deinem tiefen Leid? frage ich dich. — Möchtest du aus deinem Leben wirklich streichen diese Zeit? Möchtest du auslöschen alles, was du empfunden?

„Kind, du konntest noch andern Schiffbruch leiden auf den stürmischen Wellen! Danke dem Herrn, daß er dir deiner Seele Güter ließ. War dir die irdische Liebe ein Schutzmittel dabei, so segne ich sie und weiß, warum sie dir gesandt, wie du sicher einst verstehen wirst, wozu ihr Opfer von dir gefordert ward. Erblicke in dem Opfer eine Schickung Gottes, dir wie ihm auferlegt. Warum wolltest du nach den vielen Beweisen, die du von seiner Treue hattest, dich

in Bitterkeiten verzehren, anstatt an die höhere Lenkung zu
glauben, gegen die der menschliche Wille nichts vermag?
Dünkt dir aber dein Glück untergegangen, so vergiß nicht,
daß die Liebe doch nur eine Art von Glück im Erdenleben
ist. Aus jedem reinen Wollen und muthigen Wirken kann
eine neue Freude uns erblühen, und du weißt, vor Gottes
Auge ist des Herzens Leidenschaft zu wenig, als daß wir
unseres Lebens Aufgabe darin erblicken dürften."

Die ernste Nonne, die das schrieb, mußte mit ihren klugen
Augen gut in einem Mädchenherzen lesen können, daß sie den
irdischen und himmlischen Trost so mischte.

Oft wiederholte sich Nora seitdem die Frage, ob sie aus=
löschen möge diese Zeit, hergeben das Glück für das Weh'?
Aber wie oft sie auch sich frug, immer rief das Herz „Nein!"
und flüsterten die Lippen „Nein!" Denn mächtig fluthete
die Erinnerung darüber hin an all' die seligen Stunden, die
sie genossen, — und nicht arm, sondern reich kam sie sich
dann wieder vor. Ja, und wohlthuend empfand sie auch
dies, daß noch ein Mal in den Zeilen ihrer zusammen ge=
dacht war: „Eine Schickung, die ihn wie dich betroffen."
Das nahm so leise den Stachel aus der Wunde, das lenkte
so still auf die alte Liebe hin; hatte sie ihm gegenüber nicht
auch unerklärbar handeln müssen trotz ihrer Treue? Und
von der irdischen Kränkung fort hob sie den Blick zur himm=
lischen Anordnung.

Der Winter ging indessen seinen Gang. Nora widerstrebte
längst nicht mehr der Uebersiedelung in die norddeutsche Hei=
math; aber die Gesundheit des Directors erlaubte sie noch

immer nicht. Dahnow war schon dorthin gegangen, alle nöthigen Geschäfte einzuleiten, und die Auflösung der Gesell= schaft in sichere, kundige Hände zu legen: alles Schritte, welche bei der Unfähigkeit Karsten's, nur eine Willensmeinung kund zu geben, wie bei der Minderjährigkeit des Knaben und Nora's Ansprüchen an einen Theil des Vermögens, große geschäftliche Schwierigkeiten boten. Dahnow mußte dieselben mit seltener Thätigkeit und Aufopferung zu überwinden. Ob es geschäft= lich nöthig gewesen, daß er fast täglich Nora Bericht erstattete, mag dahingestellt bleiben. Aber Nora wurden allmälig die Briefe wirkliche Zerstreuung in ihrem einförmigen Leben, diese Briefe, die den anspruchslosen Charakter von Geschäftsbriefen trugen, und doch so viel mehr in sich schlossen. Die feinsten Nerven laufen in unsern Fingerspitzen zusammen, weshalb unsere feinsten Empfindungen wohl leicht in die Feder über= gehen.

Frühling war es, als der Umzug endlich stattfand. Dahnow hatte für eine freundliche Wohnung vor der Stadt Sorge ge= tragen, wo für den Director Luft und Ruhe zu finden war, jetzt für ihn die wichtigsten Lebensbedürfnisse. Der sinnige und praktische Geist des jungen Mannes hatte alles erdacht, die neue kleine Häuslichkeit behaglich und wohnlich zu machen. Veilchen blühten und dufteten in allen Zimmern, Veilchen blühten in dem kleinen Gärtchen, welches die Wohnung umgab.

Die Aprilsonne ließ sich herab, den Augenblick der Ankunft freundlich zu beleuchten, und Dahnow, der die Ankommenden empfing, dachte unwillkürlich jenes ersten Sehens an einem Apriltage. Ja, wechselnd wie Aprilwetter war ihr Leben gewesen, kurz und intensiv hatte des Glückes Sonne ihr geleuchtet, um so oft von Wolken bedeckt zu werden, um so jäh im Sturme unterzugehen. Und was würde der neue Wechsel ihr bringen?

Aber Nora's Auge wurde schon heller, als sie die neue Heimath sah — ein Heim, ganz ihr eigen, wo zum ersten Male kein störendes Element eindringen sollte, wo zum ersten Male sie frei sein würde von dem Verhängniß, das in dem Berufe ihres Vaters lag.

Wie eine lange, schwere Nacht war der Winter für sie gewesen; und wie man sich nach solcher Nacht des ersten grauenden Lichtes freut, wenn es auch nur einen trüben Tag ankündigen sollte, so athmete Nora auf in dem neuen Leben, der neuen Thätigkeit.

Die Geschäfts-Angelegenheiten hatten sich indessen leidlich abgewickelt. Trotz der großen Einbußen der letzten Jahre hatte sich mit dem Erlös des immensen Inventars ein Vermögen ergeben, das dem Director und seinen Kindern, wenn auch keinen Reichthum, so doch ein behagliches Einkommen ließ.

Der Director schien die Umsiedelung kaum zu empfinden. Er war so weit hergestellt, daß er seine physischen Kräfte wieder besaß und daß sein Bewußtsein theilweise zurückgekehrt war, aber doch nur als unklares, umnebeltes Verständniß. Still und in sich gekehrt, saß er meist theilnahmlos da, oder beschäftigte sich mit der Pflege des kleinen Gartens, der ihm große Freude zu machen schien.

Von dem jüngst Vergangenen war anscheinend keine Erinnerung vorhanden. Mit großer Sorge hatte Nora daran gedacht, wie er die Nachricht von der Auflösung seiner Truppe aufnehmen werde. Doch hörte er sie mit der größten Gleich= gültigkeit an. „Helene hatte es immer gewünscht," war das Einzige, was er sagte. Sein Geist kehrte überhaupt nur zu jener Zeit zurück; es gab Tage, wo er Nora stets mit dem Namen ihrer Mutter anredete, nur als solche mit ihr verkehrte.

Den Namen seiner zweiten Frau nannte er nie; um den kleinen Knaben kümmerte er sich nicht. Nur ein Mal brach der Groll des beleidigten Mannes durch die Banden, in die sein Geist gefesselt schien. Der Kleine hatte, in natürlicher Erinnerung seiner ersten Eindrücke, Kunstreiter mit seinen Pferdchen gespielt und den Namen Landolfo's dabei aus= gesprochen in Gegenwart des Vaters. Eine unsägliche Wuth verzerrte im selben Augenblicke des Directors Züge; er stürzte auf das Kind zu, das Nora ihm kaum rasch genug entziehen konnte, zertrümmerte das Spielzeug mit schweren Tritten und verfiel so furchtbaren Zornesausbrüchen, daß er Stunden hin= durch kaum zu bändigen und zu beschwichtigen war. Da war es das erste Mal, daß Nora neben ihm niederkniete, daß sie furchtlos die geballten Fäuste in ihre Hände nahm, und mit bebenden Lippen, aber ruhig und fest dem Vater Worte hei= liger Ermahnung zusprach, ihm leise Gebete flüsterte, bis die wild rollenden Augen sich endlich in Ermüdung schlossen.

Was ihr einst so wichtig gedünkt: des Vaters Seele wieder= zugewinnen, ihn aus der Gleichgültigkeit zu wecken, worin ein Leben, das jeder ernstern Richtung fern lag, ihn gewiegt hatte, — die Aufgabe war ihr untergegangen im eigenen Glück und im eigenen Schmerz. Nur für sich, nur für ihre Liebe hatte sie gelebt, gedacht und gebetet. Jetzt stand wieder die heilige Pflicht vor ihr, ernst mahnend, als habe sie das Wichtigste versäumt. Glücklich, wenn wir erst wieder etwas als wichtiger erkennen als den eigenen Schmerz; dann haben wir das beste Gegenmittel für ihn gefunden.

Aber der ernsten Aufgabe trat freundlich helfend auch noch anderes zur Seite. Das Leben kann uns nicht ganz finster dünken, wenn ein guter Mensch sich vornimmt, es uns möglichst freundlich und hell zu gestalten. Baron Dahnow's ganzes Dichten und Trachten für Nora ging darauf hinaus. So war es anscheinend geringfügig und erwies sich doch als nachhaltige Erquickung, daß Nora zu ihrer großen Ueberraschung ihr Reitpferd wieder vorfand. Sie wollte es als überflüssig und kostspielig sofort abgeschafft wissen; aber Dahnow bestand mit dem Rechte der Bevormundung, das er sich bei der Führung der Geschäfte angeeignet, auf dessen Beibehaltung. Er behauptete so fest, daß es für ihre Gesundheit unerläßlich sei, hatte alles darauf Bezügliche so praktisch geordnet, daß keine Einwendung möglich war. Seine Pferde seien so sehr der Bewegung bedürftig, seine Diener solche Tagediebe, daß es ein wahres Verdienst sei, wenn Nora etwa dieselben zu ihrer Begleitung in Anspruch nehmen wolle. Seine sorgliche Voraussicht bewährte sich auch. Wenn über Nora langsam die Erschlaffung sich breitete, die Folge jedes großen Schmerzes, dann war die frische Bewegung in freier Luft, die ihre Kräfte anspannte und ihre Aufmerksamkeit heischte, das beste Gegenmittel.

Um jedes Aufsehen zu vermeiden, benutzte sie zu ihren Ausflügen die frühesten Morgenstunden, wo alles noch menschenleer war, und suchte die abgelegenern Wege auf. Daß ihr trotzdem dann öfter ein einsamer Reiter begegnete, der auch seine Morgenruhe in die Schanze geschlagen, schien ihr freundlicher Zufall, und sie gab ihm gern die Erlaubniß, an ihrer Seite zu bleiben: der bescheidene Lohn, den Dahnow sich für seine gute Einrichtung zukommen ließ. Es ritt sich traulich zusammen die stillen Wege in den frischen, grünenden Anlagen, die ihre volle Frühjahrspracht entwickelten — das waren die Stunden, wo wieder neuer Glanz in Nora's Auge, neue Farbe auf ihre Wange kam. War es Dahnow zu ver= denken, daß auch ihm, wenn er ringsum all' das neu er= stehende Leben sah, mit dem frischen Hoffnungsgrün die Hoff= nung in's Herz zog? Was der Natur so leicht, sollte es dem Menschenherzen unmöglich sein? Sollte der Liebe nicht auch ein neuer Tag erstehen können?

Aber was er auch dachte und empfand, kein Wort störte Nora's ruhige Sicherheit, noch berührte er jemals die Ver= gangenheit. Baron Dahnow hatte die seltene Gabe, sich den Stimmungen der Menschen anzupassen, so daß seine Gegen= wart nie störend wirkte. Nora empfand das bei ihrem jetzigen Verkehr mit ihm sehr wohlthuend; wie früher seine Briefe, so war jetzt sein Besuch das einzige Ereigniß ihrer einförmigen Tage.

Innerlich noch zu stumpf, alle die Aufmerksamkeiten zu er= messen, mit denen er so einfach sie zu umgeben wußte, als sei es das Natürlichste von der Welt, empfand sie doch dank= bar seine Fürsorge und schätzte seine Unterhaltung. War er auch fremd auf manchem Gebiete, dessen Berührung ihr jetzt wohlgethan hätte, so war seine Unterhaltung doch die eines treuen Freundes, eines kenntnißreichen Mannes. Baron Dahnow sprach zudem gern und gut. Daß er ihrer Mutter Heimathland fern über dem Meer gründlich kennen gelernt, weckte zumeist ihr Interesse. Es ist unserm Geiste oft ein kleiner Anstoß nöthig, um wieder in die rechte Schwingung zu kommen, nachdem eine mächtige Erschütterung ihn gleich= sam still stehen hieß: ihrer Mutter Heimathland, — das weckte einen ganz neuen Ideenkreis.

Aber trotzdem Dahnow ihres Umganges auf diese einfache, ungezwungene Art genoß, trotzdem sie ihm stets bewies, wie willkommen er ihr war, und er oft der Worte des derben Sickingen gedachte, ward doch der Frühling zum Sommer, und dieser ging wieder in den Herbst über, ehe er den Muth gefunden hatte, die kühne Schlußfolgerung des Ritters geltend zu machen. Grüßten ihn Nora's Augen allzu unbefangen, streckte sich ihm die Hand zu leicht entgegen?

Seine wissenschaftlichen Interessen vorschützend, hatte er sich ganz in der Hauptstadt niedergelassen. Seine Bekannten staunten, daß er selbst den heißen, staubigen Sommer dort weile; aber er gab an, die Tropensonne habe ihn abgehärtet. Die Wissenschaft hatte anscheinend einen eifrigen Jünger an ihm gewonnen.

War Nora noch so sehr mit sich beschäftigt gewesen, daß sie nichts ahnte von dem, was im Herzen Dahnow's vorging? Genug, sie erschrak, als eines Tages das gewichtige Wort über seine Lippen ging, als er ihr alles das bot, was der Mann dem Weibe bieten kann, das er liebt. Und er war

wohl ein Mann, der eines Weibes Herz rühren konnte —
wie er jetzt vor ihr stand, so männlich ernst, so tief bewegt
— als sich alles das Bahn brach, was er seit Jahren tief
verschlossen im Innern getragen.

Aber nur der Schrecken, den sie empfand, sprach aus
ihren Augen. Riesengroß stiegen alle Bedenken vor ihr auf,
und sie ließ ihm keine Zeit, auszureden. „Ihr Ruf, dem so
viel anklebe vor der Welt," — Dahnow lächelte nur. „Die
Religion, die sie trenne," — wie ernst versuchte er dies
Bedenken mit festen Versprechungen zu ebenen, obgleich sie
den Kopf dazu schüttelte. „Der Vater, der ihrer bedürfe,
der Kleine, der so verlassen sei," — und sie sprach von der
Freundschaft, die schön sei und ihr so theuer, die durch jede
andere Andeutung nur gestört werde. Sie wußte so viel
über sein Leben zu sagen, das sich so reich ihm darbiete, von
der Wissenschaft, die es ausfülle, und von allem, was ihm
werden könne; so unendlich gute, herzliche Wünsche und Ver=
sicherungen! Der Mensch ist nie beredter, als wenn er
„Nein" sagen will.

Dahnow hörte sie ruhig an. Er sah ihren Blick angstvoll
auf ihn gerichtet, als fürchte sie, den letzten Freund zu ver=
lieren; aber er sah auch, daß kein Strahl darin wohne für
das, was er erhofft. Hatte er dennoch zu früh geredet?
War die Erinnerung noch nicht ausgeheilt? Baron Dahnow
war ein geduldiger Mann; er konnte warten. Vielleicht
mußte sie sich an den Gedanken einer neuen Liebe erst
allmälig gewöhnen.

„Lassen Sie alles sein, als sei nichts gesagt," sagte er.

Nora's Hand legte sich so hastig, so zutrauensvoll zugleich in die seine, daß er mit einem bittern Gefühl erkannte, wie leicht sie das Gesagte vergessen könne, wie froh sie sei, es vergessen zu dürfen.

Dahnow kam nach wie vor und nahm seinen Platz in dem kleinen Kreise ein. Die Winterabende hindurch unterhielt er den Director, dessen Erinnerungen er ge= schickt zu wecken wußte, oder spielte lange Dominospiele, welche ihm die trägen Stunden vertrieben. Den Kleinen schaukelte er auf den Knieen, und erzählte ihm drollige Geschichten, immer drolliger, als er gewahrte, wie in des Buben Lachen auch Nora's Stimme sich oft mischte. Ihr selbst brachte er an Büchern und Kunstwerken, was er ersinnen konnte, das Gemüth aufzuheitern, den Geist anzu= regen. Nora erfrischte dies wirklich, und sie versenkte sich hinein. Wenn das Herz seine vielfordernde Herrschaft aufge= geben, dann ist es oft, als ob der Geist die Erbschaft antrete und sein Reich beginne. Nur auf dürftigem Boden kann nichts Neues wieder Wurzel fassen; je reicher die Natur ist, um so leichter wirkt alles wieder auf sie ein.

Und wie süß auch der Reiz der ersten Jugend, der frischen Unbefangenheit, so ist doch fast größer noch der Zauber des verständnißvollen Weibes, das des Mannes Gedanken zu folgen vermag.

Dahnow empfand dies, wenn er sich ihr gegenüber sah. Nie war sie ihm so schön erschienen wie jetzt, wo der Schmerz aus dem Antlitz zu weichen begann und die ruhige Klarheit sich darüber ausbreitete, die dem Sturme folgt.

Er empfand es, wenn er sie anmuthig in ihrem Kreise walten sah; ob sie mit des Vaters Pflege beschäftigt war, ob sie den Knaben unter ihrer Obhut hielt oder der Sorge ihrer kleinen Häuslichkeit vorstand, immer geschah es mit der Ruhe, welche richtiges Verständniß und selbstlose Hingabe an die Sache uns gibt — Ruhe, die für Baron Dahnow solchen Zauber hatte.

Trotz allem Zauber aber, oder vielleicht gerade wegen dessen, kam ein Tag, wo plötzlich die eigene Ruhe ihn verließ. „Ich kann nicht mehr kommen," sagte er mit klangloser Stimme und erhob sich, zu gehen ohne weitern Gruß.

Nora sprang auf, als müsse sie den Freund halten, als müsse sie ihn zurückrufen — aber dann blieb sie wie angewurzelt stehen, die Hand auf das klopfende Herz gelegt, wie um seinen Schlag zu prüfen.

Ruhig setzte sie sich endlich wieder nieder; sie hatte kein Recht dazu, ihn an ihr Schicksal zu bannen, ihn, dem sie für alles nichts zu bieten gehabt hätte, für den kein Laut in ihrem Herzen sprach.

War sie denn so befriedigt von ihrem jetzigen Leben? Ach, es kostete ihr einen Seufzer, ihn missen zu sollen — den einzigen Freund, den sie zählte.

Dahnow war gegangen. Vielleicht hatte er dennoch erwartet, daß Nora ihn zurückrufe, hatte gehofft, daß ihm noch ein Mal Gelegenheit werde, ihre Bedenken zu bekämpfen.

Die Freunde sahen in jener Zeit, daß, wenn die Tropen= sonne ihn für unser sommerliches Klima abgehärtet, sie ihn jedenfalls verweichlicht hatte für die nordische Winter=

temperatur, — so angegriffen sah der Dicke aus, so verändert in den wenigen kalten Monaten. Man rieth ihm ernstlich, wieder wärmere Luft aufzusuchen.

Dahnow sagte nicht Nein dazu und schnallte sein Reise= bündel, ehe noch Aussicht war auf den „infamen Frühlings= wind", dem entgehen zu wollen er vorgab.

Seine Brüder meinten zwar, er solle sich lieber eine vernünftige Häuslichkeit gründen; bei einer netten Frau würden ihm all' die Klima=Flausen vergehen. Aber eine seiner Schwestern, die eine ganze Schaar Sprößlinge zählte und mit mütterlicher Voraussicht den Onkel ansah, meinte, „es sei ja nicht für Jedermann nöthig, zu heirathen, und daß Clemens so gar keinen Sinn dafür habe, könne man ihm doch längst anmerken. Man solle ihn doch leben lassen wie er Lust hätte, — wenn er nur nicht wieder gerade über die See gehen wollte!"

Ueber die See ging Dahnow freilich nicht. Auch die unerwiderte Liebe behält einen magnetischen Einfluß, die den Raum ermißt, der sich zwischen uns und den geliebten Gegenstand legt.

In des Directors Wohnung ward es aber um vieles stiller seit seinem Abschied. Der Freund hatte den kleinen Kreis erheitert und belebt. Nora sah sich genöthigt, mehr wie je aus sich herauszutreten, um Vater und Bruder den Verlust in etwa zu ersetzen. Heiterkeit, die wir zu Gunsten Anderer heraufbeschwören, hat eine eigene Rückwirkung. Das frohe Wort, das wir mühsam ersonnen, klingt allmälig auch

Tochter d. Kunstreiters.   24

in uns an, und das Lächeln, das wir bei Andern hervor=
riefen, stiehlt sich auch auf unsere Lippen.

Die Tage reihten sich in stiller Folge aneinander. Als
abermals der Sommer in den Herbst übergegangen war,
konnte Nora sich nicht verhehlen, daß des Vaters Kräfte
anfingen zu schwinden. Aber mit der Abnahme der physischen
Gesundheit kehrte die geistige ihm zurück. Sein Sinn ward
klarer, sein Gedächtniß belebte sich, und es war, als ob sein
Gefühl wieder erwarme. Er ward dem Einfluß Nora's
zugänglicher und seine Gedanken wandten sich dem Höhern zu.

Eines Tages sprach er den Wunsch nach einem Geistlichen
aus. Als Nora in inniger Freude darüber einen Kuß auf seine
Stirne drückte, legte er lächelnd die Hand auf ihren Scheitel.

„Ihr Frauen siegt immer zuletzt; ihr macht den vacirenden
Kunstreiter noch zum frommen Manne. Deine Mutter zuerst
— und dann du, mein Kind. . . . . . Ja, hätte ich im
Irdischen und im Geistlichen Helena's Rath befolgt — ein
anderer Mann wäre ich geworden. Kind, sein Schicksal kann
der Mann sich schaffen; aber dem Einfluß, den es auf ihn
übt, muß er unterliegen: es schafft ihn um. Für dich, mein
Kind, wurden die Folgen am schwersten. Nein," fuhr er
fort, als Nora's Hand ihm den Mund schließen=wollte, „laß
mich reden! Es hat mir im Kopfe gelegen und am Herzen
genagt seitdem, wenn ich auch keine Worte dafür finden
konnte. Dein Lebensglück habe ich gestört; es wäre anders
gekommen, ohne meinen eigensüchtigen Willen. Aber sage,
habe ich es geträumt, oder ist es wahr: ist er nicht trotzdem
einst zu dir zurückgekehrt?"

„Ja, ja er kam, er war da," flüsterte Nora, und ihr
Auge strahlte dabei, ein Gefühl von Seligkeit durchzog ihr
Herz, als sei kein Schmerz damit verbunden gewesen.

„Warum blieb er nicht?" fragte der Alte, die Stirne runzelnd.

„Mißverständnisse," sagte Nora leise. „Vater, es hätte
nun ja doch nimmermehr sein können, ... es ist besser so."

Der Alte sah auf sein Kind nieder. So schön, so edel,
so rein: warum sollte sie nicht noch jedes Platzes würdig
sein? „Und was hindert daran, die Mißverständnisse aus=
zugleichen? Ihr steht noch in der Blüthe eueres Lebens, für
Glück ist es nie zu spät. Was ward aus ihm, wo ist er?"
sagte er, belebt von dem Gedanken.

„Er ist längst verheirathet, Vater!" flüsterte Nora, und
wider ihren Willen stieg dunkele Röthe auf ihre Stirne bei
dem Geständniß. „Ich sage dir, Vater, es konnte nicht anders
sein," setzte sie hinzu, als wolle sie jeden Schatten des Tadels
von dem Geliebten fern halten.

Der Vater sah traurig vor sich nieder. „Mein armes
Kind," sagte er nur, sie zärtlich an sich ziehend, und sie barg
den Kopf an seiner Schulter.

Plötzlich aber schob er sie leise zurück. „Und der Andere,
— wo ist der geblieben? Weißt du, Nora, der Dicke, der
im vorigen Winter so oft kam. Ich konnte nicht denken in
der Zeit: es that im Gehirn weh. Aber ich entsinne mich,
daß er fast täglich vorsprach. Er kam doch wohl nicht, um
mich armen simpeln Mann zu besuchen, wie freundlich er
mich auch anhörte. Warum kommt er schon so lange nicht
mehr? Hast du ihn fortgeschickt, Nora?"

24*

„Laß mich bei dir bleiben, Papa," flüsterte Nora. „Nur bei dir habe ich jetzt Trost."

Der Alte schüttelte mißvergnügt den Kopf. „Ich bleibe vielleicht nicht mehr lange bei dir," sagte er. „Er war ein guter Mann, Nora, eine treue Hand, ein braves Herz. Es wäre mir ein großer Trost, dich nicht allein zurückzulassen."

„Laß es kommen, wie Gott es fügt," sagte Nora. „Auch hier waren ernste Bedenken."

„Ja, du bist und bleibst des Kunstreiters Kind," bemerkte er bitter, „das nirgends Wurzel fassen kann, nirgends hinpaßt."

„Doch," sagte sie, „es gibt einen Raum, da fragt man nicht, was man war, noch was man ist, — nur was man thun will für ein hohes Ziel. Vielleicht lenkt der Herr dorthin meinen Sinn, wenn es mir auch noch nicht klar ist."

„Das verstehe ich nicht recht," gab er etwas geärgert zurück. „Aber thue, was dir gut dünkt; mein Rath hat dir genug geschadet. Doch höre: ehe es mit mir abwärts gehen sollte, rufe den Kaplan herbei, — du weißt schon, wen ich meine: der einst an meiner Frau Sterbebett gestanden. Er mag auch mir es erleichtern! Das letzte Mal, als ich ihn sah, habe ich ihn nicht gut behandelt; er kam mir wie ein Mahner vor, der wegen deiner mich an meiner Frau Willen erinnern wollte — und das konnte ich nicht ertragen. Es sah damals schlecht mit mir aus — aber ich denke, er wird mir verzeihen. Auch wegen des Buben muß ich mit ihm reden, daß er mir seinen Rath gibt, damit er nur nicht den Menschen in die Klauen fällt! Nicht in ihre Klauen!"

wiederholte er, und die Zähne preßten sich knirschend auf=
einander. „Aber ich will in Frieden auch mit ihnen scheiden.
Nora, wenn ich nicht mehr bin, kannst du seiner Mutter
meine Verzeihung schreiben. Sie hat die geringste Schuld.
Helena hat Recht behalten: ist die leichte Sitte erst in uns
groß gezogen — was schützt dann? Daß du nicht so wurdest,
war nicht mein Verdienst."

„Auch ihm," fuhr er nach einer Pause fort, „verzeih' ich
seine Schufterei. Sein Arm hat mich ein Mal vor dem
Versinken gerettet, und weiß Gott, jetzt hat mich sein elender
Streich vor noch schlimmerm Untergehen bewahrt. Nora!
der Streich hat mich dir wiedergegeben. O, was wäre aus
mir geworden, hättest du mir nicht zur Seite gestanden! Du
hattest Recht, eben zu sagen, es sei gut, daß alles so gekommen.
Mit ihm, mit dem — der dich in so ganz andere Lebenskreise
geführt hätte — wärst du mir ganz fremd geworden, ganz fremd.
Aber jetzt ist keine Kluft zwischen uns — du bist mir Trost, Halt
und Rettung geworden, in besserm Sinne, als ich einst dachte.
— — Kind, deine Mutter hat dich mir gelassen!"

„Ja, es ist gut so," sagte Nora leise, obgleich ihr Herz
noch ein Mal rebellisch schlug bei der Erinnerung; aber ihr
Haupt schmiegte sich an des Vaters Wange, ihr Arm umschlang
ihn, eine seltene süße Befriedigung stahl sich in ihr Herz.
Sie wußte ja nun, wozu ihr das Opfer auferlegt worden,
und was für Früchte es getragen.

Schön und innig, wie zu dieser Stunde, blieb das Ver=
hältniß zwischen Vater und Tochter: eine Wiederkehr jener
Zeit, wo einst Helena's Einfluß neben ihm gewaltet und in

frommer Liebe gesucht hatte, seine Seele zu gewinnen. Jetzt sehnte er sich selbst nach jedem geistlichen Troste, und Nora stand ihm nicht weniger lieblich und noch selbstloser zur Seite, als damals die Mutter.

Schön war es auch in jener Stunde, als endlich der unruhige Abenteurer, der Mann des fahrenden Lebens, sich zur letzten Ruhe legte und sanft in den Armen seines Kindes entschlief, das ihm ganz angehört hatte, ganz angehört in Folge jener einen opferwilligen That, durch die er sie aufzugeben wähnte, nur um der Mutter sein Wort zu halten.

Heiliger Friede und warme Liebe legte sich hell auf seine letzten Tage, wohl um des bessern Ich willen, das er sich gerettet durch alle seltsamen Pfade seines Lebens.

Wie der Director es gewünscht, war der Kaplan zu ihm herübergekommen; er hatte auf Nora's Bitte keinen Augenblick gezögert und erwies sich als treuer, theilnehmender Freund. Alfred Karsten's letzte Worte an ihn galten, wie einst die Helena's, der Anempfehlung seiner Tochter, die fast eben so schutzlos wie damals zurückblieb.

Auf Grund dieser Vollmacht des Vaters frug nun der Kaplan wenige Tage, nachdem alles beendet, sie nach ihren fernern Absichten.

Nora hatte eben einen Brief erhalten, in den sie einige Augenblicke ganz versenkt schien. Als sie ihr Auge erhob, hing eine Thräne an der Wimper, aber ihr Blick war klar und fest.

„Dieser Brief könnte leicht und einfach die Frage lösen," sagte sie. „Sie glauben nicht, welch einen Schatz edeler Liebe und Treue er enthält."

„Von Baron Dahnow?" frug der Kaplan, und eine gewisse Unruhe lag im Tone seiner Stimme.

„Ja," sagte sie ruhig „von Baron Dahnow, der von der Krankheit meines Vaters gehört hat und für den jetzt eingetretenen traurigen Fall in selten selbstloser Liebe mir Schutz, Schirm und Halt werden will, seinen Namen und seine Hand mir bietet, unbekümmert um alles, was mir anhaftet."

„Es ist ein edeles Anerbieten, seinem edeln Charakter gemäß," sagte der Kaplan. „Wäre nur nicht zu erwägen," — und er hielt inne, wie im innern Zwiespalt. Was war in Nora's schutzloser Lage, bei ihrer zweifelhaften Stellung anzurathen? Eine Ehe mit einem so braven, gewissenhaften Manne, wie Baron Dahnow war, bot sichere Zuflucht, viele Garantieen.

„Nein," sagte sie entschieden, „es ist nichts zu erwägen. Aber es ist gut, wenn man durch eine solche Anfrage sich selbst klar wird. Alles das, wonach ich einst mich gesehnt, lockt mich nicht mehr. Der Baum, dem der Sturm das Herzblatt geknickt, bildet kein neues — aber er verdorrt auch nicht, Gott sei Dank — sondern breitet sich dann aus in viele Zweige." Sie sprach leise sinnend wie zu sich selbst.

„Ich verstehe nicht recht, wie Sie das meinen," sagte der Kaplan. „Es gibt selbstlose Herzen, die sich damit begnügen, Liebe zu geben, ohne sie in dem Maße zurückzufordern, und gerade für ein Frauenherz ist das oft beglückender, als einem einzigen Gefühl nur nachzutrauern. . . . . Wäre nicht das eine Bedenken . . . ."

„Ich danke Gott für das Bedenken," unterbrach sie ihn.
„Wäre dies Hinderniß nicht, was als ernste Pflicht sich da=
zwischen stellt, o, dann — dann könnte ich ja nicht anders,
als solche Treue und Hingebung belohnen; dann würde ein
Leben nicht genügen, sie ihm zu danken — aber so, kaum
die innigste Liebe vermag ja diese Kluft auszufüllen, — nein
ich will keinen neuen Zwiespalt heraufbeschwören."

„Und doch," sagte der Kaplan traurig, daß ihn die Pflicht
hinderte, zuzurathen, „es wäre ein solcher Trost gewesen, Sie
in einem Hafen glücklich geborgen zu wissen."

Sie hob mit träumerischem Blick das schöne Haupt. „Einen
Hafen . . . .," wiederholte sie. „Ja, eine Ehe wie diese wäre
wie ein stiller, abgeschlossener Hafen. Glauben Sie aber
gewiß, daß es mein Glück sein würde? Ich bin meines
Vaters echte Tochter, habe rastloses Blut in den Adern, und
das will ringen und streben. Habe ich für irdische Wünsche
es thun wollen — lassen Sie mich jetzt für bessere Güter, für
das höchste Leben es thun."

„Fassen Sie keine krankhaften Entschlüsse," warnte der
Kaplan fast ängstlich. „Hat das Herz eine Täuschung erlebt,
so wähnt es oft, mit dem Leben abschließen zu können."

„Aber ich will nicht damit abschließen," sagte sie und
etwas wie ein Lächeln spielte um ihre Lippen. „Nein, ich will
erst recht von neuem zu leben beginnen! Die Zeit ist vorüber,
wo ich mein Herz hätte in der Stille begraben mögen; jetzt
mag es nur nicht feiern und verlangt nach neuen Aufgaben.
Glauben Sie nicht, daß der Herr mir noch Muth und Kräfte
zu vieler Arbeit gelassen?"

Sie erhob sich und stand vor ihm — ein Weib in der vollen Schöne des Mittags ihres Lebens — aus ihrem Auge strahlte warme Begeisterung, die wahrlich nicht von Lebens= müdigkeit sprach.

„Und dieser?" Der Kaplan blickte zu dem Knaben hin, der in einiger Entfernung stand.

„Ja, gegen ihn habe ich die erste Pflicht, und ich werde sie auch zuerst zu erfüllen suchen. Ich muß ihm eine neue Heimath gründen jenseits des Oceans, bei den Verwandten meiner Mutter. Er soll keines Schutzes, keiner Liebe entbehren. Es wird besser für ihn sein; dort wird seine Zukunft leichter sich gestalten lassen, als hier zu Lande, und auch für mich eröffnet sich dort wohl später ein Feld des Wirkens. Seit Baron Dahnow's Erzählungen zieht es mich mächtig nach der neuen Welt, wo noch viele Kräfte fehlen, für den Herrn zu arbeiten. Aber das liegt noch in weiter Ferne. Sie, mein erster Freund, helfen Sie mir jetzt zu unserer Uebersiedelung dorthin, zu dieser neuen Wendung in meinem Leben, wie Sie damals auch meine erste Uebersiedelung zu neuen Verhältnissen leiteten."

Der Kaplan reichte ihr die Hand. „Sie haben sich viele Aufgaben gesetzt. Zum dritten Male wählen Sie Ringen und Streben statt der Ruhe, — der Herr führt Sie seltsam! Ihre Mutter hatte nur Ihr Heil im Auge, und ihr Wunsch scheint in Erfüllung zu gehen. Sie scheinen nur noch diesen Weg suchen zu wollen, — des Herrn Segen sei mit Ihnen. Ihr Glück wurde hart gestört," setzte er hinzu, zum ersten Male auf das anspielend, was bis jetzt unausgesprochen ge= blieben.

„Nur ein Glück," gab sie mild zurück; „es gibt noch mehr zu schaffen als einen Liebesmai."

Wenige Zeit später traf in einem süddeutschen Gebirgsorte, aus dem Süden kommend, ein junges Ehepaar ein. Die Frau concentrirte ihre Aufmerksamkeit auf den erst wenige Monate alten Sprößling, der, in Italiens weicher Luft geboren, hier eine Uebergangs = Station durchmachen sollte, um sich an die rauhere deutsche Heimath zu gewöhnen.

Der Herr schien gelangweilt von der ausschließlichen Sorge, die seine Frau dem Kinde widmete, welche anscheinend gar keinen andern Gedanken mehr in ihr aufkommen ließ. Trotz aller Vaterfreude nahm er deshalb, sobald er konnte, die Gelegenheit wahr, sie sich selbst zu überlassen, und begab sich auf die Terrasse hinaus, wo in dem Lichte des milden Sommerabends die Berge wie in Rosenduft getaucht sich ausbreiteten. Seine Aufmerksamkeit ward dort auf einen zweiten Besucher der Terrasse gelenkt, der in einiger Ent= fernung von ihm Platz genommen hatte und ihm den Rücken zuwandte. Etwas in Stellung und Figur desselben erschien ihm so bekannt, daß er sich schon ihm näherte; aber dann hielt er wieder zweifelnd inne. „Bist du es oder bist du es nicht?" sagte er endlich, mit raschem Entschluß herantretend. „Dahnow, alter Junge! Wahrlich, du kannst ja jetzt incognito reisen, so viel Taille hast du bekommen! Wie freue ich mich, dich hier zu treffen!"

„Ah, du, Degenthal!" sagte jetzt der Angeredete, ihm lang= sam das Gesicht zuwendend, aber mit einer Stimme, die keine Freude verrieth.

„Ja, ich — auf der Heimkehr nach drei Jahren — mit Weib und Kind," setzte er, das letztere betonend, hinzu. „Ein prächtiger Junge, sag' ich dir! Aber was ist dir, Freund? Wie siehst du aus?" fuhr er fort, befremdet durch Dahnow's Gesichtsausdruck.

„Vielleicht wie Jemand, der eben seinen dritten Korb erhielt," sagte Dahnow bitter, einen Brief, den er in der Hand gehalten, in die Tasche schiebend.

„Einen Korb — Dahnow, du! du, der prächtige, liebe Mensch? der reiche, viel umworbene Mann? Unmöglich ... von wem?"

„Von Nora Karsten!" sagte Dahnow, rücksichtslos dem Jugendfreunde den Namen entgegenschleudernd und dabei feindlich ihn anschauend. Es war ein unglückliches Zusammen= treffen, denjenigen anscheinend froh und befriedigt vor sich zu sehen, um deswillen man verschmäht ist. „Von Nora!" wiederholte er. „Der, dem die Perle gehörte, der ließ sie im Staube liegen .... und für keine andere Hand scheint sie greifbar zu sein."

„Von Nora Karsten?" stammelte Degenthal, zurückweichend. „Sie, die mit jenem Landolfo...."

„Bequem zu glauben für den, der es glauben wollte," sagte Dahnow und wandte ihm ohne ein weiteres Wort den Rücken.

Aber Degenthal faßte ihn fast krampfhaft an der Schulter. „Was war zu glauben? Was meinst du? Was war nicht wahr?"

„Die größte, durchsichtigste Lüge der Welt: daß das Mädchen mit jenem Schuft sich sollte geeint haben! Ein solches Wesen und der gemeine Hund!" brauste Dahnow auf. „Wer so etwas glauben konnte, hat es g e r n glauben wollen! Wenn du es noch nicht weißt, will ich es dir sagen: ihre Stiefmutter war es, die mit dem Patron davon lief, Mann und Kind im Stiche lassend, wie es so leichter Sorte Art ist. Um sich's bequemer zu machen und an ihr sich zu rächen, ließ das saubere Paar die Nachricht unter des armen Mädchens Namen verbreiten — — und es ist ja recht tapfer geglaubt worden."

„Unmöglich!" rang es sich aus Degenthal's Brust. „Un= möglich! Mit meinen eigenen Augen . . . ."

„Lasest du vielleicht, was ich gelesen," sagte Dahnow höhnisch. „Aber ich, der ich ihr nie näher getreten, der ich nicht gesucht, mich in ihr Herz zu stehlen, der ich nicht mit Phrasen herumgeworfen, daß sie mir alles werth sei, daß ich sie retten und schützen wolle — nun, ich — ich habe es n i c h t geglaubt! Mir stand sie hoch genug, daß mir die gemeine Lüge sofort klar wurde, und ich mir Mühe gab, dem Zusammenhange auf die Spur zu kommen. Eine einzige Nachfrage genügte, alles aufzuklären . . . . Und du! Habe ich dich nicht damals gewarnt," fuhr Dahnow in immer steigendem Zorne fort, „damals, als du, aller Vernunft baar, sie zu erringen streb= test? Habe ich dir damals nicht vorausgesagt, daß der Rausch des Gefühles verfliegen würde vor dem Ernst der Verhält= nisse? Damals war der Augenblick, zu erwägen und dich zurückzuziehen. Aber der Mann, der nach reiflicher Ueber= legung solchen Schritt wagt — und du hattest Recht! bei Gott, sie war es werth! — der verschanzt sich dann nicht hinter leeren Ausflüchten . . . . Weißt du, wie ich sie fand? Am Lager des todtkranken, bewußtlosen Vaters, Niemand ihr zur Seite, als das verlassene Kind — ihr Ruf befleckt um deinetwillen, die Verhältnisse ganz zerstört — — Keiner, der ihr half, Keiner, der ihr beistand! Ich habe ihr zu helfen gesucht. Ich habe gethan, was ein Mann thun kann für das Weib, das er am höchsten hält, — aber nicht einen Gedanken habe ich von ihr gewinnen können, mit keinem ist sie dir untreu geworden! Ich habe gesehen, wie die Liebe zu dir ihr alle Lebensfreude aus dem Herzen nahm, stark und muthig, wie sie in allem Uebrigen war. — — Geh' — ich verachte den Mann, der einem Weibe so das Lebens= glück zerstört!" Und die Hand Degenthal's, die noch auf seiner Schulter lag, heftig abschüttelnd, schritt er in das Haus hinein.

Degenthal blieb allein zurück. Mit keinem Worte hatte er Dahnow's Rede unterbrochen. Aber war das nicht wieder die Eiseskälte, die ihm langsam an das Herz stieg — wie einst? Er griff jetzt dahin, als fühle er dort einen heftigen körperlichen Schmerz. Drei Jahre hatte er verhältnißmäßig in Ruhe und Glück zugebracht, drei Jahre jeden Gedanken an Nora bekämpft, jeden Zweifel an dem Unglaublichen, der ihm aufsteigen wollte, unterdrückt. Wenn gar zu hartnäckig die Erinnerung auftauchte, hatte er sich in seinen Groll und Unmuth vertieft und sich stets wiederholt, daß er vor einem unwürdigen Irrthum bewahrt geblieben. . . . . Und nun!

Die Stimme seiner Frau wurde in diesem Augenblicke laut. „Curt! Aber Curt, ich bitte dich, wie kannst du da

stehen und die alten Berge ansehen, anstatt bei unserm Lieb=
ling zu sein, der gerade so herzig ist? Denke dir, er merkt
schon, daß er hier fremd ist. Er wird nicht schlafen, wenn
wir die Einrichtung nicht ändern — so klug ist er schon.
Komm, du mußt helfen." Und die kleine Frau nahm etwas
despotisch den Arm des Gatten und zog ihn herein.

Curt folgte fast willenlos. Wie im Traume ließ er sich
seinen Buben in die Arme legen, der so niedlich war, wie
ein dreivierteljähriges Menschenkind nur sein kann. Gebührend
bewunderte er des Kleinen Reize und Klugheit, wie der Rede=
strom von Frau und Wärterin es verlangte, geduldig auch
rückte er das Bett hin und her, bis den schwer zu vereinenden
Wünschen genügt war; aber es war etwas so eigenthümlich
Abwesendes in seinem Thun, daß endlich Lilly es doch bemerkte.
Empfindlich sagte sie: „Schick' den bösen Papa wieder fort,
Liebchen; der sieht dich doch kaum an und ist nicht eher
glücklich, als bis er da draußen wieder bei seiner Cigarre und
seinen Bergen ist. Ihr Männer seid so herzlos!" setzte sie
schmollend hinzu.

Curt vertheidigte sich gegen die Anklage nicht weiter, als
daß er noch ein Mal einen Kuß auf den lustig krähenden
Mund seines Erstgeborenen drückte. Dann aber ging er
wirklich; denn es war ihm, als könne er kaum athmen in
dem Raum.

Wenn in einem noch jungen Herzen der Sturm der Leiden=
schaft von neuem erwacht, ist selbst des eigenen Kindes Lächeln
nicht beschwichtigend. Auch die frische, reine Luft draußen,
die milde Sommerabendruhe schien ihm kaum wohlzuthun.

Gleich einem Schmerzenslaut rang es sich von Zeit zu Zeit von seinen Lippen. War es der Stachel der Wahrheit, der ihm in's Herz drang: „Es war bequem zu glauben für den, der es glauben wollte!" Hatte er es glauben wollen?

Der Mond war längst hinter den hohen Kuppen heraufgestiegen, ja, er senkte sich wieder den äußersten Spitzen zu. Curt verharrte noch immer auf seinem Platz, als eine Hand seine Schulter berührte. Dahnow stand vor ihm. Es war wohl nicht bloß Schuld des Mondlichtes, daß beide Männer so bleich aussahen.

„Degenthal," sagte er ernst, „ich komme, Abschied zu nehmen. Doch laß uns erst den Groll auslöschen, den meine Worte vorhin hervorgerufen haben könnten. Es war Unrecht von mir, dein Glück und deine Ruhe zu stören. Aber es gibt Stunden, wo der Mensch zum Teufel werden könnte. — Nein, laß uns nicht weiter darüber reden; die vielen Worte helfen zu nichts. Es hat alles so kommen sollen. Du hast nicht unredlich handeln wollen; sie war wohl für keinen von uns bestimmt. Sie mag auch jetzt Recht haben, daß sie den Andersgläubigen nicht will, wenn ich auch wahrlich ihr keinen Spahn in den Weg gelegt hätte. Sie hat aber genug unter schiefen Verhältnissen gelitten, — es mag besser so sein!"

„Wo ist sie?" frug Degenthal, und die Worte gingen fast lautlos über die Lippen.

„Karsten ist todt; sie geht in ihrer Mutter Heimath," sagte Dahnow kurz. „Laß jetzt alles begraben sein. Ich wollte von dir nicht im Unfrieden scheiden; noch in dieser

Nacht reise ich ab. Leb' wohl, Curt! Sei glücklich mit dem, was der Herr dir gegeben."

„Wohin willst du?" fragte Degenthal, die dargereichte Hand nehmend.

„Wohin?" sagte Dahnow. „Der Mann, der sich keinen häuslichen Herd gründen will, dem steht die weite Welt offen. Aber wo der Vogel geheckt ist, sitzt er schließlich doch am wärmsten. So mag wohl die Zeit kommen, wo mir auch meine nordische Heimath der wärmste Fleck scheint auf Erden."

„Was soll aus dir werden?" frug Degenthal, ihn miß= verstehend; denn alle Worte klangen wie aus weiter Ferne zu ihm.

„Aus mir werden?" wiederholte Dahnow, über die eigen= thümliche Frage stutzend. „Eine — vielleicht zuerst eine schwierige Einsicht für Alle, die mich noch erobern möchten, und später eine angenehme Aussicht für meine Neffen." Den gewohnten sauersüßen Humor vermochte selbst der Schmerz bei ihm nicht zu unterdrücken.

Das Wortspiel ging an Degenthal in dem Augenblick verloren; für Dahnow's späteres Leben aber war es bezeichnend.

Nachdem er noch einige Jahre sich dem Reisen im In= und Auslande gewidmet, kehrte er in seine Heimath zurück, sich in der kleinen Residenz in der Nähe seiner Verwandten niederlassend, wo er seinen wissenschaftlichen Bestrebungen lebte und Tüchtiges darin leistete.

Seine Häuslichkeit ward immer mehr ein Muster raffinirter Bequemlichkeit; aber stets versammelte er gern einen Kreis froher Menschen um sich. Er hatte Recht gehabt: es ward

wirklich der Welt die Einsicht schwer, daß er, der Mann mit
dem warmen Gemüth und häuslichen Sinn, sich kein rechtes
häusliches Glück gründen wolle. Aber allen freundlichen Rath=
schlägen und kühnen Eroberungsplänen setzte er ein gestähltes
Herz entgegen.

Die angenehme Aussicht für seine Neffen ward mit jedem
Jahre gesicherter; sie sollte nur ein Mal bedrohlich gestört
werden, als plötzlich ein Americaner auftauchte, ein junger
Mann von einnehmendem Aeußern, einen alten französischen
Namen tragend, der sich ganz unter Dahnow's Schutz stellte.
Er wollte Deutschland kennen lernen, sah aber für jetzt das
Haus des Barons wie eine Art Heimath an, und brachte
Wochen, endlich Monate dort zu. Er war so sehr erklärter
Liebling des Hausherrn, daß allgemeines Staunen entstand
und die aufgeregten Verwandten die Köpfe ängstlich zusammen=
steckten. Die Gemüther beruhigten sich aber bald, als wohl
garantirte Nachrichten bestätigten, daß der junge Americaner
selbst reiche Besitzungen in seinem Heimathlande habe und
keine Erbschafts=Concurrenz zu fürchten sei. Dafür sann man
um so eifriger darüber nach, in welchen Beziehungen er zu
dem Baron stehen könne, und damit war glücklich ein neues
Unterhaltungsthema gefunden.

Clemens Dahnow schwieg und schmunzelte. Der junge,
unruhige Gesell aber, der mit echt americanischer Ungenirtheit
ihm sein behagliches Hauswesen auf den Kopf stellte, der so
wenig Interesse für seines Gönners wissenschaftliche Neigungen,
aber desto mehr für dessen Pferde und Hunde zeigte, konnte
es sich selbst am schwersten erklären, wie er sich in solchem

Tochter d. Kunstreiters.   25

Maße die Gunst seines liebenswürdigen Wirthes gewonnen. Vielleicht waren es die warm empfehlenden Worte eines Briefes, die er an den Baron mitgebracht, — vielleicht der Name, der so oft über seine Lippen ging, wenn er von der sprach, die treu seine Kindheit gepflegt, und mit seltener Un= eigennützigkeit den größten Theil ihres Eigenthums ihm über= lassen hatte, — vielleicht auch war es etwas in dem fein geschnittenen Antlitz, dem Baron Dahnow nicht widerstehen konnte.... es rief ihm ja die einzigen Züge zurück, die jemals seine Ruhe gestört.

XXV.

Und plötzlich stand vor meiner Seele mir
Mein ganzes Glück, mein ganzes Leid von weiland;
Und tiefe Sehnsucht fiel mich an nach dir,
Du meiner Jugend fern verscholl'nes Eiland.

Geibel.

Jahre waren vorübergegangen — Jahre, die das Menschen= leben in sich schließen. Zwischen dem Augenblick, wo irgend eine Lebenshoffnung uns klar wird, bis zu dem Schritt, der uns das Alter bewußt werden läßt, dazwischen pulsirt ja das eigentliche Menschenleben. Vorher ist es nur Traum, nachher nur Erinnerung, wie wir die Jahre auch zählen.

Wieder war es der Göhlitzer Garten mit seiner sonnigen Terrasse, seinen buntschillernden Beeten und der üppigen Blüthenfülle in der August=Herrlichkeit, die ihm besonders eigen. Und die Sonne beleuchtete ein belebtes Bild. Schlanke jugendliche Gestalten, frohe Kindergruppen, Männer und

Frauen im sonnigen Mittag des Lebens bewegten sich in heiterster Stimmung dort umher, und in das Lachen und Plaudern mischten sich die Klänge der Musik, die im Gebüsche versteckt ihren Platz hatte. Man feierte ein Familienfest zu Göhlitz: den Geburtstag des Hausherrn, des alten Herrn, wie man Curt Degenthal jetzt nannte, seitdem sein Aeltester verheirathet war und selbst schon Kinder zählte.

Der große Kreis, der sich zusammengefunden, zeigte am besten, welch' kräftige Ausbreitung die Familie gewonnen, die sich alljährlich an diesem Tage möglichst vollzählig um das Familienhaupt vereinigte.

Curt und Lilly waren Göhlitz treu geblieben. Nachdem sie als junges Paar aus dem Süden zurückgekehrt, hatten sie sich dort niedergelassen. Der Sohn wollte der Mutter die lang geführte Herrschaft auf seinen Gütern nicht entziehen, und Lilly liebte es mehr, auf ihrem Eigenthum das Scepter zu führen. Als das hohe Alter der Mutter die Leitung der Geschäfte zu beschwerlich machte, war Curt's ältester Sohn schon in den Jahren, die Herrschaft übernehmen zu können. Wieder paßte es gut zu Lilly's Ansichten, ihren Sohn möglichst früh in einem stattlichen Besitz zu wissen. Sie vermochte daher ihren Gatten leicht, ihm die väterlichen Güter zu übertragen, indeß sie in Göhlitz verblieben, wo sie sich ein Mal eingelebt hatten.

Die alte Gräfin sah alle ihre Wünsche noch in Erfüllung gehen. Ihr Sohn war mit der reichen Erbin verbunden, die sie für ihn seit frühester Jugend bestimmt hatte. Es war eine glückliche Ehe geworden, denn Curt umgab seine Frau

25*

mit den zartesten Rücksichten, und eine zahlreiche Familie war
ihnen erblüht. Der reiche Besitz Lilly's hatte den Tegenthal'-
schen Namen mit einem Glanze umgeben, wie er ihn kaum
jemals besessen, und die alte Gräfin hatte noch die stolze Genugthuung, ihren Enkel mit einem der angesehensten Geschlechter
verbunden zu sehen, wie sie es ihrem Namen angemessen hielt.
Und doch läßt die Vorsehung an der Erfüllung unserer Wünsche
gerade den Dorn wachsen, der am tiefsten trifft, weil wir
nicht darüber klagen können.

An Lilly's Seite hatte die Gräfin ihren Sohn, den Liebling ihres Herzens, im eigentlichsten Sinne des Wortes verloren. Nur großartige Naturen wissen zu theilen — die
ideellen wie die materiellen Güter. Lilly war keine großartige Natur; eng begrenzt wie der Horizont ihres Denkens
war auch der ihres Herzens. Ihres Mannes, ihrer Kinder
Liebe sollte ausschließlich ihr gehören; kein anderer Einfluß,
kein anderes Herz durfte daran Theil nehmen, keinen andern
Anspruch, nicht den heiligsten der Mutterliebe duldete sie.
Sie machte bewußt keiner unkindlichen Handlung sich schuldig;
aber der höher strebende Geist der Gräfin sympathisirte nicht
mit dem ihren. Sie wußte, daß die Mutter einst großen
Einfluß auf den Sohn gehabt, und um dies jetzt zu verhindern,
entfernte und entfremdete sie ihn ihr, wie Frauentaktik das
so gut versteht. Curt war theils zu gleichgültig für das Leben
überhaupt geworden, theils lagen zu viel unausgesprochene
Erinnerungen zwischen ihm und der Mutter, um dagegen
anzukämpfen. So war das Alter der Gräfin ein dem Herzen
und dem Leben nach sehr einsames.

Schwebte ihr in den stillen Stunden dann wohl das Bild jenes Mädchens vor, in dessen Auge ein so warmer Strahl, in dessen Stimme ein so weicher Klang gebebt, die so innig um ihre Mutterliebe gefleht hatte? „Eine Tochter, an Geist und Herz deiner würdig," hatte damals die Nonne gesagt. Als die Gräfin Nora's Geschichte durch den Kaplan gehört, der zu des Mädchens Rechtfertigung ihr dieselbe mittheilte, hatte sie das bestätigt gefunden; sie hatte dem Heroismus, mit dem die Tochter des Kunstreiters ihren Weg gegangen, ihre Bewunderung nicht versagen können.

Das Mutterherz wußte in seiner Vereinsamung solche kindliche Opfer um so höher zu schätzen. Tauchte der Gedanke wohl in ihr auf, daß mit diesem großen, warmen Herzen auch ein wärmerer Hauch in ihr Alter gedrungen wäre? Konnte sie sich vorstellen, was an der Seite eines so elastischen Geistes aus ihrem Sohne geworden wäre anstatt des stillen Mannes, der er jetzt war, — der aus dem engen Gedankenkreis seiner Frau sich nur zu einsamen Studien flüchtete, aber nie mehr in das öffentliche Leben eingriff, wie seine strebsame Jugend es einst zu verheißen schien und es der Stolz der Mutter gewesen wäre? Die Gräfin seufzte dann leise; aber wenn sie seufzte, bereute sie darum nicht. Sie glaubte nach Recht und Pflicht gehandelt zu haben, und was sie erreicht, schien ihr das Richtige bis zuletzt.

Lilly hatte sich im Laufe der Jahre wenig verändert. Die kleine, rundliche Frau wurde nie von andern Wünschen und Gedanken gestört, als die ihren engsten Kreis angingen, und da hatte sich alles ruhig und befriedigend abgewickelt. Mit der Er-

füllung ihres Herzenswunsches war das Wenige, was sie an
innerm Leben besaß, abgeschlossen; der Hauch, den die zagende
Liebe über ihr Wesen gelagert, war damit verschwunden.
Curt gehörte ihr unwiderruflich an: das genügte ihr; und
außerdem war das äußere Leben ihr Feld, auf dem sie sich
stets übergeschäftig tummelte.

Wie sie heute dahinschritt am Arme ihres Erstgeborenen,
dessen frisches Gesicht dem der Mutter glich, sah sie stolz und
glücklich aus wie nur jemals. Sie hatte nur Auge und Ohr
für ihn, für die Pläne, die er ihr mittheilte, für die Neu=
erungen, die sie ihrerseits seinem Urtheil unterwarf, schon den
künftigen Besitzer in ihm ehrend. Auch darin hatte sie die
ihr eigenthümliche Zähigkeit nicht verleugnet — ihrem Aeltesten
hatte keins der folgenden Kinder den Rang in ihrem Herzen
streitig machen können. Meist erbt sich der Mutter Geist,
wie des Vaters Körperbildung sich überträgt; und so waren
sie fast alle hohe, schlanke Gestalten mit dem einfachen, nicht
untüchtigen Sinn der Mutter. Unangefochten gingen sie ihre
Lebenswege. Nur einer, der zweite Sohn, zeigte des Vaters
braune Augen, dessen träumerische Stirne und auch dessen
ernstere, feinere Gedankenrichtung, die nach dem Höhern zielte.
Aber ein Tropfen mütterlichen Blutes war es wohl, der auch
dieser Richtung gleich den praktischen Ausdruck gab. Ehe er
das achtzehnte Jahr erreicht, hatte er den Entschluß gefaßt,
nur für das Höchste zu leben, nur dessen Dienst sich zu weihen.
Er trat in einen Orden, wo sein Eifer sich ausdrücklich den
überseeischen Missionen zuwandte.

Ungern sah Degenthal ihn scheiden; aber den Neigungen

seiner Kinder gegenüber war er ein milder, fast ängstlicher Vater. Sogar dem mehr kategorischen Wesen seiner Frau trat er entschieden entgegen, wenn es galt, die Lebensbestimmung eines der Kinder zu schützen.

Lilly tröstete sich über den Entschluß ihres Zweitgeborenen. Im Geheimen empfand sie eine kleine Befriedigung, ihre Güter, die sie erst für ihn bestimmt, nun auch in die Hände ihres Aeltesten legen zu können.

Jetzt war Pater Degenthal schon Jahre lang vom Eltern= hause entfernt; sein Beruf hatte ihn auf die andere Hälfte der Erdkugel geführt. Mit warmem Herzen hing er an den Seinigen, und versäumte nicht, auch aus der Ferne an den heimischen Festen Theil zu nehmen.

Der Vater hatte sich aus dem lauten Kreise seiner an= wesenden Kinder und Enkel zurückgezogen, um in der Stille den Brief des abwesenden Lieblingssohnes zu genießen, den ein glücklicher Zufall am Tage des Festes ihm zugeführt. Curt saß in seinem Zimmer, das an den Garten = Salon stieß, und auch auf die Terrasse hinaussah. Die tiefe Fenster= nische mit den weinumrankten Fenstern bot ein trauliches Plätzchen, in das nur gemildert das Geräusch der im Garten vereinten Gesellschaft drang. Das Zimmer mit seiner reichen Ausstattung an Büchern und Schriften zeigte hinlänglich die Neigungen des Hausherrn.

Curt suchte jetzt schon gern den hellsten Strahl, wenn er lesen wollte, und die voluminöse Gestalt des Briefes schien dies doppelt rathsam zu machen. Mit einigem Staunen fand er aber einen zweiten Brief, dem ersten eingeschlossen, der keine Adresse trug. Kopfschüttelnd schob er ihn zur Seite, um sich die Erklärung aus dem Schreiben des Sohnes zu holen.

Wie er jetzt da saß, das Haupt von einem Sonnenstrahl warm umleuchtet, war er ein Bild schönen Alters, wie er es einst schöner Jugend gewesen. Nur in seinen Mannesjahren hatte man den Ausdruck voller Kraft bei ihm vermißt. Die Gestalt war noch stattlich; das Haar hatte zwar silbernen Schein, aber es glänzte in weicher Fülle, und der dichte Bart paßte gut zu der ernsten Würde, die das Antlitz zeigte.

Jahre hindurch seit der Begegnung mit Dahnow hatte eine tiefe Theilnahmlosigkeit auf Degenthal gelegen, die man seiner früh gestörten Gesundheit zuschrieb. Ein rücksichtsvoller Gatte, ein gütiger Vater, ein milder Herr, hatte er den Seinigen vorgestanden, aber mehr durch sein Beispiel als durch thätiges Eingreifen gewirkt. Nur in seinen stillen Studien hatte die einstige Regsamkeit fortgelebt. Erst, als seine Kinderschaar heranwuchs und ihn in ihr frisches Jugend= leben hereinzog, war jener tiefe Ernst von ihm gewichen, der so oft die Leute fragen ließ, was ihm mangeln könne, da er doch im Schooße des Glückes geborgen schien.

Heute aber, als er den Brief kaum begonnen, kam in das Antlitz ein ihm sonst fremdes Leben; die Röthe, die einst so leicht auf des Jünglings Stirne stieg, überflog plötzlich wieder des Alten Gesicht. Mit einem Ungestüm, das ihm nicht mehr eigen, warf er des Sohnes Brief schon nach einigen Augen= blicken zur Seite und griff nach dem zweiten. Er riß die Umhüllung fort — eine Anzahl Zeitungsabschnitte flatterte heraus, die er nicht beachtete; in seiner Hand aber lag dann ein kleines vergilbtes Schreiben, auf das der Alte eine Zeit lang wie gebannt starrte. Der Brief hatte einst wohl eine weite Reise gemacht — denn mit Poststempeln war er über= deckt. Die Adresse war abgeblaßt, aber sie zeigte die hastigen Züge einer erregten Damenhandschrift, und darunter einige Worte, die er nur zu gut erkannte — er hatte sie einst selbst geschrieben, als schon ein Mal dieser Brief in seiner Hand gelegen.

Jahre waren vergangen, Jahre, welche fast ein Lebens= alter in sich schlossen, seitdem er in der Bitterkeit seines Schmerzes und Zornes diesen Brief zurückgesandt, der das Räthsel barg, welches sein Glück zerstört hatte.

Die Hand bebte, als er das Schreiben jetzt erbrach. Das Auge mit den grauen Wimpern wurde feucht, als er die Worte las, die damals ein Herz in seiner tiefsten Zerrissenheit ausge= strömt — Worte, die das Opfer erzählten, das die kind= liche Liebe gebracht, Worte, die ein Abschied sein sollten und doch wie ein Hülferuf klangen . . . .

Das Haupt des Alten sank auf die Brust, als sei das Weh jener Zeiten auf sein Herz zurückgefallen. Die bittere Erkenntniß trat hinzu, wie leicht es ihm gewesen wäre, es anders zu lenken — jetzt, wo sich ihm erklärte, was ihm unerklärlich geblieben.

Wohl stieg herbe der Gedanke dabei auf an die Schuld Derjenigen, die zu der Täuschung mitgewirkt hatte. Aber sollte er anklagen, wo er selbst so viel versäumt?

Rächend gleichsam erwachte die alte Liebe mit der alten Gewalt. Er sah sie wieder, die reizende Mädchengestalt, wie

sie ihm entgegengetreten im frohen Lenz seines Lebens. War
das nicht das Erkerfenster, das auf den wogenden Rhein
hinausging, wo die sprossenden Rebenranken sich über ihre
Häupter neigten, während sie da saßen die langen, schönen
Stunden der Jugend, und ihre Seelen zusammenklangen wie
in einem Accord, der unlösbar schien für Zeit und Ewigkeit?
Blickten sie ihn wieder an die blauen tiefen Augen, für die
kein Opfer ihm zu groß geschienen, um derentwillen er alles
hatte hingeben wollen? Träumte er wieder von der Stunde,
wo er im kühnen Uebermuthe Zeit und Raum nicht geachtet,
um zu ihr hinzustürmen, sie für wenige Augenblicke in die
Arme zu schließen?

Oder sah er sie in jenem letzten Augenblicke, als sie in
ihrem Schmerz vor ihm gestanden und er die Reinheit auf
ihrer Stirne, die Liebe in ihrem Auge gelesen; als er noch
ein Mal um sie hatte streiten wollen und doch sogleich wieder
gezweifelt und zum zweiten Male mit weniger Entschuldigung
sie schutzlos sich selbst überlassen hatte? Bequem zu glauben,
was er glauben wollte, hatte Dahnow gesagt.

Und das herbste Weh, das eines Mannes Brust durch-
ziehen kann, durchzog die seine: sein Glück selbst vereitelt,
nicht mit starker Hand versucht zu haben, es zu retten.
Seine Kraft war ihm darüber gebrochen, seine Liebe verloren,
sein stolzer, heißer Jugendtraum in nichts zergangen — und
dem Manne im grauen Haar stand sein Leben verfehlt da
und sein Herz war verödet. Krampfhaft zog es sich zusammen,
und in bitterer Reue und heißer Liebe ging noch ein Mal
der Name über seine Lippen, den er Jahrzehnte nicht ausge-

sprochen: „Nora, Nora!" — als könne er Jugend, Leben und Liebe damit zurückrufen.

Doch im selben Augenblicke hob er fast erschrocken den Kopf, als sei das Bild, das er gerufen, ihm nahe.

Aber es hatte nur an die Scheiben gepocht, und ein blonder Krauskopf sah herein, während zwei kleine Fäuste sich krampf= haft an das Sims klammerten.

„Großpapa, nimm mich, sonst muß ich fallen!" klang es in ängstlichem Tone. Der kühne kleine Bube war an den Weingeländen zu dem nicht hohen Fenster herangeklettert. „Ich klopfte so lange schon und du hast nicht gehört."

Der Großvater wachte bei dem ängstlichen Tone aus seinem Sinnen auf. Erschreckt hob er den Kleinen herein, welcher ihn fest umklammerte, vielleicht einer Strafpredigt gewärtig für den ungewöhnlichen Weg. Aber in der warmen Kindesumarmung löste sich der Druck, der auf des Alten Brust gelastet. Das Kind von seinem Kinde war es, das er an sich preßte, der Bote der Gegenwart, der ihn löste von dem Bann der Vergangenheit. „Das Kind von meinem Kinde," wiederholte er sich, und er kam sich so alt vor! Was sollte ihm das Bild der einstigen Liebe, wo ein zweites Ge= schlecht schon darüber blühte? Mit dem Knaben auf dem Arm sah er hinaus auf die Gruppe dort unten. Sein Weib, das ihm treu und liebend zur Seite gestanden, die Kinder, die sie ihm geboren, die seinen Namen stolz und in Ehren trugen, das Heim, das ihn so traulich umfing und in seiner Schönheit ihm so hell entgegen lachte, war das alles nichts? Durfte er dem Leben grollen, das ihm so viel gegeben? Aber

neben der hellen Gruppe stand ihm ja das bleiche Bild eines
zerstörten Glückes: sie war hinter Klostermauern vertrauert,
wie er in der Jugend einst gefürchtet, damals als er sie davor
hatte schützen wollen. War ihr der Weg ein so bitterer
geworden, hatte kein Heim, keine Liebe ihr Leben verschönt?
War es ein gebrochenes Herz, das ihn anklagte?

Curt wandte sich von dem sonnigen Bilde fort und
griff wieder zu dem Briefe, der ihm noch ein Mal von
seinem Jugendtraume, von seiner verlorenen Liebe sprach;
aber er behielt den Knaben auf dem Schooß und hielt ihn
fest umschlungen, als könne er die finstern Gedanken damit
bannen. Sein Sohn schrieb, wie folgt.

„Ich muß dir von einer Begebenheit erzählen, mein Vater,
zu der du den Schlüssel besser haben wirst als ich, mit
welchem Interesse sie mich auch erfüllt hat. Der einliegende
Brief, der mir anvertraut ward, wird dir alles erklären und
dir sagen, von wem ich rede. Ich muß weiter ausholen in
der Erzählung.

„Du weißt, unser Ordenshaus hier ist noch eine junge
Ansiedelung; wir ziehen aber schon viel Nutzen aus dem
Wirken eines Frauenklosters, das seit Jahren hier besteht.

„Von der Oberin, die es gegründet, erzählte man mir,
mit welchen Schwierigkeiten sie zu kämpfen gehabt; sie war
als eine außerordentlich tüchtige Frau berühmt, die ihr Orden
stets auf die schwierigsten Stellen sandte, ihres seltenen
organisatorischen Talentes wegen. Diese Gegend wäre über=
dies ihre Heimath, hieß es. Seit etwa zehn Jahren hatte sie
jetzt hier gewirkt und für die Erziehung von Kindern, Ver=

breitung des christlichen Unterrichtes, Verpflegung von Kranken, kurz in allen Pflichten christlicher Barmherzigkeit Unendliches geleistet. Der Volksmund rühmte ihre Heiligkeit und Aufopferung. Von den geistlichen Obern ward ihrer weisen Leitung, ihrem reichen Wissen und ihrer unermüdlichen Thätigkeit das höchste Lob gezollt. So war es mir ein willkommener Auftrag, als ich, mit einer geschäftlichen Besprechung betraut, eines Tages zu ihr gesandt ward. Ich ließ mich bei ihr melden; die französische Schwester Pförtnerin verunstaltete meinen Namen, wie es nur einer Französin möglich. Kaum aber war ich vor der Oberin erschienen, einer hohen Gestalt mit gewiß einst schönen Zügen, als sie mir nicht Zeit ließ, meinen Auftrag auszurichten. »Sie müssen ein Graf Degenthal sein,« redete sie mich lebhaft im reinsten Deutsch an; »eine solche Aehnlichkeit wäre sonst unmöglich! Sie haben Ihres Vaters Augen, Ihres Vaters Stirne: genau so sah er aus in Ihrem Alter — und selbst der Ton der Stimme ist derselbe. Ich habe ihn gut gekannt, Ihren Vater, sehr gut gekannt,« setzte sie auf meinen erstaunten Blick erklärend hinzu. »Er lebt doch noch?«

„Du kannst dir denken, wie freudig ich bejahte; es ist wohlthuend, in der Ferne Jemanden zu begegnen, der unsere Lieben in der Heimath kennt. Ich mußte ihr von dir, von der Mutter, von den Geschwistern sprechen. Sie schien alle ältern Persönlichkeiten der Familie gekannt zu haben, die Großmutter, den Kaplan; nach Jedem frug sie. Am eingehendsten mußte ich von dir und deinem Leben erzählen, deinem Leben, lieber Vater, das so Glück verbreitend für Alle, die dir nahe stehen, von dem Wirkungskreis, den deine unendliche Güte sich geschaffen, von der Freude, die du aus deinem geistigen Leben ziehst. »Ja, der hohe, reine Sinn war ihm stets eigen,« wiederholte sie oft wie für sich dabei.

„Ich frug sie, ob sie Aufträge für dich habe, ob ich einen Gruß dir ausrichten dürfe, und unter welchem Namen.

„»Er wird sich meiner kaum erinnern,« sagte sie aus= weichend; »wir Klosterfrauen rechnen so ganz mit der Welt ab, daß wir selbst unsere Namen vertauschen. Da müßte ich zu weit zurückgreifen, mich ihm wieder vorzuführen. Aber es hat mich unendlich gefreut, Sie zu sehen; und ich hoffe auch, wir sehen uns noch öfter, da wir hier ja im gleichen Wirkungskreis stehen.«

„Ihre Sprache, ihre Haltung, ihre ganze Art und Weise ließen mich darauf schließen, daß sie einst den ersten Gesell= schaftskreisen angehörte. Du wirst vielleicht errathen, wer sie war. Ich sah sie später öfter, und meine Verehrung für die seltene Frau steigerte sich nur durch die nähere persönliche Bekanntschaft. Dies alles trug sich im letzten Winter zu.

„Im Frühjahr brach eine jener furchtbaren Epidemieen aus, die hier die Gegenden oft heimsuchen; und das sind dann Zeiten, die alle Kräfte anspannen. Die ehrwürdige Frau leistete Unglaubliches an persönlicher Aufopferung wie in kluger, umsichtiger Organisation der Pflege. Die Armen und Kranken verehrten sie wie eine Heilige, und hielten sich schon für gesichert, wenn sie nur in ihren Wohnungen erschien. Die Stadt fühlte sich ihr zu Dank verpflichtet; denn ihrem raschen Blick, ihrer rastlosen Thätigkeit wurde manche der

öffentlichen Vorsichtsmaßregeln verdankt, die hier so leicht
vernachlässigt werden. Man rief sie bald auch zu andern
Orten, die ähnlich heimgesucht waren, und wo man Schwestern
der Genossenschaft bedurfte; andere wünschten ihren bewährten
Rath zur Anordnung der Pflege. Wenn es ihr eben mög=
lich war, leistete sie den Aufforderungen Folge, eilte auch zu
den abgezweigten Klöstern ihres Ordens, um Muth und
Trost dorthin zu bringen.

„Bei dem Zustand der hiesigen Wege unternahm sie
diese Reisen meist zu Pferde; ich selbst bin ihr mehrfach
begegnet und staunte über ihren Muth und ihre Sicherheit
dabei, die bei einer Klosterfrau und in ihrem Alter doppelt
auffielen. Auf eine dahin zielende Bemerkung gab sie mir
einst lächelnd zur Antwort, sie sei es von Jugend auf gewöhnt;
und »ein Mal kommt es mir doch zu etwas Gutem zu statten«,
setzte sie hinzu. Ich ward in jener Zeit auf eine Missions=
reise gesandt, die mich einige Wochen fern hielt. Als ich
zurückkehrte, hatte die schreckliche Krankheit in ihrer Wuth
nachgelassen; zu meinem Leidwesen erfuhr ich aber, daß die
übermäßigen Anstrengungen doch zuletzt die Gesundheit der
ehrwürdigen Frau angegriffen hatten, und daß sie seit längerer
Zeit leidend sei. Bald darauf ward mir die Nachricht, daß
sie mich zu sprechen wünsche, und ich begab mich alsbald zu
ihr. Sie empfing mich mit ihrer gewohnten Liebenswürdig=
keit; doch erschrak ich, als ich die Veränderung sah, welche
die kurze Zeit bei ihr hervorgerufen.

„Sie befand sich draußen im Klostergarten, in einigen
Polstern lehnend, eine dienende Schwester ihr zur Seite.

„»Sehen Sie, wie es mir geht, wie ich mich pflegen lassen muß,« sagte sie. »Aber als geistlichen Beistand ließ ich den Pater Degenthal nicht rufen, dazu ist er mir noch nicht ehrwürdig genug,« meinte sie mit dem Scherz, der ihr stets leicht auf die Lippen kam. »Aber um einen Gefallen wollte ich Sie bitten — wenn Sie mich auch ein wenig inconsequent finden mögen. Wollen Sie nun doch einen Auftrag an Ihren Herrn Vater übernehmen? Vor langen Jahren kannten wir uns — als Kinder führte ein seltsamer Zufall uns zusammen, und er wie Ihre Großmutter hatten große Güte für meine Eltern und mich. Später hat ein Mißver= ständniß zwischen uns stattgefunden, wohl nicht durch unsere Schuld — aber die Gelegenheit, es aufzuklären, hat stets gefehlt. Ich möchte nicht von der Erde scheiden, ohne es gelöst zu haben. Ihre unverhoffte Gegenwart ist mir wie ein Fingerzeig Gottes gewesen. Der Herr wendet alles in Seiner Güte! Senden Sie Ihrem Herrn Vater diesen Brief,« sagte sie, mir das einliegende Packetchen reichend; »er wird schon wissen, wer es ihm schickt, und wenn er alles erfahren hat, wird er vielleicht anders urtheilen, als damals.«

„Ihre Stimme hatte einen eigenen Klang von Trauer, als sie dies sagte, und eine mächtige Erinnerung schien sie dabei zu fassen; denn sie schwieg, wie in Gedanken verloren, schwieg so lange, als hätte sie meine Gegenwart vergessen. Plötzlich schlug sie die Augen wieder auf mit jenem unbe= schreiblich freundlichen Ausdruck, der ihr eigen. »Sehen Sie,« fuhr sie fort, »wie eine alte Klosterfrau noch am Irdischen hängt und sich selbst in ihren letzten Tagen noch damit befaßt.

Sie in Ihrer Jugend finden das gewiß seltsam; das Alter
ist uns dann ein so fernes Reich, ein so fremder Zustand,
daß wir die Menschen darin ganz umgewandelt wähnen.
Aber Mensch bleibt Mensch bis zum letzten Hauch in seinem
Fühlen und Denken. Wir empfinden das erst, wenn wir
alt sind, wenn die Jahre, die hinter uns liegen, so kurz
dünken und das in der Jugend Erlebte uns noch lebendig
vor Augen steht, obgleich ein Menschenalter darüber hin=
schwand.«

„Sie sprach wie sinnend; aber jedes ihrer Worte übte
einen eigenen Zauber aus, weshalb ich sie dir so genau
wiedergebe.

„»Ihrer Mutter,« fuhr sie fort, »möchte ich auch einen
Gruß senden: den Gruß einer Pensions=Freundin. Ich weiß
schon lange, daß Ihre Mutter glücklich wurde. Sie hat einst
einen Act rührender Freundschaftstreue gegen mich ausgeübt,
den ich ihr nie vergessen habe, den Gott ihr wohl gesegnet hat
durch das Glück, das sie gefunden.« Sie hielt inne. »Aber
ich bin auch glücklich geworden, glücklich dem ganzen Herzen
nach, — sagen Sie auch das Ihrem Vater,« fuhr sie dann
wieder fort. »Das Leben, das der Herr mir gab, war schön,
und ich habe es lieb gehabt bis an's Ende. Es war schön,
was Er mir in der Jugend gab, und gewiß am besten, daß
Er es so fügte; denn wir haben so Alle unsere Bestimmung
besser erfüllt, als wäre es nach unsern Wünschen gegangen.
Kein Leid ließ der Herr ohne Trost, keine dunkele Zeit ohne
einen freundlich hellen Strahl. Schön war es auch, daß Er
mein Herz lenkte, nur Ihm noch dienen zu wollen, einen

Tochter d. Kunstreiters. 26

großen Wirkungskreis zu suchen, um Vielen viel sein zu
dürfen; ja, schön, daß Er der Heimathlosen eine Heimath gab
in Seinen Zelten — möglich, daß jede andere irdische Heimath
ihr zu eng geworden wäre. Schön ist es auch noch, daß Er
heute mir Sie zum Abschied sandte,« sagte sie, meine Hand
fassend. »Es freut mich, Sie gesehen zu haben. Freuen Sie
sich, junger Mann, daß Gott Sie so früh zu Ihrem hohen
Berufe rief. Ja, ich habe mehr Seelen gekannt, die Ihn gleich
ganz erfaßten; wir unruhigere irdische Herzen gehen erst
andere Pfade.

„»Aber die Vollendung ist um so höher: je mehr Kampf,
je mehr Ehre«, sagte ich unwillkürlich. »Meinen Sie?« sagte
sie freundlich lächelnd. »Das wäre ein Trost für manche
Umwege; aber Sie haben Recht: jede Fügung des Herrn hat
ihren Zweck. Doch jetzt erzählen Sie mir von Ihren
Leistungen; ich bin der Unthätigkeit so müde, daß ich gern von
Thätigkeit höre, wenn Sie mir noch einige Zeit widmen können.«

„Ich kam ihrem Wunsche nach und erzählte von meiner
letzten Reise, von unsern Erfolgen, von dem, was noch zu
erstreben sei. Sie hörte voll der größten Theilnahme zu;
ihr klares Urtheil blickte überall durch, und jedes ihrer Worte
war von einer geistigen Frische und Regsamkeit, daß man
sah, wie sie mit ganzer Seele in ihrem Beruf aufging und
für die größten Anschauungen lebte. Ich mußte ihres Wortes
dabei denken, daß für ihren Geist wirklich eine Heimath
leicht zu eng hätte werden können.

„»Ich werde das alles nicht mehr sehen,« sagte sie als
Antwort auf einige meiner Aussichten für die nächste Zukunft.

»Man will mich durchaus noch in unser eigentliches Mutter=
haus senden, meiner Gesundheit wegen. Ich werde mich
fügen müssen, obgleich es mir ein großes Opfer sein wird,
hier mein Werk zu verlassen; aber, wie gesagt, ich soll nirgends
festwurzeln, ich gehöre zu den fahrenden Leuten bis an mein
Ende. Doch hätte ich gern hier geruht, wo meiner Mutter
Heimath war!« Ich entsann mich dabei, daß sie hier allge=
mein als Americanerin gilt, obgleich ich mir das schwer mit
deiner Bekanntschaft reimen kann. Sie muß viele verschiedene
Pfade gegangen sein, denn keine europäische Sprache schien
ihr fremd und jedes Land dort bekannt. Leider war meine
Zeit vorüber und ich durfte nicht weilen. Doch bat ich mir
die Vergünstigung aus, sie noch besuchen zu dürfen. Sie sah
einen Augenblick nachdenkend aus. »Nein,« sagte sie dann,
»lassen Sie uns Abschied nehmen, mein junger Freund. Ihr
Beruf fordert Ihre Zeit, und auch meine wenigen Tage
sollen jetzt ungetheilt der letzten Aufgabe angehören. Mensch
bleibt Mensch, sagte ich ja, — schon jetzt durchschwärmen all'
die alten Erinnerungen den alten Kopf. Nun ich das letzte
dafür gethan, mögen sie wieder bessern Gedanken Raum
geben. . . . Es wird kein Unrecht gewesen sein, ihnen noch
ein Mal nachzugeben; vielleicht thut es auch Andern gut.
Es war eine Freundlichkeit des Herrn, Sie mir zu senden.
Kommen Sie und nehmen Sie zum Lebewohl den Segen
einer alten Frau: für Sie, für ihn, für Ihr ganzes Haus,«
sagte sie, indem ich mich vor ihr beugte und ihre Hand auf
meinem Scheitel fühlte. »So hat meine Mutter auch sterbend
Ihren Vater gesegnet,« sagte sie zum Schluß leise, »und ich

thue es mit gleicher Innigkeit. Denn ein Segen war es
doch, daß einst unsere Pfade sich kreuzten.«

„Das waren die letzten Worte, die ich von ihr hörte,
und jedes derselben hat sich mir in die Seele geschrieben;
sie schienen mir ein Vermächtniß an dich, mein Vater. —
Gesehen habe ich sie nicht mehr, obschon sie ihre Reise nach
Frankreich nicht antrat. Ihr Wunsch, in der Heimath der
Mutter zu ruhen, ward erfüllt. Die Krankheit, die nach den
letzten Anstrengungen sich ausbildete, entwickelte sich so rasch,
daß sie zum Ende führte, ehe die Reise unternommen werden
konnte. Nur wenige Wochen nach unserer Unterredung war
sie heimgegangen, zur unsäglichen Trauer Aller, die sie
gekannt hatten.

„Ihre geistlichen Töchter beklagten in ihr eine wahre
Mutter; die ihrem Schutz anvertrauten Waisen, die Armen,
die Kranken, die ganze Gemeinde trauerte um sie. Ihre
letzten Verdienste lagen zu nahe, um sie nicht zur öffentlichen
Anerkennung zu bringen: so wetteiferten weltliche und geistliche Behörden, ihr auf dem letzten Wege alle irdischen Ehren
zu erweisen. Hat sie in der Welt einst hohen Rang einge-
nommen, so hätte ihr nicht mehr Glanz zu Theil werden
können, als der schlichten Klosterfrau hier ward. Um dir,
der du einst ihr nahe gestanden haben mußt, einen Begriff
ihres Wirkens, wie der Verehrung zu geben, die sie genoß,
füge ich die Berichte der öffentlichen Blätter bei, welche die
seltene Frau besprechen. Es ist nur ein kleiner Theil der
Nachrufe, die ihr gewidmet sind. Mir selbst wird ihr Andenken nie schwinden; es ist ein Segen, einer so kraftvollen

Natur begegnet zu sein, deren Herz so warm der Erde, deren Seele so ganz dem Himmel gehörte."

So schrieb der Sohn mit der vollen Begeisterung der Jugend, und der Alte las es und sein Herz ward freier dabei. Nein, dies Lebensbild war kein blasses Gespenst, das drohend vor ihn hin trat! Das frische, volle Leben, das so segens= reich sich ausgebreitet, so thätig sich ausgeathmet und die Erde schön gefunden bis zum letzten Hauch, das war kein verkümmertes Schicksal, welches ein verlorenes Glück von ihm forderte.

Und mild versöhnend stieg der Gedanke in ihm auf, daß der Irrthum, der ihre Schicksale getrennt, nicht bloß Irrthum, daß es auch Fügung gewesen, jene Fügung von oben, welcher auch der Menschen Kurzsichtigkeit dient.

Der kleine Bube auf seinem Schooße hatte aber schon lange unruhig hin und her geblickt; jetzt tippte er leise den Großvater an, den er noch immer auf die Blätter starren sah. „Bist du noch nicht zu Ende, Großpapa?" frug er.

„Ja, Kind — zu Ende," sagte der Alte, leise für sich redend, „zu Ende, wie hier alles zu Ende geht: Jugend, Lieben und Leben. Aber es war ein gutes Ende." Er konnte in dem Augenblick noch nicht sagen wie sie: es war besser so. Aber er sagte doch: es ist gut auch so. Als er sich erhob, war es, als sei eine Centnerlast von ihm genommen; er athmete auf, als sei der Bann gelöst, der ihn ein Leben hindurch gefangen gehalten. Ja, sie hatte Recht gehabt: ihr letzter Gruß that auch einem Andern wohl.

Der kleine Bube sah erstaunt zu, wie der Großvater all'
die Blätter und Blättchen so vorsichtig sammelte und so
liebevoll zurecht legte.

Der Alte lächelte dabei — er entsann sich, wie einst
derselbe Brief mit so ganz andern Berichten über sie in seine
Hände gelangte, wie er sie damals für tief gesunken hielt
und wie hoch sie ihn überflügelt hatte — seltsame Pfade war
sie geführt worden.

Aber neugierig hob der Kleine seine Nase in die Höhe,
denn der Großvater schloß an seinem Schreibtisch jetzt einen
der vielen Schreine und darin ein verborgenes Fach auf.

Verschlossene Schreine haben immer etwas Geheimnißvolles
für kleine Menschenkinder, und verborgene Fächer mit allerhand
Gekrame darin sind ihnen stets so unglaublich interessant. Das
Näschen hob sich noch höher, und der Kleine reckte sich auf
die Fußspitzen, um zu sehen, was der Großpapa da wolle.

Sorgfältig legte der Alte die Briefe hinein. Dann suchte
er und nahm einen kleinen, unscheinbaren Schmuck hervor,
ein Perlenherzchen, das er wieder an seine Uhr hing, woran
einst die Hand eines Kindes es befestigt hatte. Sie war
seinem Andenken treu gewesen bis zum letzten Hauch, und er
war wieder Kind geworden — er wollte nicht minder treu sein.

Mit dem Kleinod aber trat die ganze Scene jenes Morgens
ihm wieder vor Augen. Wieder sah er die Mutter da sitzen,
wieder hörte er ihre strengen Worte über des Kindes Schicksal
und des Kaplans milde Erwiderung.

Weiter kam er nicht in seinen Gedanken, denn Schritte
und Stimmen wurden jetzt an der Thüre laut. — Die ganze

Schaar seiner Lieben drang bei ihm ein. „Da ein Bote nichts genutzt, kommen wir Alle, dich zu holen, Papa," riefen sie heiter. „Richard soll dich mit seinem langen Schreiben doch nicht ganz allein haben heute."

Seine Frau aber trat an ihn heran, und sah ihm aufmerksam in die bewegten Züge: „Es war doch ein guter Brief?" frug sie besorgt.

„Ja, es war ein guter Brief," sagte er aus vollem Herzen, sie freundlich umfangend, und mit hellen Augen auf die stattliche Schaar blickend, die ihn umgab.

„Warum entziehst du dich denn uns, wo wir so glücklich zusammen sind?" gab Lilly etwas vorwurfsvoll zurück.

„Richard gab mir Nachricht von Jemand, von dem ich nichts mehr zu hören glaubte, — es war ein letzter Gruß, ein Abschiedsgruß. Wir aber," setzte er, sie inniger an sich ziehend, hinzu, „wir bleiben ja, so Gott will, noch lange glücklich zusammen, und diese letzten Tage werden uns noch die schönsten sein. Der Herr hat uns viel an Freuden und Segen bescheert, — aber Er hat auch alles gut gemacht, Lilly. .... Nora, des Kunstreiters Kind, grüßt auch dich noch ein Mal, — sie ward mehr wie glücklich — sie ward heilig."

Gottes Blumen können überall blühen!

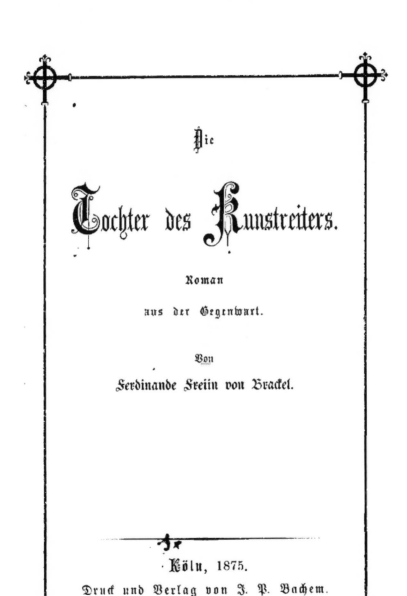

Die

Tochter des Kunstreiters.

Roman

aus der Gegenwart.

Von

Ferdinande Freiin von Brackel.

Köln, 1875.

Druck und Verlag von J. P. Bachem.

Verlag von J. P. Bachem in Köln.

Aus der Heimath.

Gesammelte Novellen von
Maria Lenzen, geb. di Sebregondi.

Zwei Bände. 892 S. 8°. Elegant br. 8 ℳ.

Inhalt:

Erster Band: Die Getrennten.
Schwarzgarten.
Die Heimathlose.

Zweiter Band: Aus verschiedenen Lebenskreisen.
Die Frau von Holmerdamm.
Die Glocke von Wallmoden.

Zwischen Ems und Wupper.

Zweite Folge der gesammelten Novellen
von
Maria Lenzen, geb. di Sebregondi.

Zwei Bände. 920 S. 8°. Elegant br. 9 ℳ.

Inhalt:

Erster Band: Das Teufelschmiedchen.
An der Balkenfurth.
Die Wallfahrt.

Zweiter Band: Rau von Nettelhorst.
Hannchen.
Die begrabenen Schuhe.

Lieb' und Leid aus einer kleinen Welt.

Holländischer Familien-Roman
von
Christine Müller (Frau von Wallree, geb. Gobée).

Autorisirte Uebertragung von Friedr. Schnettler.

Zwei Bände. 528 Seiten 8°. Elegant brochirt 6 ℳ.

722

Deacidified using the Bookkeeper process.
Neutralizing agent: Magnesium Oxide
Treatment Date: Nov. 2009

PreservationTechnologies
A WORLD LEADER IN COLLECTIONS PRESERVATION
111 Thomson Park Drive
Cranberry Township, PA 16066
(724) 779-2111